ULTIMATE WORD SEARCH

OVER 450 PUZZLES

G	U	X	S	T	D	I	V	A	N	O	V	I	C	L
D	R	L	L	K	B	T	Z	K	B	H	N	R	D	K
H	X	A	V	O	P	A	R	A	H	S	I	A	U	H
I	Q	I	F	S	R	E	E	S	P	R	V	G	P	T
N	R	B	T	E	G	M	D	O	K	E	R	B	E	R
G	S	J	N	V	R	U	P	U	N	T	P	K	L	P
I	M	K	E	S	Y	G	C	P	B	S	P	V	A	F
S	A	F	I	N	A	U	O	D	U	J	Q	P	H	P
A	I	O	M	S	E	R	U	A	M	I	X	H	U	Y

hinkler

hinkler

Published by Hinkler Pty Ltd
45–55 Fairchild Street
Heatherton Victoria 3202 Australia
www.hinkler.com

Puzzles © Clarity Media 2019
Design © Hinkler Pty Ltd 2016
Cover design: Hinkler Design Studio
Typesetting: MPS Limited

ISBN: 978 1 4889 4126 9

Printed and bound in China

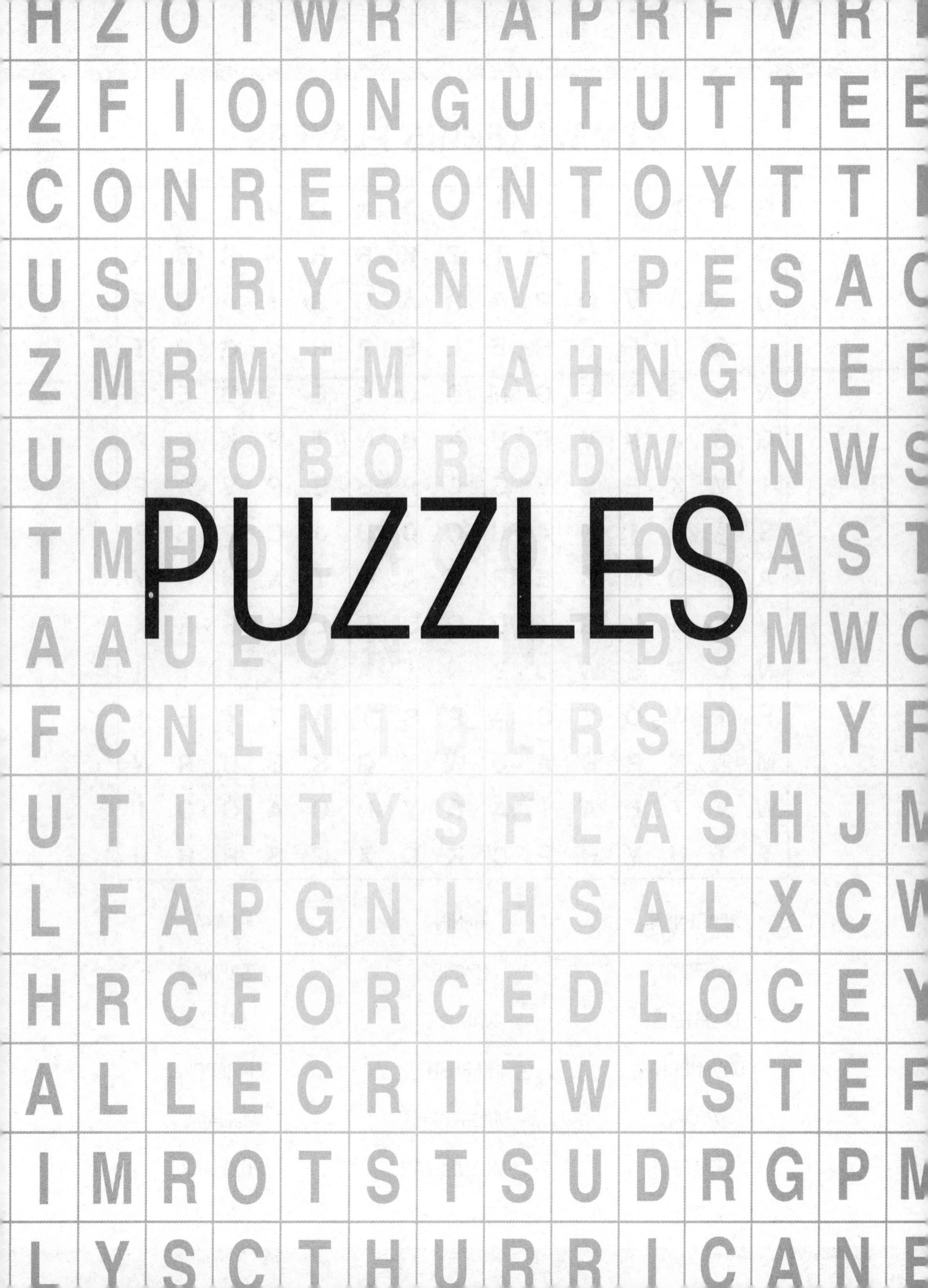

FEMALE TENNIS PLAYERS

```
G U X S T D I V A N O V I C L
D R L L K B T Z K B H N R D K
H X A V O P A R A H S I A U H
I Q I F S R E E S P R V G P T
N R B T E G M D O K E R B E R
G S J N V R U P U N T P K L P
I M K E S Y G C P B S P V A F
S A F I N A U O D U J Q P H P
A I O M S E R U A M I X H U Y
V L J Y G T U O S E L E S R X
N L P S W O Z N I A C K I I J
F I W O Y C A P R I A T I E I
M W N R B A U W Y G S B B R N
W A T E A I A Q Y N C A G O I
T T H Y H P C K Q X G S R H U
```

AZARENKA	HENIN	OSAKA
CAPRIATI	HINGIS	SAFINA
CLIJSTERS	IVANOVIC	SELES
DAVENPORT	KERBER	SHARAPOVA
GRAF	MAURESMO	WILLIAMS
HALEP	MUGURUZA	WOZNIACKI

PENGUINS

```
B H Z A T R V T P R V P T P K
T B A A I G R M E Q Y H V L A
R E M P E R O R R S U U F O J
L I Z N T T Y T P W Z M L B T
T W T L S I A L R I P B I R G
A O A M S Q L E E M H O P N A
O I W A U T L T E M A L P I L
U A M A C A R O N I A D E K A
A S T W E H C H I N S T R A P
K I F O R A G I N G F I S H A
C P L Q D T M L G R L Y Y A G
T G E E L I R D T L O E A I O
U N L T L A C D L Y T V L C S
B I R D F W C E R O X G T N L
E K O Q E C J S V W C P S I L
```

ADELIE	FLIPPERS	KRILL
AQUATIC	FORAGING	MACARONI
BIRD	GALAPAGOS	PREENING
CHINSTRAP	GENTOO	ROYAL
EMPEROR	HUMBOLDT	SWIMMING
FISH	KING	WAITAHA

ITALIAN CITIES

```
V E N I C E R G S D O T U D R
E U O R R A N I T A L J R T C
R M U A F I T O A H L J O E F
O U O R U N P A D U A E M E S
N I E E R I M I N I M H R T S
A Y L E X R E D B I X R E N N
Z A N S O U T A L X A F L O O
J A R E Q T J A N R N F A M T
R S P T M O N Z A P C X P R N
M H T S P O E S P A O K S Q E
H G Z A E D R I L R N X H F R
O O L E D C J T E M A E O G T
V R G L I R L M S A S C D Z A
Y F T E A B Y A P E A D R O E
E R D M Z P O R E G H U O S M
```

ANCONA	MONZA	ROME
CATANIA	NAPLES	SALERNO
FERRARA	PADUA	TRENTO
LATINA	PALERMO	TURIN
MILAN	PARMA	VENICE
MODENA	RIMINI	VERONA

CATCH-22

```
P Z E O Z G F T A R C B Q S B
E L X X Q X R U E L V C I G T
F S E M I C H A E L A A X S A
J T R V I R Z V A E P T U N P
L K Y P O P I N J A Y H H O P
F I L Y E N H Q T R N C A W M
I S A L G A U R C O S A V D A
L J K E W I N T E R G R E E N
D P R T U R G D Z Y A T R N A
N I R A L A R S J V A M M O U
L A B N P S Y B D A N E E K A
L N T S G S J B S B G E Y R T
L O S H O O O K N P X X E A U
I S A O J Y E K R A V D R A A
L A Q R F B R R I Z D B U Q P
```

AARDVARK	HAVERMEYER	PIANOSA
CATHCART	HUNGRY JOE	POPINJAY
CLEVINGER	MICHAELA	SNOWDEN
CRAMER	NATELY	TAPPMAN
DANBY	NOVEL	WINTERGREEN
DANEEKA	ORR	YOSSARIAN

LATIN PHRASES

```
R T Y I U M P H Q W T B M D P
P I B D Q K U A T G N I O D J
Y P E R A N N U M V E K A G P
K S D R A V A D H O C P T S U
N O N S E Q U I T U R O L A A
A F T I D A R R T I E Q P N J
E A M N I D C G O R P N N C S
T C O E V Y E R X U R O W C T
C T E Q D K I R Z U D T R W A
E O I U O I S M M O U A P W T
T R D A U E B T M Q N B E P U
E R E N Q S U I G E N E R I S
R E N O V L N A T U J N S Y Q
A D I N F I N I T U M E E N U
W F S F E U V E D E F A C T O
```

A PRIORI	IBIDEM	PER SE
AD HOC	IPSO FACTO	QUOD VIDE
AD INFINITUM	NON SEQUITUR	SINE DIE
ANNO DOMINI	NOTA BENE	SINE QUA NON
DE FACTO	PER ANNUM	STATUS QUO
ET CETERA	PER CENT	SUI GENERIS

PHYSICISTS

```
E L L R Z V S Z C E B A G P P
R A F E Y N M A N U P O E R G
R U S L I O C S T E R N I E X
H A W K I N G O A A M I G L O
O R H C X A S T T M T U E P H
B W K N M E I T N E R M R P U
P R H A L V A R E Z A R S O A
P W Z L V Q G A L I L E O D V
U I U P C O M P T O N Z R Q A
O A S A K H A R O V A E P O T
B O N O Q V E K I N R E Z R S
F S N A U X T S K D T M O R F
R H A A W S O E Q S T A S T N
Y C K A O S N E W T O N Q P P
S R E B C P A R R Q I O W P E
```

ALVAREZ	FEYNMAN	NEWTON
BOHR	GALILEO	PLANCK
COMPTON	GEIGER	SAKHAROV
CURIE	HAWKING	STERN
DOPPLER	LEMAITRE	ZEEMAN
EINSTEIN	MEITNER	ZERNIKE

GOOD AS GOLD

```
D E L P I C N I R P Z I E O I
R T T R U S T W O R T H Y T R
H H E E H W S L J A C B L P M
R I B S U O U T R I V L A H Q
X C C S J A L R G S Q A R U M
M A B E L B A D N E M M O C U
B L J L A U S P I W Y E M P U
A A P N O B L E D O U L C S F
T Z W I U M A P N R T E D R I
C H P S P K T V A T L S P O I
T M T P R S W T T H S S U U G
L X P M I D G P S Y H E S J S
T S N I G W W M P S D R N L M
Y R I G H T E O U S R U Q O I
B V Y L T N I A S R Z P Q E H
```

BLAMELESS	MORAL	SAINTLY
COMMENDABLE	NOBLE	SINLESS
ETHICAL	PRAISEWORTHY	TRUSTWORTHY
GODLY	PRINCIPLED	UPRIGHT
HONEST	PURE	UPSTANDING
JUST	RIGHTEOUS	VIRTUOUS

BUSINESS TERMS

```
X R X M O M E N T U M P P I A
B L B D J T S T I F O R P L A
L E A V C L I A E Q S G H Q W
T A T P I I R R X S U E A O K
R D C A T E P G C T P V A K Q
E E Z R A N R E E R P I W A E
V R G T A L E T L A L T B A H
E S J N L M T M L T Y A E L T
N H P E A S N A E E C I N O W
U I T R E H E R N G H T C U O
E P G S O G C K C Y A I H T R
F I U H A C L E E U I N M C G
N A O I T W E T M T N I A O V
M S X P H T M S G A T Q R M K
K T N P F K L L S U G Z K E T
```

BENCHMARK	LEADERSHIP	PROCESS
ENTERPRISE	MANAGEMENT	PROFIT
EXCELLENCE	MARGIN	REVENUE
GAME CHANGER	MOMENTUM	STRATEGY
GROWTH	OUTCOME	SUPPLY CHAIN
INITIATIVE	PARTNERSHIP	TARGET MARKET

WORD SEARCH 9

WORDS CONTAINING "IE"

```
J J T J Q O N O Y S D K E H R
H S Z R B X O I N O M P P Q V
L R V S T N E I C N A R I A D
S S G R I L E A T T U S E P R
H T E M D U O O I R O A C P Z
R C L A S T U E E C L I E N T
Y A I G E C N E I C S R F N L
N T S P E C I E S M D X H R P
N P R I E S T W I S F R Y W L
P R S E Z Y J S S N I R G A V
E A Q A U A C R H S E E I N O
P J A U G H T F K S L V E U U
I B E L I E V E S G D I N B Y
N L Z E V E I H C A Y E E O T
V R F J A W T N R V A W U C C
```

ACHIEVE   HYGIENE   QUIET

ANCIENT   MAGPIE   REVIEW

BELIEVE   MISCHIEF   SCIENCE

CLIENT   PATIENCE   SOCIETY

CONVENIENT   PIECE   SPECIES

FIELD   PRIEST   YIELD

BANKING

```
F G T S E R E T N I L E R R L
R I S B O R T R S T T L B A R I
I L D H R A O M T I C K E R I
X T P U Z O N H A C S T R E S
C S S T C W K D S I L A E L R
L B E R P I N E R F S C R B Q
O O I A I T A N R E F C T Q K
T N T D P H B R Q D I O M C O
B D I I P D Y O Y J A U J S A
E S R N W R O T I Q T N I I A
C V U G M A I V I X M T J I G
O T C Z L W P C S U O D P A Z
S T E S S A Q P E Z N P U P T
A P S E L L P R I C E N A M A
I S N B L G C U U R Y R A P N
```

ACCOUNT	BROKER	OFFSHORE
ANNUITY	DEFICIT	SECURITIES
ASSETS	FIAT MONEY	SELL PRICE
BANKNOTE	FIDUCIARY	TICKER
BID PRICE	GILTS	TRADING
BONDS	INTEREST	WITHDRAWAL

BARCELONA METRO STATIONS

```
L C A E U W E A A R P D G A O
S L R B L L A C U N A A O T G
A O A V U D E I U C V I X R K
J T E G O R G M L A R F E Q A
V E R D A G U E R R L O Q F A
L O H B P R J R D A O M C U R
N M T R O F A C O R C E E K L
A J U D B I Y M A B B L V D A
V Q T G L O R I E S Q A E X A
A F E P E T A W R C O N R Q H
S E R G N O C T A R P O N A E
D S L T O R R A S S A G E R C
L I C E U J M A R I N A D T Z
A I O A A M D G R H W I A U L
R D R A R T D P R K X D R J T
```

ALMEDA	GLORIES	NAVAS
CLOT	GORG	POBLENOU
CONGRES	LICEU	ROCAFORT
DIAGONAL	LLACUNA	TORRASSA
EL CARMEL	MARAGALL	VERDAGUER
GAVARRA	MARINA	VERNEDA

CONDIMENTS

```
S T F E X V I N E G A R R T H
L W T H S I D A R E S R O H W
M A Y O N N A I S E Q F P G M
K M U S T A R D U A A H A R F
M A T T E I A Z P E P P E R D
I H A R C G X P S P Z E I C W
N O A O U R L V P U R Y S Q R
T T Y M A E R C D A L A S T T
S S C D S T E A K S A U C E O
A A H A N T G B L A T S T U M
U U U T W E S S G L V N L Q T
C C T T O G R L E T R B C A S
E E N R R E L I S H P F C G S
P I E R B R R L E L O E I T B
L T Y J L L I Q A I V E M U S
```

APPLE SAUCE	MINT SAUCE	SALSA
BROWN SAUCE	MUSTARD	SALT
CHUTNEY	PEPPER	STEAK SAUCE
HORSERADISH	PESTO	SYRUP
HOT SAUCE	RELISH	VINAIGRETTE
MAYONNAISE	SALAD CREAM	VINEGAR

FAMOUS AUTHORS

```
W D M W E R I L U S R H K S L
R K I P L I N G K A F K A C T
A E L S I D R V N S F T A V U
L S N V A I F D I I L R X M J
V L E B S C V R Y M R P T Y G
A U J H G K D O J O B R W A M
R A A M N E T W L V T Q O O V
A M A P E N E L P G C S O A T
N C H R I S T I E H U X L E Y
A I E D K Q U N D M Y A F O S
B U A G L S L G L O B Q P L T
L A T W O O D S I W A A B K O
R A U S T E N Z W O N G D U E
A F T Q S R F A Y O M Z T O U
I Q K N A N E I T U H S L S U
```

ASIMOV	GRISHAM	ROWLING
ATWOOD	HUXLEY	TOLKIEN
AUSTEN	KAFKA	TOLSTOY
CARROLL	KIPLING	TWAIN
CHRISTIE	MILNE	WILDE
DICKENS	RAND	WOOLF

INSECTS

```
Z Z X T A I G N L Y E Y F E Y
A T I G E R M O T H B L I E L
A A E L F K S M S A S F R B F
E I S I E G C P O Y A Y E Y L
L Z I A I T R I L S N A F E E
T F T N O H R F R M Q M L N S
E S D T U L N E U C T U Y O M
E R E P P O H S S A R G I H A
B U E C G S H T S Q O R M T D
G X X A S A W C O T P S R L O
A W R L O C U S T G U A S V W
T D R P Q W Z H O S G N W S A
S A B U T T E R F L Y A Q P L
Y O H C A O R K C O C Y M R Z
E A R W I G E S U O L M A M N
```

ANT	EARWIG	LOUSE
BUTTERFLY	FIREFLY	MAGGOT
COCKROACH	FLEA	MAYFLY
CRICKET	GRASSHOPPER	MOSQUITO
DAMSELFLY	HONEYBEE	STAG BEETLE
DRAGONFLY	LOCUST	TIGER MOTH

TREES

```
I H D J J C A S U S B P P O K
L E O A U S W S A Y Z U P S I
M P W L N E P S A C U P T P T
G T N D I S N N R A L G S A A
I I Y E P S O I R M A S Y B V
F E B R E I J M F O S V C I F
I N I E R L I I A R H J E X L
E U R O P E A N Y E W T N Y E
L U C Z I O H C H R B T W T Z
D I H E T A A C Y U A N Z A A
M F M U T K V M D B S V R N H
A T L E B A Y W I L L O W O W
P R E M S C O T S P I N E Y H
L C Q M A E B E T I H W A A A
E L P P A B A R C F N C Z Z S
```

ALDER	EUROPEAN YEW	LIME
ASPEN	FIELD MAPLE	SCOTS PINE
BAY WILLOW	HAWTHORN	SESSILE OAK
CRAB APPLE	HAZEL	SYCAMORE
DOWNY BIRCH	HORNBEAM	WHITEBEAM
ELM	JUNIPER	WILD CHERRY

SHARKS

```
T C J D A J R U P K F C F T I
R U C E A C R S Z J S X A W Q
C I J A K B L U E B A R Z S P
T I G E R R A N B Z M M V U Z
S L A N T E R N R X T K V E J
T I L G N I K S A B H M F O L
C P L L U B H U D K R E D A P
U Q I F E L Q W I T E M A K O
W M X L R B P K T Q S L I L R
D G N G A N G E L A H T Q O W
Y W A H A M M E R H E A D V Q
E S K N U R S E M F R R L L U
P G R A G O B L I N O I G R Q
P A D C C E Z N O M E L H E V
A L G L Y K S U D B H J L K F
```

ANGEL	GOBLIN	LEMON
BASKING	GREAT WHITE	MAKO
BLUE	GULPER	NURSE
BULL	HAMMERHEAD	THRESHER
DUSKY	KITEFIN	TIGER
GANGES	LANTERN	ZEBRA

BRANCHES OF PSYCHOLOGY

```
T R Z T Y T I L A N O S R E P
H Q T K V H E J W C W C M D U
D J X E A E P E F R L O P U S
A Z X I T O D O A I A G O C B
L W P B H R R S L M R N M A L
A P P L I E D I B I U I E T A
I I Q Q N T A J Y N T T D I C
C C R S Z I A L T A L I I O I
O T I L T C W Z T L U V C N N
S C O M R A S A P H C E A A I
J D B I O L O G I C A L L L L
Z I N D P N S T W D J B X G C
T C F V S X O E E U E Z A F T
Z R I R L B T C O D A M S M W
U S Z E T G R L E G A L K J S
```

APPLIED	ECONOMIC	MEDICAL
BIOLOGICAL	EDUCATIONAL	PERSONALITY
CLINICAL	FORENSIC	POLITICAL
COGNITIVE	HEALTH	SOCIAL
CRIMINAL	LEGAL	SPORT
CULTURAL	MEDIA	THEORETICAL

JAPAN

```
H S D Z S S I X S W Y E Y R A
G P G Q H M R A I S U S G P U
Y I R U I A U A S O O A B Y Q
Y Y B U N R A K U U C P R A U
I T P H T T E F S B K P A A E
I Z S S O I K O H S N O H I N
K P K N T A O D I C S R H G H
I B Z O O L A W V I P O A Y K
U Q K H R A R S I M J S A E T
X Y O I Z R A G E A D N H Y E
O U T T P T K R O R R S A H M
S Z O U H S U Y K E N U I K P
A A U I Y R W L A C A A M T L
K O A R J S T E G R K D X A E
A O O Q L Y O Y N O O D L E S
```

BUNRAKU	KOTO	SAMURAI
CERAMICS	KYUSHU	SAPPORO
HOKUSAI	MARTIAL ARTS	SHINTO
HONSHU	NIHON SHOKI	SUSHI
KANJI	NOODLES	TEMPLES
KARAOKE	OSAKA	TOKYO

US NATIONAL PARKS

```
E N O T S W O L L E Y D U U X
V O Y L L D N E B G I B P V E
E U R P I N N A C L E S L Q C
R V U L V O Y A G E U R S V P
G A J S P L M O L Y M P I C Y
L S O T B U V E T N O Q R I A
A H S G N I R P S T O H R A U
D P H U A Q L I M A E Y A M G
E J U E T S N S S P V R N T L
S L A K E C L A R K A E A A A
T R T T E R G B D R Z D R K C
O J R V A U T P Z S T W C D I
W T E V A C D N I W L O H Q E
L E E R Z B Q S O D U O E E R
A G O X T T P N N Z R D S G T
```

ARCHES	JOSHUA TREE	REDWOOD
BIG BEND	KATMAI	SAGUARO
CANYONLANDS	LAKE CLARK	VOYAGEURS
EVERGLADES	MESA VERDE	WIND CAVE
GLACIER	OLYMPIC	YELLOWSTONE
HOT SPRINGS	PINNACLES	ZION

TIRED

```
I A F D U J A A R P Y Z A E A
W O R N O U T Q U R E Y S N A
U Z A U D E N I A R D U Z K O
D A Z B E E Q E A A K S A M U
E B Z Y U S W M L Q V E A X A
B D L D G C O W Z N F M S O C
I R E E I F R E F S A P P E D
L O D T T G N A L H I T S K J
I W V S A O N K A A N Y O R R
T S A U F V Y E G T T I L E E
A Y U A R M R N G T N O Q Z P
T A Y H R V I E I E L E Q O Z
E A R X C K Y D N R P T P O Z
D Y J E T L A G G E D U A S D
H T X M A N T J A D E D O A P
```

DEBILITATED	FAINT	SAPPED
DRAINED	FATIGUED	SHATTERED
DROWSY	FLAGGING	SPENT
EMPTY	FRAZZLED	WEAKENED
ENERVATED	JADED	WEARY
EXHAUSTED	JET-LAGGED	WORN OUT

TO KILL A MOCKINGBIRD

```
Y D S A A C S S O I O T Y I L
J E Z I R P R E Z T I L U P A
N E L P D S J T E Q K T K G M
S P A D N A X E C T V R Z A L
A S W I A P L Y M T S S Y A P
C O Y A X R I R E T C C C I E
I U E K E F O A B O O O E A Y
R T R P L L R O O M U S Q T T
E H R L A S A Q B U T U S G H
A A D T T M Z L Y J R C L U Q
H A A I N R U P L A C I L J S
E B S U U O N I D E F T Y A T
R T R I A L V Q I B Y T B M T
N C O X K M E E L I S A P K Q
R W M F Q K U A L A B A M A U
```

ALABAMA	DEEP SOUTH	MAYELLA
ATTICUS	DILL	NOVEL
AUNT ALEXANDRA	HARPER LEE	PULITZER PRIZE
BOB	JEM	SCOUT
BOO RADLEY	LAWYER	TOM
CALPURNIA	MAYCOMB	TRIAL

ALANIS MORISSETTE

```
L U N I N V I T E D G K R Z L
O S S O R I Y O A I U A I S S
W A L K A W A Y C R A Z Y O I
V N W A E P Q C Y Y R R R P O
U W R S L T O R A Z D Y L U R
N R H U U S M L O N I S Q R S
D A C I O B Y N O T A S W E U
E V E R Y T H I N G N D S T W
R F R W K T R A Q C I M I H S
N A O S O N G W R I T E R A I
E V X J U N O A W A R D S N N
A W D Y G R T P S H Q O T K G
T O H O O T W I T N E S N U E
H T O I I T M U O I L U A I R
P G T E E E U S C A S U P S C
```

CANADIAN	NO APOLOGIES	TOO HOT
CRAZY	NOT AS WE	UNDERNEATH
EVERYTHING	SINGER	UNINVITED
GUARDIAN	SO PURE	UNSENT
IRONIC	SONGWRITER	WALK AWAY
JUNO AWARDS	THANK U	YOU LEARN

ACADEMY AWARD-WINNING MOVIES

```
I  D  T  M  G  A  S  H  A  N  W  R  O  E  A
X  A  H  R  R  P  Q  N  L  B  Y  V  O  E  W
R  E  G  R  E  J  S  D  E  T  I  L  U  S  S
J  U  I  I  E  H  F  P  S  Z  I  F  S  Q  M
V  I  L  I  N  C  O  L  N  A  O  B  K  S  M
T  N  T  P  B  E  A  R  S  T  O  R  Y  P  L
G  S  O  R  O  O  M  A  J  E  M  A  F  T  A
U  I  P  F  O  E  F  I  L  H  T  V  A  M  Y
W  D  S  S  K  T  D  F  N  S  U  E  L  I  S
A  E  X  M  A  C  H  I  N  A  S  G  L  A  F
N  O  I  T  P  E  C  N  I  L  M  R  O  E  X
C  U  R  F  E  W  O  S  E  P  I  D  X  I  A
A  T  S  S  S  R  O  E  I  I  O  A  R  D  V
X  R  L  H  L  O  X  R  S  H  U  T  M  I  S
E  L  H  S  A  M  A  E  T  W  A  W  E  B  B
```

AMY	FROZEN	LIFE OF PI
BEAR STORY	GREEN BOOK	LINCOLN
BIRDMAN	HER	ROOM
BRAVE	HUGO	SKYFALL
CURFEW	INCEPTION	SPOTLIGHT
EX MACHINA	INSIDE OUT	WHIPLASH

EXERCISES

```
T D G A I T I S I E B Z R Q U
P Q P H A G N I P P I K S F V
S B E U F W S L E G C U R L A
J U W G M L H H S T E P U P G
U V D N N U O A I O P A Y V S
M B L I R U U O A P S D B O R
P A E T G I L V R D C I O C M
I T G N N B D P D P U L L U P
N E R I C O E S I A R F L A C
G K A R J H R E O L L E A T N
S T I P R R P T J B T S W S
U F S S C S R R L L S S J S V
E K E T T L E B E L L R O W B
L E G P R E S S D S Q U A T Z
B N L O A H S T O I S I T U P
```

BENCH PRESS	KETTLEBELL ROW	SHOULDER PRESS
BICEPS CURL	LEG CURL	SIT-UP
CALF RAISE	LEG PRESS	SKIPPING
DELTOID RAISE	LEG RAISE	SPRINTING
FLOOR PRESS	LUNGE	SQUAT
JUMPING	PULL-UP	STEP-UP

STEPHEN KING NOVELS

```
Y F I R E S T A R T E R E R G B R
S R G N I N I H S E H T R D I
L P N O I T A R E P S E D P H
A N E S U O H K C A L B G E E
N B A E I N S O M N I A N T O
U O A M L R C R M C P S E S J
D P I G S S O A A L A R D E U
Y N R T O I R S R A R A W M C
R R A L A F L O E R N G A A A
C L E L A V B A T M I E V T Y
U O I S Y V E O T C A E L A T
O T M A I O I L N E O D A R L
T I A V Y M J V E E H D D Y T
O B F H R A O S E R S T L E E
L I S E Y S S T O R Y U B L R
```

BAG OF BONES	ELEVATION	PET SEMATARY
BLACK HOUSE	FIRESTARTER	RAGE
CARRIE	INSOMNIA	REVIVAL
CUJO	JOYLAND	ROSE MADDER
DESPERATION	LISEY'S STORY	THE SHINING
DOCTOR SLEEP	MISERY	THE TALISMAN

FEELINGS

```
H U K O C Z A T S T R T I B S
R I N T T T T E A Q U P S E B
T A A P I O L O V E E L S J T
N N D I A L U I Q Y K C V T B
T G E S I R P R U S G E F Q Y
F U A M D P U S A G I X R S T
D I S B E L I E F L E A K R L
H S R O S Z O I N B F N C H H
G H K R P I A P P U C X O A K
Y Q F E A R P M J H O I H B S
A U M D I B I S A D N E S S T
R W O O R S F N T O C T F S S
A I E M E R G C V F E Y M L X
O S G R I E F S O R R O W U Z
Q A Y R R O W B F I N A J U E
```

AMAZEMENT	DESPAIR	MISERY
ANGER	DISBELIEF	SADNESS
ANGUISH	FEAR	SHOCK
ANXIETY	GRIEF	SORROW
BOREDOM	GUILT	SURPRISE
CONCERN	LOVE	WORRY

JOBS

```
Z D Y D R E H C A E T P R F A
B D I U Z W U R L R C I E I A
T E T S I N O I T P E C E R R
N N B J C A A D S Z T Y E E L
A T A P O L I T I C I A N F C
J I K T P T U H L S H R G I A
A S E A L D B E A A C M I G X
E T R B E U L A N X R A N H F
R P B R C S S F R L A C E T G
O V H P T N P N U T L H E E L
T V C N U R P L O I E I R R A
A M N H R R U V J C G N A M Z
R O T C E R I D U H D I D I I
U P A T R F E A S K U S M E E
C P K E H T U R M P J T T I R
```

ARCHITECT	DENTIST	JUDGE
BAKER	DIRECTOR	LECTURER
BARTENDER	ENGINEER	MACHINIST
CHEF	FIREFIGHTER	POLITICIAN
CONSULTANT	GLAZIER	RECEPTIONIST
CURATOR	JOURNALIST	TEACHER

LAS VEGAS

```
I J F U S S U S V R I V F O E
E H P B X A W R S C H M R H E
C U S N O I T N E V N O C P S
E N T E R T A I N M E N T B O
A O H O T E L S E R T P O E N
M E G A M B L I N G L U H N I
E F I L T H G I N W L O E S S
R U L G A L T O E E V O K A
I S T A G I O O V D A S Y T C
C N H M U A U A A D M L T P S
A A G I D W R I A I I S A I Q
V F I N E D I N I N G R L R R
R X R G T A S Q E G K C I T Y
L N B S H I M I G S P J Y S Z
R A U P G S L P X E E Z U S B
```

AMERICA	ENTERTAINMENT	NIGHTLIFE
BOULEVARD	FINE DINING	PARKS
BRIGHT LIGHTS	GAMBLING	SKYLINE
CASINOS	GAMING	STRIP
CITY	HOTELS	TOURISM
CONVENTIONS	NEVADA	WEDDINGS

MUSHROOMS AND FUNGI

```
O  E  D  D  E  A  T  H  C  A  P  T  E  N  U
T  S  B  C  J  E  L  L  Y  E  A  R  C  U  E
P  N  U  G  A  J  E  D  I  Q  N  U  H  X  S
C  A  T  R  A  R  V  C  I  T  T  F  A  A  O
M  T  T  E  O  O  B  W  N  L  H  F  N  S  E
A  L  O  E  C  T  L  O  A  I  E  L  T  W  K
T  B  N  N  S  S  U  R  N  V  R  E  E  W  A
T  S  F  E  I  L  D  R  Y  B  C  P  R  I  T
B  M  I  L  D  M  I  L  K  C  A  P  E  M  U
O  E  R  F  N  A  E  N  H  E  P  L  L  H  S
L  B  T  C  O  Y  S  T  E  R  Y  K  L  W  T
E  H  E  U  M  G  R  I  S  E  T  T  E  S  A
T  R  I  P  E  F  U  N  G  U  S  X  A  M  M
E  S  I  Q  L  I  F  L  Y  A  G  A  R  I  C
G  L  S  O  P  T  Y  E  D  T  M  G  I  F  L
```

BUTTON	GRISETTE	OYSTER
CARBON BALLS	JELLY EAR	PANTHER CAP
CHANTERELLE	LEMON DISCO	THE PRINCE
DEATH CAP	MATSUTAKE	TRIPE FUNGUS
FLY AGARIC	MATT BOLETE	TRUFFLE
GREEN ELFCUP	MILD MILK CAP	TURKEY TAIL

GYMNASTICS

```
M A E B E C N A L A B R K S F
A T S X T U M B L I N G W R H
L E R V V A U L T I N G E A U
K C O A H I G H B A R E J R X
D H H V M T D U O J S L Y P C
I N L S B P S A L T O T I H A
S I E Q F Z O J Y H I R I A R
M Q M M M L U L L L N R R N T
O U M C R X E T I V O X S D W
U E O D R A O B G N I R P S H
N T P C L S I C C I I T M P E
T S I H E X X R X P E N U R E
A T F A E M O M E C D T G I L
V N H L U S H A N D S T A N D
M R F K S U T A R A P P A G F
```

APPARATUS	FREESTYLE	SALTO
BALANCE BEAM	HANDSPRING	SPRINGBOARD
CARTWHEEL	HANDSTAND	TECHNIQUE
CHALK	HIGH BAR	TRAMPOLINING
DISMOUNT	IRON CROSS	TUMBLING
FLEXIBILITY	POMMEL HORSE	VAULTING

HAVING A BARBECUE

```
Q U H O C X C Y H D U E N S R
L T J C E H B T J R Y A R B I
U Q E L K C I P R P I B U X W
T X O C H A R C O A L R Q P J
Q K I E U X I Y K P G A B L S
Y K R S A U S A G E S N L R S
K E B A B S G Q R R N M U S L
B W I N E W Z S T P K U C Q A
O D X G R L J T O L S S U S Y
N P G R A H S T P A S T T A S
M U S I C O A S G T U A L L U
N V R A M T L I C E C R E A M
F V K B O D M C I S N D R D M
Z L R E A O O T E H K S Y D E
I A S R R G N J F P U S I R R
```

BURGERS	KEBABS	SALAD
CHARCOAL	MUSIC	SALMON
CHICKEN	MUSTARD	SANGRIA
CUTLERY	PAPER PLATES	SAUSAGES
HOT DOG	PICKLE	SUMMER
ICE CREAM	POTATOES	WINE

PHOTOGRAPHY

```
R F L A S H E M M A F T T T V
A S E W F D H R S N S U A T I
A M N Z P O S T U U W C W Q E
I A S N A P S H O T V I P N W
C N C A A I T B T R R A E I F
X P A N O R A M A Z A E X Q I
I C P A U T O F O C U S P A N
E L A S V O P O P O T O O A D
D L R K Y E M I A O R M S B E
G F P A Q L I F U T U K U A R
R I Q S E M I R R O R G R L Y
I L A N D S C A P E N U E A B
C M S Y B H I C T R T C X N D
G N P R E T T U H S E A I C E
C Q A Y Y A T Y E F I L T E R
```

APERTURE	FILTER	PORTRAIT
AUTOFOCUS	FLASH	SHUTTER
BALANCE	LANDSCAPE	SNAPSHOT
DARKROOM	LENS CAP	TRIPOD
EXPOSURE	MIRROR	VIEWFINDER
FILM	PANORAMA	ZOOM LENS

WRITING A BOOK

```
I S R A P R O T A G O N I S T
E S R E S E A R C H S N D E O
P R O L O G U E E E S B W E L
S A X E J K N F P P R A H T P
V B W T R E D E I E T U O T D
R T C O E D I R L R P T C E S
R L O N H I A E O S H H H U R
U M N T S T L N G I Z O A A S
O D T O I O O C U S U R P A A
S A I O L R G E E T H P T G Y
X R N F B P U S L E E X E A R
P R U A U L E I Q N I N R T B
S Z I C P I N C D C T P S O Q
U A T O Q E T I R E E S X R T
A W Y R D D X M U P B T L Q R
```

AGENT	EDITOR	PLOT
APPENDIX	EPILOGUE	PROLOGUE
AUTHOR	FOOTNOTE	PROTAGONIST
CHAPTER	INSPIRATION	PUBLISHER
CONTINUITY	OUTLINE	REFERENCES
DIALOGUE	PERSISTENCE	RESEARCH

CITIES OF UKRAINE

```
S P R A K H A R K I V O U G L
R R J L H K O C O I T S E V E
L D O N E T S K H R E A I X Z
S U M Y R I V N E E I V A O H
S T H U S Y G R H R R A S D Y
J Y X A O B U A Z U Z K M E T
O E A R N U M O P F J C A S O
A A H D B S Y J T L I N K S M
I Z O N Y P K U T T C P I A Y
M A R I U P O L L T O B I D R
O T L P A L L E Z E R R V E S
T P I R Z K A M I A N S K E O
A A V O T U I E P O L T A V A
E B K E L W V S T F L A U O V
S C A T Z N J T J Y E O T H T
```

CHERKASY	KHERSON	MYKOLAIV
DNIPRO	KIEV	ODESSA
DONETSK	LUHANSK	POLTAVA
HORLIVKA	LVIV	RIVNE
KAMIANSKE	MAKIIVKA	SUMY
KHARKIV	MARIUPOL	ZHYTOMYR

GARDEN TYPES

```
C O O T T T H G T R Z O T E K
H W A T E R Y M M N E L M O I
G I F L O W E R N O I X Q H O
K N O T Q P U G D H U A R Y F
U T T R O P I C A L U H R R K
A E R U S A E L P T A O O B T
R R T E R R A C E R T R O C K
R S G U V A H A F C E O F U V
E E S H A D E R I I T U C T R
N A K M O I R V T Q E I T E D
K O E R V S B G H A M R U B U
J Z J L S E N S O R Y C B W T
G J Y U R A Q X O L O K U S A
T R L K O U M S W T J V E V S
C O S A S I E R A I O H D K R
```

COTTAGE	RAIN	TEA
FLOWER	ROCK	TERRACE
HERB	ROOF	TROPICAL
KNOT	ROSE	VICTORY
PARADISE	SENSORY	WATER
PLEASURE	SHADE	WINTER

ELECTRICITY

```
A P I A U T D O Q S S Q B Y H
T S O S U C C V S D W J B H F
D I O M E A R T H L I Q L E E
M P S C R B C C O N T A C T P
T N O L K L A Y E D C S L I G
O E S W R E E U G V H X A U N
F S Z V E T T P A W I P N C I
Y H G V U R B U T R S L I R T
I U S L A V O L T A G E M I A
L B U L B T N L A I G E R C E
H D T M B C A C W I R E E U H
T S M T W L C O N D U C T O R
A S P J Y U J R A Q N F U S E
P I G U A O I D P G U N E X V
E N Q L J O B C K U V O T P O
```

BULB	FUSE	SOCKET
CABLE	LIVE	SWITCH
CIRCUIT	NEUTRAL	TERMINAL
CONDUCTOR	OVERHEATING	VOLTAGE
CONTACT	POWER	WATTAGE
EARTH	PULL CORD	WIRE

BAYS OF ALASKA

```
O G K T N U I D T Q I U R F R
M Z C S T E S U Z D F Y S X B
I N M X R S Z U R K S Z A O R
T B T I L E R A C U B O E E B
U R E R O P E S H S W Q G G T
I I S P T P H M Y K U S C T O
M S Y E G O O D H O P E N L A
T T A T U K A Y W K A M I N U
R O A R T A H U V W G J E T E
O L D O X G L I P I L A K R P
V F T F K A C H E M A K E L O
C U G A S H I K G F C E O Z T
T H O M A S M S R W I U T J P
E R S K F U N T E R E P R S R
T L E C O N T E S A R A N A F
```

BRISTOL	KACHEMAK	PETROF
BUCARELI	KUSKOKWIM	SARANA
FUNTER	KVICHAK	THOMAS
GLACIER	LECONTE	UGASHIK
GOODHOPE	NUSHAGAK	UNIMAK
HAZEN	PEARD	YAKUTAT

"D" NAMES

```
C A S Z R I L E S K A A S V S
R P M M T S E Z Q L J C E D B
E S D I A N E V D L D G I E K
J Z O W D D R O A D K L P X S
W Q N T A U R C V T L U A T E
T L T V I I P J I O A A A E O
T X I O S Y N R N S T Z N R K
Q D M J Y O V D A R R E N O Z
I V S X X K E N O T N O M A D
V A C B R R S T E F N Q D U U
R L M Z E M T S D E N I S E N
O M Q K V D L I G V E T D T C
T T B A O T L T N E I M A D A
T J R J O T D A W N U S N L N
U M D I F H B E U N P G A S L
```

DAISY	DAVINA	DILLON
DAMIEN	DAWN	DONALD
DAMON	DENISE	DORIS
DANA	DEREK	DUNCAN
DARREN	DEXTER	DUSTIN
DAVID	DIANE	DWAIN

FORMULA ONE CIRCUITS

```
L T Z L A L B E R T P A R K I
F K L A P E D R A L B E S S M
Y R S S H A N G H A I Y T I A
T A Q O C A N O M M O A E L L
I P W K M I D S S G N S K V A
C N R D I C Z G T B S M R E Y
U O A L E N U T U P U A A R K
K T A U U E S L E O Z R P S O
A G A E U L P U A B U I R T R
B N U X I A M S E R K N I O O
Z I S E R V I P I P A A A N Q
R N N K K N T H Z J S C F E C
J O S M A G N Y C O U R S S O
R D D O R N R K Y E O F R E T
A P Q S U A I N D I A B A O P
```

AIN-DIAB	ISTANBUL PARK	REIMS-GUEUX
ALBERT PARK	KYALAMI	SHANGHAI
BAKU CITY	MAGNY-COURS	SILVERSTONE
DONINGTON PARK	MONACO	SUZUKA
FAIR PARK	PEDRALBES	VALENCIA
FUJI SPEEDWAY	PESCARA	YAS MARINA

METEORS AND COMETS

```
N  I  A  P  Y  R  P  V  T  Z  A  R  S  U  B
S  B  Z  A  N  L  A  H  P  T  S  E  W  P  I
I  E  A  A  P  O  L  Y  R  I  D  S  I  C  Z
U  R  M  H  O  L  M  E  S  Q  O  X  F  S  O
K  I  R  C  H  C  N  U  R  W  R  C  T  U  A
M  D  E  C  L  A  N  E  B  R  I  B  L  P  A
J  D  T  U  T  T  L  E  O  A  O  P  S  P  R
I  U  O  I  C  W  R  L  W  P  N  B  P  B  T
K  H  U  M  A  S  O  N  E  D  I  A  U  E  S
M  E  O  L  T  D  T  R  L  Y  D  R  A  I  L
B  K  E  U  A  B  S  K  L  U  S  N  M  E  W
F  C  C  N  L  E  A  Z  A  I  I  A  J  L  P
L  N  I  T  I  M  O  W  D  V  W  R  Y  A  Y
L  E  G  D  N  R  U  S  U  G  E  D  X  L  T
L  J  S  B  A  H  R  D  V  O  I  A  R  I  U
```

BARNARD	HALLEY'S	OTERMA
BORRELLY	HOLMES	PERSEIDS
BOWELL	HUMASON	SWIFT
CATALINA	KIRCH	TUTTLE
DANIEL	LYRIDS	URSIDS
ENCKE	ORIONIDS	WESTPHAL

ROMAN GODS AND GODDESSES

```
S  E  N  U  V  P  T  V  R  S  A  W  I  N  A
I  O  S  M  V  V  M  L  T  H  R  H  N  S  R
E  O  N  U  T  W  A  U  J  L  O  A  L  U  N
E  A  P  N  R  B  X  N  U  S  E  R  E  C  A
T  N  P  A  R  D  I  A  N  A  V  R  E  R  S
O  R  R  A  P  M  U  V  O  T  T  W  Y  O  E
F  D  O  P  A  R  O  L  F  U  U  T  J  K  E
J  T  D  J  U  P  I  T  E  R  P  R  N  A  G
O  A  T  S  T  A  O  A  Z  N  S  W  H  V  V
T  L  R  E  A  V  C  M  X  V  R  J  I  S  X
O  J  L  A  L  U  T  A  O  E  A  J  I  O  U
R  F  T  O  A  L  M  L  T  N  M  B  Z  J  S
L  I  O  X  P  C  U  O  U  U  A  Q  C  T  U
U  V  E  S  T  A  U  S  P  S  U  U  I  Q  S
O  E  B  Y  I  N  Z  G  M  Z  V  E  C  R  T
```

APOLLO	JUPITER	SATURN
CERES	LUNA	SOL
DIANA	MARS	TELLUS
FLORA	ORCUS	VENUS
JANUS	PALATUA	VESTA
JUNO	POMONA	VULCAN

R&B MUSICIANS

```
M P E L T O N I B R A X T O N
L C G X H K U H S R T U T N A
W H I T N E Y H O U S T O N H
H R L J A U W L S H T S I A K
T I B A H L O Y E N N S L P A
R S J N S Q T R N I S O L T K
E B Y E N L I A B K O R E H A
Y R R T R P S O R L Z A Y E H
S O A J M E R D A L T N S O C
O W M A Q Y E G N E H A S J P
N N V C E U D R D W F I I A Y
G I O K K W D L Y X V D M Y E
Z A O S A L I C I A K E Y S Q
R M D O R M N T B M O F S I Z
S S U N D L G F A E R Y W Y O
```

ALICIA KEYS	JANET JACKSON	SMOKEY ROBINSON
BRANDY	MARY J. BLIGE	THE O'JAYS
CHAKA KHAN	MAXWELL	TONI BRAXTON
CHRIS BROWN	MISSY ELLIOTT	TREY SONGZ
DIANA ROSS	NE-YO	USHER
DRAKE	OTIS REDDING	WHITNEY HOUSTON

PERCUSSION INSTRUMENTS

```
E E R T L L E B P J Z T B V B
A B H Y E J G E W I A Y H O Z
R A N V I L L N A D H N A I K
Y S S X P M A O Y B R U L I A
T S L Y S O S H E S M T I M F
N D I L N L S P N N U I T P Q
W R T O E A H O O A R P R C R
P U H R K B A L H R D A J A E
K M O I C M R L P E O U I S M
C T P M O I M A O D G L N T O
G T H B L C O T L R N Y A A A
R O O A G C N E Y U O L P N T
X R N E N T I M X M B R M E U
S T E G A L C K E H E U I T G
O L V I B R A P H O N E T S U
```

ANVIL   GLASS HARMONICA   SNARE DRUM

BASS DRUM   GLOCKENSPIEL   TIMPANI

BELL TREE   GONG   TUBULAR BELLS

BONGO DRUM   LITHOPHONE   VIBRAPHONE

CASTANETS   MARIMBA   XYLOPHONE

CIMBALOM   METALLOPHONE   XYLORIMBA

"B" WORDS

```
M T T E J L L T O O B M A B Z
I S B N P P S P F Q E B I W P
E N L I P M G Y D Z N S Z V E
H O E M R B V T N H U I J J O
T T N O Q N O B E O M F U B P
I T D R Z R E L B W P R K L U
L U Y B Z L X B D L E A I A X
B B T Q I R L E C T F S B N O
O A S E U U S M T G B Y A K B
B D V K S A L U B D W R N E T
O E G H B A B Y U D B A T T L
A U A O C B O U N T I F U L K
R A S E V A R B A O S T S U T
D O B B R Y P L Y E N J P O V
N Y T I A B B A T O N T R S G
```

BAIT	BLANKET	BOSON
BAMBOO	BLEND	BOUNTIFUL
BATON	BLITHE	BRAVE
BECALM	BLUSH	BROMINE
BELIEVE	BOARD	BUTTER
BEND	BOLD	BUTTONS

WORD SEARCH 45

BASEBALL TERMS

```
O W U V F Y K X W L S E R Q L
A F A K O Q U H S L I D E R I
D F R A O P K P A I G A T C J
H O Q L N R P X F S O R T Y L
T C U R V E E L E I K A A C R
R T A B F A M D X N T L B L L
V U U V L C S I L K P L L E T
R D H O M E R U N E Z E E R W
P Y T U E H Y S L R I C W E Z
I R J T H K T P C A N F O G T
U G E F P K I V R I L L N N K
U I I I A R F R S E W L D I C
S R Y E T R X T T D H G E D O
U W B L W R G E O S E A C Y H
S R O D C R B U W L B K K O I
```

ACE	DINGER	SAFE
ALLEY	DOUBLE	SINKER
BATTER	HOME RUN	SLIDER
CELLAR	INFIELDER	STRIKE OUT
CURVE	ON DECK	TAG
CYCLE	OUTFIELD	TRIPLE PLAY

CHEMISTS

```
H G Q J R R M N E Q I R S S W
K S A N G E R R T J G N S C N
W J L R H Q H A G S L P S A U
W N E L I O N C R C L H S D P
P I Q U A X D H S F C C E Z O
F U S D I W E G N I L U A P I
A T M O L I N A K A F R B G P
U L L F R A N K L I N I O O D
U R E Y L D W U T A N E R J J
C Q S B D A L T O N I F G Q T
A A R A O R M A S E L R L Q L
O I S R P N V S N O O T Y S V
S R Y C B O Y L E H D A V Y G
R J S L K L K T K H A H N X K
M T S R G D S P R A G T C Y D
```

ARNOLD	FISCHER	NOBEL
BOYLE	FRANKLIN	OSTWALD
CURIE	GADOLIN	PAULING
DALTON	HAHN	SANGER
DAVY	HODGKIN	SEABORG
ELION	MOLINA	UREY

INDIAN CITIES

```
I X C I W K G C W Z P L W F R
G I S R O F M H T S S L A Y T
R E D D N T Q E G S J S T K A
E S N L K R S N P W X F B H
T A N T C E Z N I L I D X G D
H V U M U M B A I S T T I K S
A O I X L W R I I G X V F N Z
N N T N P U N E F H L A B B U
E K T J D O D A M A Z D H Y L
R A S A R O K H V Z O O X A P
T E M I P J R M I I P D P R S
I I J P A H M E D A B A D U V
C R R U P N A K L B N R R P K
V T M R O R U P G A N A G R A
T U U U J N A U V D T D A A T
```

AGRA	JAIPUR	NAGPUR
AHMEDABAD	KANPUR	PATNA
BHOPAL	LUCKNOW	PUNE
CHENNAI	LUDHIANA	SURAT
GHAZIABAD	MADURAI	THANE
INDORE	MUMBAI	VADODARA

ROWING

```
C T L D R J Y L R Z S V L P R
R S S S C U L L E F D L Z E P
R R E Y A O O S H U P K A N R
T Y U F N B Z T T J G A T E F
M R R L V N R R A I A O T M S
A E A I A E L O E P V R A O T
E V V R S B G K F R T C G B O
R O B T P U A E I J V U E R B
U C L E A V E R F X F R R A S
T E O P Y E H D R I G G I N G
S R O W I N G M A C H I N E T
O X M O T N G R H L S A I E Q
P A U T R E F P V S B D F T N
P O P A T P L K L O T U A Q I
R E A Z K T A M F T S N I T U
```

BLADE	LOOM	RIGGING
CANVAS	OAR	ROWING MACHINE
CLEAVER	PIN	SCULL
FEATHER	POSTURE	STROKE
FIN	RECOVERY	TAP TURN
GATE	REGATTA	TRESTLES

SEVEN-LETTER COUNTRIES

```
Y  T  N  D  S  P  T  X  R  R  N  E  A  E  T
C  N  I  A  R  H  A  B  I  L  C  L  R  D  S
K  R  A  M  N  E  D  W  C  R  P  S  S  Y  R
C  U  B  M  Z  Q  B  E  L  G  I  U  M  Z  C
B  E  L  A  R  U  S  L  E  S  O  T  H  O  F
O  E  A  H  S  E  N  J  B  Y  R  M  X  I  L
L  X  R  U  R  U  G  U  A  Y  O  U  N  Y  T
I  W  B  M  R  Y  H  O  N  M  M  L  T  B  H
V  R  A  S  U  Y  P  O  L  A  N  G  U  R
I  S  L  B  U  D  G  T  N  N  N  I  Z  K  R
A  R  J  B  R  T  A  M  D  S  I  G  C  R  F
P  O  B  P  A  L  G  E  R  I  A  E  A  A  R
O  A  C  R  K  T  P  I  Z  Z  V  R  V  I  D
T  H  W  M  Y  D  N  A  L  E  C  I  R  N  V
T  T  I  C  E  Z  V  I  E  T  N  A  M  E  T
```

ALGERIA	DENMARK	LESOTHO
BAHRAIN	FINLAND	NIGERIA
BELARUS	GERMANY	ROMANIA
BELGIUM	ICELAND	UKRAINE
BERMUDA	JAMAICA	URUGUAY
BOLIVIA	LEBANON	VIETNAM

CHEESES

```
L  R  E  B  P  A  S  S  E  N  D  A  L  E  V
O  N  E  F  U  C  A  M  S  I  P  S  P  M  E
R  O  E  I  P  A  R  M  E  S  A  N  A  Z  A
L  T  R  E  B  M  E  M  A  C  D  E  R  B  Y
A  L  S  R  M  Z  V  B  P  E  O  N  V  I  L
E  I  N  P  R  O  V  O  L  O  N  E  O  D  G
L  T  L  X  I  P  N  D  E  T  I  R  G  E  R
A  S  A  S  C  G  T  D  B  O  R  I  V  S  U
A  I  S  T  O  V  O  D  S  R  O  S  L  M  Y
A  L  U  U  T  I  D  J  Z  E  C  S  A  W  E
F  U  D  A  T  Z  Q  E  C  H  E  D  D  A  R
R  A  M  P  A  N  E  E  R  D  P  R  N  N  E
R  K  R  C  K  X  D  E  A  U  A  G  X  R  P
O  O  W  R  E  W  I  M  A  R  N  T  P  Y  R
R  L  R  Z  S  Y  G  Q  P  R  T  S  K  T  A
```

BEL PAESE	GOUDA	PASSENDALE
CAMEMBERT	GRUYERE	PECORINO
CHEDDAR	LIVNO	PROVOLONE
DERBY	MONDSEER	RICOTTA
EDAM	PANEER	SIRENE
FETA	PARMESAN	STILTON

GREEK DEMIGODS

```
O R A R C V C T E C L Z B F L
I Q O U E I E U B A A E B O L
N Y I E R A S M E L E T E J C
F I D C A O E U B L U T M N T
Q E E L O L T S I I O E R O L
P S U E N P I E D O O S P T V
E L T U B J R E S P G U J T H
W V E T J P A L A E S T R A G
I I L E T D H H C D P I G M L
T E V R R Q C B A I G D B P S
V A S P J E I R E S I O N E S
I M N E M E D S U S Y R H C F
T U N Y U E Q K T W N H P G F
C Y A U X E S I A G A P S P U
O C R E U C S Z A I N A R U A
```

AGDISTIS	CHARITES	EUTERPE
AOIDE	CHRYSUS	MATTON
APHRODITUS	CIRCE	MELETE
AUXESIA	DEIPNEUS	MNEME
CALLIOPE	EIRESIONE	PALAESTRA
CERAON	ENYO	URANIA

TEACHING

```
A D V I C E W B E S T R Q J S
H O M E W O R K J X P E V U Z
G K R Z S T M S T J R Z T Y O
Y R T E R S H M X T A L K T O
Q U E S T I O N U J C U O R E
A Y I O N R Q I Q N T P N P N
F F P R E P A R A T I O N N I
R U V E M A S T T C C C W R L
K X E G S T P F S E A A A S D
U I F I S L P R A H L E O T A
E A W S E D I S C I P L I N E
X D F T S U P P O R T A S U D
A L A E S T U D E N T S R U A
M A O R A C T I V I T Y K G R
K U R Q G U T K S J E U R P S
```

ACTIVITY	EXAM	QUESTION
ADVICE	GRADE	REGISTER
ASSESSMENT	GRAPH	STARTER
COMMUNICATE	HOMEWORK	STUDENTS
DEADLINE	PRACTICAL	SUPPORT
DISCIPLINE	PREPARATION	TOPICS

DENZEL WASHINGTON MOVIES

```
E G E I S E H T J J K T Y E D
S D K R M A L C O L M X R T P
G M A N O N F I R E T P V Y L
T R A I N I N G D A Y O H F G
E S U O H E F A S J M W T P R
U P A E D P A U V B A E E A Y
O Y S B K G L O R Y T R H V D
N U F M O D E E R F Y R C T E
V Q T L J O F Y D O I R O T J
S Y P O C N O B R A C R C C A
T D H V F L I G H T L F I I V
O N O S H T J U A R C I R C U
Q U J I N S I D E M A N H A T
R R V X T S G M C N U I S P I
H E G O T G A M E Y E A R N O
```

CARBON COPY	INSIDE MAN	POWER
CRY FREEDOM	JOHN Q	RICOCHET
DEJA VU	MALCOLM X	SAFE HOUSE
FLIGHT	MAN ON FIRE	THE MARCH
GLORY	OUT OF TIME	THE SIEGE
HE GOT GAME	PHILADELPHIA	TRAINING DAY

CAT BREEDS

```
P H S M I S A Y E C B G C E S
U Y U M M H U J C F O T O W F
U M N R U I X N A M M D O E S
B U E W R S E Q T V B S S P I
L A B E O E J J O R A G V P A
L O E H G R A C N U Y N I E M
O C L I W E B H K S A I E R E
S I U G R N R A I S Q F S S S
L C N H M G N R N I Z F N I E
A A G L L E E T E A V U O A I
P T G A U T F R S N V M W N H
E T R N N I M E E B O A S Y A
R U E D E O S U Z L R G H O S
M O I E G B T X M U G A O N C
S C O R N I S H R E X R E U I
```

BENGAL	JAVANESE	RAGAMUFFIN
BOMBAY	LAPERM	RUSSIAN BLUE
CHARTREUX	MANX	SERENGETI
CORNISH REX	NEBELUNG	SIAMESE
HAVANA BROWN	OCICAT	SNOWSHOE
HIGHLANDER	PERSIAN	TONKINESE

US STATE NICKNAMES

```
T  R  C  T  A  E  M  I  G  S  T  Z  U  A  R
U  S  B  E  X  J  N  A  L  O  H  A  R  Z  P
A  U  J  I  I  V  Q  N  G  O  L  D  E  N  I
S  N  E  Z  Q  R  O  O  U  N  R  L  A  E  H
I  F  B  E  E  H  I  V  E  H  O  O  R  R  Q
L  L  B  Q  I  I  K  A  C  D  L  L  E  U  E
V  O  L  U  N  T  E  E  R  O  L  A  I  S  B
E  W  T  A  H  M  Y  B  A  P  E  I  I  A  P
R  E  K  L  P  R  S  E  T  B  F  N  B  E  A
U  R  K  I  O  Y  T  A  S  E  T  N  U  R  H
T  X  R  T  S  J  O  V  H  H  A  E  C  T  U
X  E  Q  Y  D  Y  N  E  T  Y  T  T  K  R  F
B  H  O  O  S  I  E  R  R  N  T  N  E  T  G
W  R  E  M  M  A  H  W  O  L  L  E  Y  H  P
S  K  R  X  U  T  S  E  N  O  X  C  E  U  E
```

ALOHA	EQUALITY	PRAIRIE
BEAVER	GOLDEN	SILVER
BEEHIVE	HOOSIER	SUNFLOWER
BUCKEYE	KEYSTONE	TREASURE
CENTENNIAL	MAGNOLIA	VOLUNTEER
EMPIRE	NORTH STAR	YELLOWHAMMER

ZOOS OF EUROPE

```
R O A M C T R T P R R K C T M
D M Q R M L L W O C S O M J A
U G I K I T E E R E M O M Y M
B E O S S D Y O P K X S I A X
L P B K K S C H M I D I N G B
I O S A L O V E C H X T S D P
N B C L D W L T B A W L K P G
E A H I Y H L C H E Y V C A J
Q S L N A E C S R A R A L O P
S E E I P E J P O K S G I K R
X L B N O M S A F E R Z A O L
D J Y G R O E T T G D A R Z P
A G I R D L Q H E T X G K R E
I X J A C M W U A H I O S O A
A T V D L X U B T F E R A N W
```

ANTWERP	KITEE	MOSCOW
BASEL	KRAKOW	POLAR
CHLEBY	LISBON	RIGA
CROCODILE	LOVECH	SCHMIDING
DUBLIN	MINSK	SKOPJE
KALININGRAD	MISKOLC	ZAGREB

"S" CREATURES

```
Z Y I K Z A S Y I X C T E G P
S U E R A Y A G R S Q U I D E
Q B U C S Q A D H U S L G J N
U E E V T Q Z R G R A P S I H
I K T A K B I S G C R S K L W
Z R R R R M L H L N D L I A E
A H M O P J S E A L I O N B O
U U T L E P Q E T P N T K L O
R D A A S H U P G I E H S C W
N L K S P R I N G B O K Q J E
F Y M H I E R F O S G Z A V R
O D A A D L R E Z M U K S N H
L A V R E S E S A O L A H U S
T S U K R Z L S L P S A T I A
L G V I O A R G C B Z X S T Y
```

SALMON	SHEEP	SNAKE
SAOLA	SHREW	SPIDER
SARDINE	SHRIMP	SPRINGBOK
SEA LION	SKINK	SQUID
SERVAL	SLOTH	SQUIRREL
SHARK	SLUG	STINGRAY

SMART

```
P E N E T R A T I N G A J A R
N E Q P R A H S L E A R N E D
I F R T U R I A T B X N V V I
N I N S I G H T F U L X B I I
T S Z O P L G S T H T K V T C
E H Y E V I T P E C R E P I M
L R P S F S C Y R P C R V U T
L E Q T K B R A I N Y B O T O
I W E Y E D I S C E R N I N G
G D E T T I W K C I U Q V I E
E L B A E G D E L W O N K C N
N U N S S T R A E U P U S H I
T H G I R B L I V S L P S A U
W X Q N L E B C E I V T P P S
A F Z L Q R M U R S O R H O N
```

ASTUTE	GIFTED	PENETRATING
BRAINY	INSIGHTFUL	PERCEPTIVE
BRIGHT	INTELLIGENT	PERSPICACIOUS
CLEVER	INTUITIVE	QUICK-WITTED
DISCERNING	KNOWLEDGEABLE	SHARP
GENIUS	LEARNED	SHREWD

BABY ANIMALS

```
H S P Q L R J A Q Y J C T A O
O S P K K A A P X P J J A U P
W L E Z C T O B P E P K R R L
L Z N Q O I V F I L L Y I Y E
I I B X L N H I G U J U A A R
E O L U T F A C L G N U T E P
U T R O C A L F E N J O E Y E
Y K G W L N E T T I K O A B R
H O G L E T G O S L I N G F U
I W J E P B L Q N K D A L B P
Y R T T V R T R U C P J E X A
V L R T S L S W K U P E T A R
R P G T W H E L P D X D R U G
O U Z Z C O B P O E J L I Y U
I I G S A E Y X G P S G Y X A
```

CALF	FILLY	KID
CHICK	FOAL	KITTEN
COLT	GOSLING	OWLET
CUB	HOGLET	PIGLET
DUCKLING	INFANT	PUPPY
EAGLET	JOEY	WHELP

MOUNTAINS OF ANTARCTICA

```
V S G U O X L B L J G M A A S
R H E D R O B P B Z S A T L P
L R L E S E I W Z U Q E S L U
S C O L L A R D P M O R E D J
H R R A R H S V N U P E Y Z L
E V E R H A E G E N I Y S E C
Z T T L S O M A G C E O K K P
C I T Y O S O I A S R H E A A
Y E E R L M J E H E R V N P U
T B M Y V G O O S S E N S R L
W K K V A N P E L T U L K D U
I E G R Y H A Y U E L K I N S
F G T V I S A C H S E N U Z N
S M V R T K I L F T S E O F Q
Y A Y P L E S R T W P U L Z Y
```

COLLARD	HULSHAGEN	PAULUS
DEROM	ISACHSEN	PIERRE
ELKINS	KIRKBY	SOLVAY
EYSKENS	LAHAYE	VAN PELT
FUKUSHIMA	LORETTE	VERHAEGEN
GOOSSENS	MAERE	ZWIESEL

FAMOUS WOMEN IN HISTORY

```
J  W  E  L  O  C  A  E  S  Y  R  A  M  K  L
A  H  M  A  R  Y  M  A  G  D  A  L  E  N  E
N  A  T  T  E  O  H  D  K  S  D  Q  J  Y  N
E  C  R  U  O  I  S  A  N  A  S  U  U  E  A
A  L  A  R  R  H  M  L  A  S  M  E  C  L  H
U  E  H  O  N  T  A  O  R  E  A  E  R  O  C
S  O  R  S  O  E  R  V  F  R  R  N  A  B  O
T  P  A  A  M  B  Y  E  E  E  I  V  F  E  C
E  A  E  P  N  A  S  L  N  T  E  I  O  N  O
N  T  A  A  Y  Z  H  A  N  R  C  C  N  N  C
S  R  I  R  L  I  E  C  A  E  U  T  A  A  E
I  A  L  K  I  L  L  E  Q  H  R  O  O  A  R
A  E  E  S  R  E  L  Q  B  T  I  R  J  S  O
E  O  M  D  A  P  E  T  C  O  E  I  D  O  C
L  C  A  P  M  C  Y  I  W  M  Z  A  T  Q  S
```

ADA LOVELACE	ELIZABETH I	MARY SEACOLE
AMELIA EARHART	JANE AUSTEN	MARY SHELLEY
ANNE BOLEYN	JOAN OF ARC	MOTHER TERESA
ANNE FRANK	MARIE CURIE	QUEEN VICTORIA
CLEOPATRA	MARILYN MONROE	ROSA PARKS
COCO CHANEL	MARY MAGDALENE	SOJOURNER TRUTH

OLYMPIC FIGURE SKATERS

```
L E S L G L U F R S M P I V V
O A O I G O S I O I L M N A R
O S M O N D E A C U U K Q J M
H U V B O E U B H V G T R R S
N U K S I A L K E A S A D A J
Q K O E T E P T T L E K H R V
P G S E C S L U T S K A Y A T
G O T I U A U A E U B H E K N
B R N P O L S K V U B A E A S
H S E H G U H Y Z O A S U W R
G I R C S Y E M L A T H O A Y
N M S H R N N I A G W I W E S
C D I A J A K O N I D U G A Y
B R W N E H O C O F J G U A P
J D O T B O R J H M C D L L Z
```

ARAKAWA	HANYU	PLUSHENKO
ASADA	HUGHES	ROCHETTE
BUTTLE	KOSTNER	SLUTSKAYA
CHAN	LAMBIEL	TAKAHASHI
COHEN	LYSACEK	YAGUDIN
GOEBEL	OSMOND	ZAGITOVA

CITIES OF GERMANY

```
Y X S S B M A V S C R Z R I L
A B U N D O T T L D Z P N R L
F E L N A S C L J R G O A L E
T R M U N I C H F T A D R E E
O L A N P A R J U J Q N W X K
S I L N R A T H A M B U R G A
N N O B K F Q C S I P M S R A
B I E L E F E L D P N T E T D
E O R L D V U A E N U R T A R
N U R E M B E R G T A O D H E
G P F I T P T L T T E D B T S
O P Y P L A M G R U B S I U D
L J I Z L M A I N Z Y S S Q E
O R I I T R S O C B R E M E N
C R I G T E L K A X O I S X N
```

BERLIN	DORTMUND	LEIPZIG
BIELEFELD	DRESDEN	MAINZ
BOCHUM	DUISBURG	MUNICH
BONN	ESSEN	NUREMBERG
BREMEN	FRANKFURT	STUTTGART
COLOGNE	HAMBURG	WUPPERTAL

LANGUAGES

```
X H L T U R K I S H N R X O O
G R E R A L E T R I N M T A K
N J S M L T N A R G D T H L K
M A R A T H I L Y P I N S R D
Z T M R U S S I A N Q R I F P
G S I R T I W A T A M I L H E
Y E D E E L Q N E J I T O S M
W U I W Y G K H S I N A P S D
K O R E A N M A N D A R I N O
C U A L R E S E N A P A J F L
T S C S H B T B A E L J L R Y
Y A O H D S T D C U G U L E T
O D T U W C S E F C I G O N K
J S V A O R S P V S F T X C T
W P R R H Z X R I R T L S H D
```

ENGLISH	JAPANESE	SPANISH
FRENCH	KOREAN	TAMIL
GERMAN	MANDARIN	TELUGU
GUJARATI	MARATHI	TURKISH
HINDI	POLISH	URDU
ITALIAN	RUSSIAN	WELSH

COUNTRIES BEGINNING WITH VOWELS

```
R R D D A R M E N I A R E U M
S N N R X R O I Y U N H S E A
D N A L E R I R K F I J T I U
S P L T A B I R A Q T R O B D
T B E B S J A X A L N W N P N
S T C R B I N D O N E S I A O
C B I R N R N E V R G Q A I A
T F V E E C U A D O R A E P G
T T A R U T R T H R A A L O R
V A L I O Q U E A G F C Q I S
A S P T F I G R S Y F X C H I
B V C R B O U O T R R A A T H
P M L E M B A I R T S U A E W
N J P A E G Y P T T I L A K Y
X O N M S J G S M A Y R R Q G
```

AFGHANISTAN	ERITREA	IRAQ
ARGENTINA	ESTONIA	IRELAND
ARMENIA	ETHIOPIA	ITALY
AUSTRIA	ICELAND	OMAN
ECUADOR	INDONESIA	UKRAINE
EGYPT	IRAN	URUGUAY

PACIFIC SEAS

```
U U L B Q E I L R A U U T W E
T F V R F I S L W I Y Y T R D
W Q V N L A K Y S M S R Q L S
I R R C O R A L P S A F E S S
D E S E R A T G B B V L R P S
R R D R E A N M O L U C C A S
E H K A S A L I S H H K O R O
L K I M K P I I L I Z C J U L
S O A W J P C E L E B E S F O
Q N T W O L L E Y A I U R A M
S M Q T S O A T P S V B Y R O
S B E R I N G U V I S A Y A N
M O Z V G O U E V V I L J O N
R F D E X D T S T U S I N T H
U R A T P K M P A S A L X P K
```

ARAFURA	CORAL	SAVU
BALI	FLORES	SIBUYAN
BERING	JAVA	SOLOMON
CELEBES	KORO	TASMAN
CERAM	MOLUCCA	VISAYAN
CHILEAN	SALISH	YELLOW

SI UNITS

```
L U G P A S C A L G N F K W I
W O T N A I D A R E R A W N M
R H P I B E E Z W S T R E Y E
A E W V X M L T E S L A Z G Q
I R B L U E O H M Q O D Y V A
L T D E I N M L U D V T S W I
V Z A K W S A S U N T U O O R
O P X A V P J M Y O O J L Z S
J I T A N J Z I P C C O E R P
F T L W A N I J M E I U Z O J
R G L X E N I H R S R L D N D
A J A L Y L V G L U M E N P Y
V O V D S S V D W H O Y A D T
I X U R A T Z R V S Y W V A R
T R P G U R Z S M V R M A S V
```

AMPERE	LUMEN	SECOND
COULOMB	MOLE	SIEMENS
FARAD	NEWTON	TESLA
HERTZ	OHM	VOLT
JOULE	PASCAL	WATT
KELVIN	RADIAN	WEBER

HAIRSTYLES

```
F  S  I  N  P  Y  S  Y  Q  A  A  O  S  Y  S
T  V  T  N  J  B  P  Q  C  P  F  S  E  F  E
O  B  S  S  P  E  I  X  P  S  R  T  V  O  A
G  O  C  G  B  E  A  I  B  M  O  H  A  W  K
S  U  R  O  N  H  X  A  T  E  D  G  W  H  G
Z  F  E  I  X  I  E  T  P  R  P  I  P  C  R
G  F  W  T  E  V  W  Q  E  R  K  L  A  H  U
Q  A  C  C  G  E  L  A  X  N  E  H  G  I  A
Z  N  U  R  Y  H  D  E  U  P  S  G  E  G  B
L  T  T  F  C  L  A  T  L  Z  D  I  B  N  P
S  K  R  U  O  D  A  P  M  O  P  H  O  O  S
R  T  U  C  R  E  D  N  U  C  D  P  Y  N  A
U  H  K  U  F  T  S  R  I  N  G  L  E  T  S
T  S  W  O  R  N  R  O  C  S  R  J  A  R  C
X  K  B  N  V  L  J  U  A  E  T  Q  Y  K  M
```

AFRO	DREADLOCKS	PIXIE CUT
BEEHIVE	EXTENSIONS	POMPADOUR
BOUFFANT	HIGHLIGHTS	RINGLETS
CHIGNON	MOHAWK	UNDERCUT
CORNROWS	PAGEBOY	WAVES
CREW CUT	PERM	WINGS

PINK SONGS

```
S T E R C E S R I E C N D W O
U R B A D I N F L U E N C E C
F U N H O U S E A R P U R A C
S E F E E L G O O D T I M E F
W L T P A A W H E G F F R H O
H O C A N W E P R E T E N D T
O V N O B O D Y K N O W S P Z
K E J K U S W I P K T L I T B
N I G K O T L H F R R O Q O S
E U L B D T H E R E Y O U G O
W U E I S U T U O B A T A H W
E R U U L M O S T G I R L S H
O Y J G O D I S A D J S I Z A
T Y T P T R O U B L E W D D T
R P F S P S D R T U I C D X P
```

BAD INFLUENCE   LAST TO KNOW   THERE YOU GO

CAN WE PRETEND   MOST GIRLS   TROUBLE

FEEL GOOD TIME   NOBODY KNOWS   TRUE LOVE

FUNHOUSE   SECRETS   TRY

GOD IS A DJ   SO WHAT   WHAT ABOUT US

JUST LIKE FIRE   SOBER   WHO KNEW

CANADIAN LAKES

```
I  W  S  G  E  L  L  I  V  W  E  N  R  M  W
U  Y  T  R  E  N  E  F  T  B  Q  B  E  I  V
O  S  P  U  I  X  M  S  L  O  T  L  L  G  U
T  S  K  R  K  R  S  U  T  N  U  L  R  U  U
I  G  F  I  P  W  E  L  W  T  I  P  A  L  V
N  N  L  C  P  N  V  A  T  S  K  E  T  P  P
A  I  N  S  O  A  B  R  T  E  R  T  A  S  U
M  L  T  S  U  U  H  O  A  E  R  T  T  Y  T
N  L  E  N  D  P  N  I  P  O  R  K  L  D  A
A  I  D  O  Z  R  E  S  G  T  S  A  A  I  H
V  T  A  R  Z  H  A  R  M  A  P  S  Y  S  O
L  T  T  U  T  G  V  P  I  H  N  B  O  S  W
Y  E  M  H  N  O  R  Z  P  O  H  A  K  A  S
S  N  R  O  N  T  A  R  I  O  R  V  O  C  I
S  R  S  P  E  D  N  I  C  B  D  J  R  H  V
```

BLUENOSE	KASBA	PUTAHOW
CASSIDY	KIPAHIGAN	SPEDNIC
DUBAWNT	MANITOU	SUPERIOR
FENERTY	NETTILLING	SYLVAN
GASPEREAU	NEWVILLE	TATLAYOKO
HURON	ONTARIO	WILLISTON

KNOTS

```
J X R J P S A Z X A E A C A N
T G N I M M A J Q F H O N D A
S R E T I R W R E D N U X P I
P A L O M A R P R S T N C D L
Y N N A R G V W T F A L U N B
Y T F S C Y O R E N R S G O O
L C I R G A I G Q N B U U M W
A H A E A C H M X E U R G A S
K E D N T K U I T R C G T I P
A S O O R U H L E H K E O D J
A T R C E C Q L I P R O C A A
W E K L E M H E I S T N O T I
V R D A V F R R P V U S R W E
L V F F E B V S R A A A W Q N
A X P T R A M P L J Z O V M D
```

BOURCHIER	GRANTCHESTER	PALOMAR
CONSTRICTOR	HONDA	REEVER
DIAMOND	JAMMING	SURGEON'S
FALCONER'S	KLEMHEIST	TARBUCK
FIADOR	MILLER'S	UNDERWRITER'S
GRANNY	NAIL	WATER

CONSTELLATIONS

```
D N A P U B S S J W L C A W R
L E U A E M O S V G S Y E S U
F L A M R O N U R S D Q S S W
J T U C A N A T Y R U S X N N
T R V A F O R N A X T T L I F
K L O E M C W C I A U R J W N
P D T L G E O A H S P R A I R
I P U U P R H E R C U L E S P
S S S M R O N I M O E L J R E
O V P A I S A H A R U O P W G
R R V P L Y N V U P V D H G A
G E M I N I C E R I D A N U S
F H Y D R A U F I U R R E Y U
J Z T F D G F Q G S G O O Q S
B P N O I R O T A G R D R G F
```

AQUILA	FORNAX	NORMA
AURIGA	GEMINI	ORION
CAELUM	HERCULES	PEGASUS
DORADO	HYDRA	SCORPIUS
DRACO	LEO MINOR	TUCANA
ERIDANUS	MONOCEROS	VIRGO

MATHEMATICIANS

```
S R O A V A S W S V T E Z C U
T A R C H I M E D E S A N H H
V A U G H A N I T A E J X E V
U O Z T U W O E B R C A W B S
E F G B H S S R N T A K E Y L
U G K T L G N S O O L C S S I
C D A D E E I T G D E A S H B
L Q E B N R B R Z A V T F E N
I K P W B M O A W I O N H V D
D U F E E A R S M T L H A E U
R R L I C I B S U A R C O P R
W D R S K N S R U P S A R T F
R U R R U M I C U Y S N C B S
T S T P Y N R O C H E A Q X Y
A G R X G A U S S Y Q B X R L
```

ARCHIMEDES	EUCLID	ROBINSON
BABBAGE	GAUSS	ROCHE
BANACH	GERMAIN	TURING
CARTWRIGHT	HYPATIA	UHLENBECK
CHEBYSHEV	LOVELACE	VAUGHAN
DESCARTES	NOETHER	WEIERSTRASS

MONET PAINTINGS

```
S W S Z C L P S U N S E T T V
E C A O T O A I R E T S I W A
S H P T H K W E P P E I D O V
I R O U E N C A T H E D R A L
R Y P A R R L A J F D L S N I
I S L G O A L T T A S E E G O
W A A A S G L O H S O E U L A
O N R P E A N L O F Y U A E T
L T S A B I I I T B M A I R F
L H M N U A U U N T R Z H S I
E E U T S P L L R R O I X J E
Y M S H H I S O B N O N D X L
G U A U P S L G P O T M X G D
D M E S U O H D E R E H T R E
W S W O L L I W G N I P E E W
```

AGAPANTHUS	OAT FIELD	TWO ANGLERS
CHRYSANTHEMUMS	POPLARS	VASE OF TULIPS
DAHLIAS	ROUEN CATHEDRAL	WATERLOO BRIDGE
DIEPPE	SUNSET	WEEPING WILLOW
HAYSTACK	THE RED HOUSE	WISTERIA
MORNING	THE ROSE BUSH	YELLOW IRISES

TOLKIEN'S HOBBITS

```
G A D U A A U N R M A R C H O
P O L N A W O R R O D R P E Q
V A G K X I O I N X S X O N O
V O B I L L B U T C H E R D U
C U L L I L Y B R O W N O I W
U E Z U P W E C F W E P C N I
W R H O B H A Y W A R D N G D
U S R D A I S Y E O L R A I O
K A N A M T O C U S I K L P W
V H L X C F B D E R N R B D R
J O O X B O F K P U G U Y D U
I S U S W O R R U B O T N I M
S F K O O T D R A R E V E I B
K B R T E D S A N D Y M A N L
A S P V W T A V V J S N T R E
```

BILL BUTCHER	EVERARD TOOK	ODO PROUDFOOT
BLANCO	HENDING	ROSE
COTMAN	HOB HAYWARD	ROWAN
DAISY	LILY BROWN	TED SANDYMAN
DORA	MARCHO	WIDOW RUMBLE
ERLING	MINTO BURROWS	WILL WHITFOOT

OPERA HOUSES

```
Y R R R T G I H S Z R A I N R
I M H A R R I S O N S D M E J
T E A G U A N G Z H O U J A M
U T R O O N O G I A S W I F S
P R A Z P G V G E O B B T Y J
H O R N P E A B O D Y L A E O
D P B A K P R R A L G I E R S
S O P E R A B A S T I L L E L
Q L R T E R R R C R S S M V O
C I S T S K S A Q O R N J A X
U T O R M C Y U O I M A A N J
F A R N A U D N O O W I U A U
F N I T A U N A H S O K Q K Y
A I A S L H E D Y R S Z T U A
O X C N V D Y T G C J S S I E
```

ALGIERS	HANOI	OSLO
ANKARA	HARRISON	PEABODY
CAIRO	KO SHAN	SAIGON
DORTMUND	METROPOLITAN	SYDNEY
GRANGE PARK	OPERA BASTILLE	VLAAMSE
GUANGZHOU	OPERA-COMIQUE	YEREVAN

QUIZ TOPICS

```
N T S E C X X L N E G W S R K
A S C Y W E C N E I C S B F I
K T A H T E L E V I S I O N L
U N P P O Y Q E G T A O O S A
A E I A S B A T B R S T K N N
K D T R A M O N A R C H S O G
S I A G D N S L A M I N A I U
W S L O L D K R A I R T F T A
C E C E S A N T A V Y B I N G
J R I G L F U A L C L S S E E
U P T V N V O A D G G Z P V S
S C I S U M P O P O N N M N H
J L E T E C H N O L O G Y I P
H I S T O R Y E A F S F P R M
D F U X A B Z J K W R A U A E
```

ANIMALS	GEOGRAPHY	POP MUSIC
BOOKS	GOLF	PRESIDENTS
CAPITAL CITIES	HISTORY	SCIENCE
CARS	INVENTIONS	SONG LYRICS
CELEBRITIES	LANGUAGES	TECHNOLOGY
FOOD AND DRINK	MONARCHS	TELEVISION

MODELS

```
D O I I A D R I A N A L I M A
W S S O L K E I L R A K X T K
U A E E S K N A B A R Y T F R
S I K O A N O V E D E E T I B
O S O S L L I H R O L Y A T R
J A O A S B Y S A L L L L G I
O M T M A A Q E A U I S I I D
A U E B E J K V P U M K L G G
N L N H R T R N W Q A R Y I E
S K I T B E A E E L S F C H T
M I M T B A N K I M I E O A H
A D S M E N O T S A R A L D A
L I A R B A E S C T A A E I L
L E J J P V U T E P M N C D L
S H A V O G I Z R E H A V E V
```

ADRIANA LIMA	GIGI HADID	LARA STONE
AMBER VALLETTA	HEIDI KLUM	LILY COLE
BRIDGET HALL	JASMINE TOOKES	LIU WEN
CARMEN KASS	JOAN SMALLS	MARISA MILLER
DEVON AOKI	KARLIE KLOSS	TAYLOR HILL
EVA HERZIGOVA	KATE MOSS	TYRA BANKS

FICTIONAL SPACECRAFT

```
N W S R T R U G E O D Q H S T
E B T H A O G I F F R I E D E
R S R Y V I U S C R S Y R X A
A Y V Y S P A A G A E H M I I
F U N P F O R O I W R T E H S
E C I S T K D O K D E U S D T
B H G X O R A C M D N F S A L
I U H B R H L O Z E I Z E E U
E R T Z B Y C R Y R T N O D P
I C F E I P A R O A Y H R A S
F H L R T E N Y L Y M E E L O
W I Y O J R A T S E S A B U S
A L E X E I L E O N O V T S S
Y L R O T O L J P S D W Y O R
T C A M I N B A R I K H O D A
```

ALEXEI LEONOV	HERMES	PROMETHEUS
BASESTAR	HYPERION	RED DWARF
CHURCHILL	ICARUS	RYVIUS
DAEDALUS	MINBARI	SERENITY
FRIEDE	NIGHTFLYER	YAMATO
GUARDAL CANAL	ORBIT JET	ZERO-X

PRIME MINISTERS OF NEW ZEALAND

```
T M N J J O S E P H W A R D S
N P G H O G G B E O J J N A E
O G E E R E A I T F A O W V T
R P O L A O T L E S C H B I A
M J R E L R B L R S K N O D O
A Y G N L G V E F I M H D L C
N E E C E E J N R O A A P A N
K K F L B G O G A T R L S N O
I N O A S R S L S A S L G G D
R H R R I E U I E T H T G E R
K O B K C Y A S R W A F O O O
V J E N N Y S H I P L E Y U G
E T S K A J I M B O L G E R T
B I L L R O W L I N G H I A R
T J O O F M I K E M O O R E O
```

BILL ENGLISH	GORDON COATES	JOHN KEY
BILL ROWLING	HELEN CLARK	JOSEPH WARD
DAVID LANGE	JACK MARSHALL	MIKE MOORE
FRANCIS BELL	JENNY SHIPLEY	NORMAN KIRK
GEORGE FORBES	JIM BOLGER	PETER FRASER
GEORGE GREY	JOHN HALL	ROBERT STOUT

ART MOVEMENTS

```
J R A P M S I C I T N A M O R
M L E T T E R I S M J A O U M
D S C R O D O I D K T H R S M
A J P O C T T R K N A E I M S
D F S C E R P T E P S C S S I
A A T O D A E R X D I I W I L
O U A C T P L Z M S R S U C A
M V V O R O Y S S E M M X I M
S I X P A P I A N C S D Y T I
I S A I E R L N U I I L C R N
L M R B U C A B R M H E I O I
A L A P O M I U O E P I T V M
N E A E E S T Q Z S R J E M P
O T N T M U P B A R O Q U E V
T S L I F S U R R E A L I S M
```

ART DECO	LETTERISM	PURISM
BAROQUE	MANNERISM	ROCOCO
CUBISM	MINIMALISM	ROMANTICISM
DADA	NEOCLASSICISM	SURREALISM
FAUVISM	ORPHISM	TONALISM
FUTURISM	POP ART	VORTICISM

CRATERS ON VENUS

```
S L A B M Z O T N R R O K X E
C B U C K E B K Q H R S A S R
N R W K U N A N I C H I R R P
X F E U P N D V C R A C U D G
E T P A C A I C O B A R T O N
U P E Y L E V T A L K M H S Q
L C B E E J A E Z V I P P M P
R U E I O L R A P B S N A A P
L L A S P A I S I I A A A D C
Y X G O A S L R A R B L O D R
V U R E T G R I M K E S C A B
C U Y R R W H E A T L E Y H P
K J B I A N I K B U L O G W X
L I W A E T W A N D A K P V W
I G T S A S H V E C V L G L C
```

ADDAMS	CUNITZ	MARIKO
ADIVAR	DANILOVA	NANICHI
BALCH	GOLUBKINA	RILEY
BARTON	GRIMKE	RUTH
BUCK	ISABELLA	WANDA
CLEOPATRA	JEANNE	WHEATLEY

MICHELLE PFEIFFER MOVIES

```
S C A R F A C E T H F L O W I
U E J E Z S O B O A A C N R V
E S I R N U S A L I U Q E T F
K W N S E F S T Y R Q H F S T
I E T T W O F M W S C O I C I
L E O L Y Y V A S P P T N M I
E T T O E R L N Y R L S E U O
L L H V A O A R L A P R D S K
P I E E R T D E I Y Q P A T X
O B N F S S Y T M I Q T Y A J
E E I I E E H U A A M A P R X
P R G E V H A R F M Z X T D O
X T H L E T W N E S S V L U W
T Y T D A R K S H A D O W S A
C S F I T I E F T M P L S T Y
```

BATMAN RETURNS	LADYHAWKE	STARDUST
CHERI	LOVE FIELD	SWEET LIBERTY
DARK SHADOWS	NEW YEAR'S EVE	TEQUILA SUNRISE
HAIRSPRAY	ONE FINE DAY	THE FAMILY
I AM SAM	PEOPLE LIKE US	THE STORY OF US
INTO THE NIGHT	SCARFACE	WOLF

IRELAND

```
Q C U B O Y N E V A L L E Y G
R O Y B O O K O F K E L L S C
L U C L C Z Y N O C M U S H M
I N C A O B A P T I P S I A Z
Z T O R R I W H I R H Z D M S
S Y N N K R L D S E E E L R A
M M N E N E A J L M D A A O L
A A E Y R A G U A I G G R C Y
U Y M C E H H X N L E A E K V
R O A A D R L S D T H G M D L
J I R S D M A C R T O C E U J
S I A T E Q I D I E G O V B E
F E S L E H S P L L V I H L P
W A T E R F O R D I C I X I S
D R E H S R M R E M K S R N L
```

BLARNEY CASTLE	COUNTY MAYO	KILDARE
BOOK OF KELLS	DUBLIN	LIMERICK
BOYNE VALLEY	EMERALD ISLE	RED DEER
CARRAUNTOOHIL	GALWAY	RIVER SHANNON
CONNEMARA	HEDGEHOG	SHAMROCK
CORK	ISLAND	WATERFORD

"A" WORDS

```
T R E W S N A L N U P D Z A H
A T I N E D E V O R P P A M Z
L A E S U C C A K C A B A J T
P O F I T A T O C I R P A G G
H R E T I N S E V I S E H D A
A K F T E U U S E L C I T R A
B A A A N R Z O I F N X N C A
E D A T Q R M H C G L S L S Y
T M R R T B D A R C N O F A H
E I S E J R J A T X A R L R G
Y S A E P W I X R H F T T P S
P S T I A A W B A G I T A T E
I I T R O S S A U M U B L A Z
R O K L M P I H V T Q E H N O
A N B T A B O R C A E E S X M
```

ABACK	AFTERMATH	APRICOT
ACCOUNT	AGITATE	ARGUE
ACCUSE	ALBUM	ARTICLE
ACROBAT	ALPHABET	ASSIGN
ADHESIVE	ANSWER	ASSORT
ADMISSION	APPROVED	ATTRIBUTE

GEYSERS

```
T V J Y S R Z S T U V R I P B
V I K W E S T R A Y E K S I W
O U R G S F X C R Y S T A L N
N N I R G C L O A S Y I P M L
S R V A N D E R N A C H A N R
J R E N I B M X V K C L R D S
L N R D R E K A C U Y P E K T
S L S X P E O B B E R D V L R
M H I V S H I R L F L Y A K O
O L D F A I T H F U L S R L K
R T E U D V S P L E N D I D K
N T W J O E L T S A C X G O U
I A F X S T E A M B O A T F R
N P R H R H R I T A T S M W I
G I A N T P S R A Q T U H L X
```

ANDERNACH	FLY	RIVERSIDE
BEEHIVE	GIANT	SAPAREVA
CASTLE	GRAND	SODA SPRINGS
CRYSTAL	LADY KNOX	SPLENDID
DAISY	MORNING	STEAMBOAT
EXCELSIOR	OLD FAITHFUL	STROKKUR

UNESCO WORLD HERITAGE SITES

```
A K U S I C M E S A V E R D E
R I D E A U C A N A L B N R V
Y G A I T Y T E T N O I O C E
M U K E U E M I L T S B L D R
L B A I W B C F S P B S A N G
A E K S T A V O H E S U K A L
P G R A N D C A N Y O N E L A
I P P C U O S I E N A T M S D
O J I Y O P S E P E T R A I E
T T Z A M L O G H I S U L R S
Y R D N A L S I R E T S A E V
K E G N E H E N O T S H W S C
T V D R J K B R A S I L I A U
P O H I S T O R I C C A I R O
Z A L F L A H A M J A T S F L
```

BRASILIA	KAKADU	RIDEAU CANAL
EASTER ISLAND	LAKE MALAWI	ROBBEN ISLAND
EVERGLADES	MESA VERDE	SIENA
FRASER ISLAND	MOUNT WUTAI	STONEHENGE
GRAND CANYON	PALMYRA	TAJ MAHAL
HISTORIC CAIRO	PETRA	VATICAN CITY

BRUCE WILLIS

```
T E G G K F C K P Y Q P D S M
U H S C V J C R I J S I O S T
H I E A C T O R Y T I C N I S
A S T K Y R P K D I E H A R D
T U U J I L O O P E R T N N T
E N P R O D U C E R O U C E F
V S G U R E T W O M A O Y G B
S E I D O O W Y L L O H D A A
Q T K N Y S G S A E D Q R T N
A H U N B R E A K A B L E S D
S P R Y E N O R T H C T W O I
K W H D O V K E G E I S E H T
I S T V Q M D K B H S O G S S
T R B L G A W W I O A S T P L
U O S R U L C Z M N R M U F R
```

ACTOR	LOOPER	SIN CITY
BANDITS	NANCY DREW	SUNSET
COP OUT	NORTH	SURROGATES
DIE HARD	PRODUCER	THE KID
HOLLYWOOD	RED	THE SIEGE
HOSTAGE	SETUP	UNBREAKABLE

COMMON WORDS

```
B L S X T S R O V I O M U L R
Z A O S M O L T A E Y A W A H
X D A O Y P I U A U T W A R R
C H O D Z M K R L S A R P M D
T U T Q E R E R D W H W X O S
Y T O L V Y A N L K T H I S D
P D M T A R F P U T Z E K T U
R W P O H B R K O O L N T O I
V A A P S P O T W H I C H M A
G L E E K A M U T H E R E Z J
B Q J B B Z T U T Z T T Y P C
T I O E Z R D W A N T C T P U
W O S S R A A U H U Z P I R F
L V W K P L O I W T A L R T P
T S T A Z H Y A L E Y S Z R T
```

ABOUT	MOST	TIME
FROM	THAT	WANT
HAVE	THERE	WHAT
LIKE	THEY	WHEN
LOOK	THINK	WHICH
MAKE	THIS	WOULD

GOLDEN GLOBE WINNERS

```
E T O M H A N K S D Z R H E R
J R C P J M O U I G G G K M Z
Z I L L R I U T V H B A A E S
M F A V E C H T A L G R T R N
C S I B M H U P D A L Y H Y O
A E R E M A G D A O E O Y L R
R A E T A E H U N H N L B S I
R N F T S L G B E X N D A T Y
E P O E T C R T E S C M T R M
Y E Y M O A A T G I L A E E E
L N X I N I N K L R O N S E R
T N U D E N T S R K S S V P E
C J O L R E T S O F E I D O J
S D L E I F Y L L A S U S T Y
D J B R I E L A R S O N E N A
```

BETTE MIDLER	GLENN CLOSE	MARLON BRANDO
BRIE LARSON	HUGH GRANT	MERYL STREEP
CLAIRE FOY	JEREMY IRONS	MICHAEL CAINE
EMMA STONE	JIM CARREY	SALLY FIELD
GARY OLDMAN	JODIE FOSTER	SEAN PENN
GEENA DAVIS	KATHY BATES	TOM HANKS

VALLEYS OF AUSTRALIA

```
D S R S C H K K V Q U R H N J
L H P O I C A A A H I P I R T
E T F N G G O B K N N U C U O
W R L A B I T F N R G T D B X
H O H E S Y D L E I S A W L P
C W E W E S L N I S M X R U G
S N L N Y T I O I T P U M O N
X E E D A L R F N A A D N G O
H L N I T M T E E G T A U O L
C G A A P S N Z P R T R S V A
U H M U K X V I T A N I R R G
T A N O T N E K B G C P V O E
R T O S D D P A S S O R A B M
N A W S Q D M L I G C A I L F
D C L O C K Y E R U D S T R M
```

BAROSSA	HELENA	MEGALONG
BYLONG	INDIGO	NUMINBAH
CAPERTEE	INMAN	PALM
FASSIFERN	KANGAROO	SWAN
GLENWORTH	KENTON	TAMAR
GOULBURN	LOCKYER	WELD

CITIES OF CANADA

```
B M H Y O J U H A L I F A X D
L K Y T X C P M J Y T F Y A O
G E P I N N I W Q E C U R I T
K V I C T O R I A L X Y Y T L
A L Y Z S A O C A L G A R Y A
O O O T A N O T N O M D E R S
U S T R I T W C A W W A G E L
L H T O O C S L C K S R I V K
F A A S R D C A A N S Q N U V
M W W M R O B E P I M A A O Y
K A A V I B N R B F K Q S C O
M C H A R L O T T E T O W N T
I Q A L U I T N O E U T T A A
A I W I N D S O R L Q Q S V S
D W M P C J R M N O N B J K J
```

CALGARY	MONTREAL	TORONTO
CHARLOTTETOWN	OSHAWA	VANCOUVER
EDMONTON	OTTAWA	VICTORIA
HALIFAX	QUEBEC CITY	WINDSOR
HAMILTON	REGINA	WINNIPEG
IQALUIT	SASKATOON	YELLOWKNIFE

OLYMPIC DIVERS

```
S Y T I A T T A M E A R S G B
Q A S H E R B B O U D I A E R
I J E H A U H A U S D I N G O
A I S E N O E J R S H F C A B
N E L Y A L M D A L E Y H A E
T S L M U I I I R I L D E X N
C E C A G N O T T O M R Z T P
L Z R N D F O O G C X R C G S
Z Q T S B Y S I T E H L O U P
S O L S L X C R Z T J A A A U
L T Z U O P Z L J Y G U M D L
S P N E K T W S A R R G G P E
A Z A I R S A T T V N H N P W
T K K X O U Z J P A P E I U T
L C G M M N T Q O A P R T H K
```

AISEN	HAUSDING	PAMG
BENFEITO	HELM	QIAN
BOUDIA	HEYMANS	RUOLIN
BROBEN	LAUGHER	SANCHEZ
CAGNOTTO	MEARS	TINGMAO
DALEY	MITCHAM	YAJIE

PALINDROMES

```
L Q U R U I E T K I N B E I F
N L E H P H V S P K R L R I D
U P W K O R R C S E E T U T K
P C X S T H C R N Q U K U G D
L Q L U S P R F O N I I I A E
T Y M U N O O N K B U G Q W E
G M T M O E T A V M P I O P T
P E B K A Y A K N E P J Z R S
I B D G O E T M D I W B P E O
V E Q O N L O R I D E E D T L
S L L G U L R E D D E R O R O
T Q N W F W L F R P S A G A S
R Y T P L L L E V E L D W R D
R N P E G Z C R L D T A N N A
S H G I W C I V I C E R L V D
```

ANNA	EYE	RADAR
CIVIC	GIG	REDDER
DAD	KAYAK	REFER
DEED	LEVEL	ROTATOR
DID	NOON	SAGAS
EWE	PEEP	SOLOS

DIAMONDS

```
V O I F A O C E A N D R E A M
D U O D C I R A S K G R N K F
A P V H U U E M T O N R I B T
N P B A L N A Y B H R T T A T
U A Q V L A T R E I G A N R A
C E D L I S O A A N R S E S N
S H E S N S R N U O E T R H L
G R E O A A I E S O B D O A L
S E P I N K S T A R H S L H A
C R D A X B T N N E S O F O L
T K E T K B O E C M A A P O G
C T N E G E R C Y U R Q Y E D
J B E D T S R B A G O M A P S
T T S Q S Z T U P J O K T E J
W I F U B U E O E B R Y T R J
```

AKBAR SHAH	CULLINAN	JACOB
ALLNATT	DEEPDENE	KOH-I-NOOR
ASHBERG	EUREKA	NASSAK
BEAU SANCY	FLORENTINE	OCEAN DREAM
CENTENARY	GOLDEN EYE	PINK STAR
CREATOR	HOPE	REGENT

TOE THE LINE

```
T B A D N R O U E A U P F E M
T S S U B M I T J V T T E O F
C S U L A F B P T J R T R I G
M I C E P A U W S Y E E I W H
R U C S N J C J Q U I A S A I
R Z U O U Y P Q R P G E E B M
U Y M F S E L A U L I M L I O
F E B R U B A V R I V W O D T
H X P R O O S U R R E N D E R
R Q I W B F G N P N W S A B E
Y X T U T T N K D E A R C Y F
T O Y Y L P M O C C Y R C E E
V N H X V L R A C C E D E O D
I N I A S S E N T L E T P P J
L F D E E H L V X W U P T O R
```

ABIDE BY	COMPLY	OBEY
ACCEDE	CONFORM	OBSERVE
ACCEPT	DEFER TO	SUBMIT
ACQUIESCE	ENDORSE	SUCCUMB
ASSENT	GIVE WAY	SURRENDER
BOW TO	HEED	YIELD

EIGHTIES HITS

```
C Y B J R F O O T L O O S E S
G H O S T B U S T E R S T T R
S Q E P S Q A S O R R P L Z T
A C X O S U R I I U F P I M B
A A L B H P N K P G R H K I B
H L L E T O T E V I L X E C I
I L O H S E B O V F E N A K L
I M X N U H X O I R T U P E L
N E W H E N D O V E S C R Y I
X L R A F R I C A H D O A S E
A R V W H P D K T T A Q Y N J
I E T E M A L F L A N R E T E
N S R P C U T L V F C O R R A
W L U S L U P S I D E D O W N
T I M E A F T E R T I M E X M
```

AFRICA	FOOTLOOSE	LIVE TO TELL
ALONE	GHOSTBUSTERS	MICKEY
BILLIE JEAN	HEAVEN	TIME AFTER TIME
CALL ME	KISS	UPSIDE DOWN
ETERNAL FLAME	LET'S DANCE	VENUS
FATHER FIGURE	LIKE A PRAYER	WHEN DOVES CRY

"V" VERBS

```
F C O P K G T L L Q E L X U K
E S V D Y A W O A X U A B N M
N P U Z M T O G O U T Q X S D
L B R X R Y U Y Q N D R O O U
T T V U E W V S F Q M T T V C
P L U N M A S E C I O V I A M
D R U A C R M T N C R A S L Y
A R T A L Q V A A E J E I I B
S E T R V V A L U E R T V D V
U E L O S Y R I A A O A Y A X
Q L T O V E N T U R E R T T S
Q E T E O T I N F W S B S E R
A P T P W K S E Y S V I E W R
P O U T W B H V E I L V A R Y
A A L M F T K F R R O V I R W
```

VACATE	VEIL	VIBRATE
VALIDATE	VENERATE	VIEW
VALUE	VENTILATE	VISIT
VARNISH	VENTURE	VOICE
VARY	VERIFY	VOTE
VAULT	VETO	VOW

WRESTLING TERMS

```
N R O R G V Y F G L V S S U R
U O G K L D I K R A T H I R X
O Q Y S C R M R J O B B E R H
W R U S E A B A L L I A N C E
D V B C M W J M T S L P F S G
E W L A U O S R E S T H O L D
H S I N I F N A E L C Z R C A
E V N A S Z E E I B I F C F A
E A D R A C B S Y P M A E T A
Y W T P U O Z L Z M S U R U I
E H A W B R O A D W A Y L P D
E R G N D E C E I P H T U O M
T I R M G X I X I L A Q C P R
A O I C A L L B L E T R M H T
A J I O Z Z E F X V Y S Y E E
```

A-TEAM	CARD	LUMBERJACK
ALLIANCE	CLEAN FINISH	MARK
ANGLE	DRAW	MONEY MATCH
BLIND TAG	ENFORCER	MOUTHPIECE
BROADWAY	FEUD	POP
CALL	JOBBER	REST HOLD

CAMERON DIAZ

```
S K Y R Y L X E V U Y F S P F
H E A D A B O V E W A T E R J
E Y D A D A B A R A D H O I T
S S D A N D E N Y L I E H N A
T T N T U T H I B Q L O S C B
H O A A S E T L A C O T R E K
E T T E N A R L D U H H E S J
O U H M E C C A T H E E H S I
N L G I V H R S H N H R N F P
E S I L I E S K I G T W I I A
A A N E G R H Y N R A O T O I
S T K D Y V R O G O R M S N D
J Q R O N R E F S W F A B A I
T H E M A S K L P R A N N I E
O U U G R R O G T I U U O L T
```

ANNIE	KEYS TO TULSA	THE BOX
ANY GIVEN SUNDAY	KNIGHT AND DAY	THE HOLIDAY
BAD TEACHER	MODEL	THE MASK
GAMBIT	PRINCESS FIONA	THE OTHER WOMAN
HEAD ABOVE WATER	SHE'S THE ONE	VANILLA SKY
IN HER SHOES	SHREK	VERY BAD THINGS

BEES

```
U R W K I O S P F S M H S Z Z
L O H O T M H H O J O O Y O D
C R I F Q B R C R X S O O O A
B E T O I R I O E D S K U K P
J G E O X O L M S B C C T C N
A R T K B K L M T U A U A U T
Q E A C H E C O C F R C W C U
F A I U T N A N U F D D N Y C
G T L C A B R C C T E L Y S L
A Y E L E E D A K A R E M P A
R E D A H L E R O I E I I Y R
D L P T E T R D O L A F N G E
E L U S R E A E R E R K I S D
N O U E M D S R C D L U N B U
S W E V C T C T Z S Y W G R R
```

BROKEN-BELTED	GARDEN	SHRILL CARDER
BUFF-TAILED	GREAT YELLOW	SOUTHERN CUCKOO
COMMON CARDER	GYPSY CUCKOO	TAWNY MINING
EARLY	HEATH	TREE
FIELD CUCKOO	MOSS CARDER	VESTAL CUCKOO
FOREST CUCKOO	RUDERAL	WHITE-TAILED

ECONOMISTS

```
W N K X K L V N T T G P N T A
K E Y N E S N O K E T I Y P S
L M M I L L S T R S T N E Y O
U U P D K T U G R P M Y E U O
U H R L R L O G K G T V F V T
G Z Q O O I R X A W A O H S E
N T M G Y S C R O L Q S S R T
E N E R C E S A F T T O W Q T
F P L L A L L M R Z S O H R O
J O B D R B E L I D K O A P O
L G E K N A N R E B O T Y I O
R M C T E C O I D N E E E T C
L D K A Y L N A M G U R K M T
W O E H H U B B A R D A U A R
Q T R E B E W M N Y A P A P S
```

BECKER	HAYEK	MILL
BERNANKE	HUBBARD	OSTROM
CABLE	HUME	PARETO
CARNEY	KEYNES	RICARDO
FRIEDMAN	KRUGMAN	WEBER
GOLDIN	MARX	YELLEN

ENGLAND

```
T D I C T C E J O R P N E D E
Y L U M A H G N I M R I B E Z
S A R H T E G W C R I C K E T
E G W E S T M I N S T E R U H
N R L A A B D N W P N Z S T E
I E L T E V E D I F B T T R Q
N S O H H I C S N B O R E C U
N Y N R T S T O N E H E N G E
E C D O U M A R T A B E L J E
P R O W O A J C E S C G R S N
R D N I S U C A Z T W Q I W I
R M A N C H E S T E R O X B S
L A K E D I S T R I C T L O R
T L N O R F O L K B R O A D S
W D O V R I V E R T H A M E S
```

BIG BEN	ISLE OF WIGHT	RIVER THAMES
BIRMINGHAM	LAKE DISTRICT	SOUTH EAST
COTSWOLDS	LONDON	STONEHENGE
CRICKET	MANCHESTER	THE QUEEN
EDEN PROJECT	NORFOLK BROADS	WESTMINSTER
HEATHROW	PENNINES	WINDSOR CASTLE

US STATE FLOWERS

```
A R I R E V J T I C K S E E D
M A Y F L O W E R P G K T Q O
L P P R C A X L A Z A L E A C
U P B E S K G O L D E N R O D
Y L I L A N I L O R A C P A S
G E T T G C C E P T X U E U U
H B T Z E F H Q U V R E N L U
X L E A B T A B C P Y F H W C
U O R I R E R W L P L S A P I
V S R L U L L E S O R O W B S
A S O L S O L E W K S G T Z H
D O O E H I P E O N Y S H K O
D M T M L V R O S S P Q O J P
A E P A R G N O G E R O R M A
Y U C C A F L O W E R O N R U
```

APPLE BLOSSOM	HAWTHORN	ROSE
AZALEA	MAYFLOWER	SAGEBRUSH
BITTERROOT	OREGON GRAPE	SUNFLOWER
CAMELLIA	PEACH BLOSSOM	TICKSEED
CAROLINA LILY	PEONY	VIOLET
GOLDENROD	PURPLE LILAC	YUCCA FLOWER

SAFETY DEVICES

```
G P G E I S U R I F Y P W T B
C A T M M U B N V I T H W S K
T H G I L J S N A S O E R I V
U O V R S L E T E M L E H L R
U R O R R C L O L P U E V R S
N N H O V P G I P E N W X Y Y
B P S R X K G T E L B M I H T
B A Z I O Y O M U R W T A B Q
S M R R V S G U A R D R A I L
S K D R S A F E T Y N E T E M
E L T S I H W F N Y S T E A S
N B F U S E Q A R M B A N D S
R I P T F I R E A L A R M R M
A T T O B O O S T E R S E A T
H T I I A S A D M L O C K P A
```

ARMBANDS	GUARD RAIL	MIRROR
BARRIER	HARNESS	OXYGEN MASK
BOOSTER SEAT	HELMET	SAFETY NET
FIRE ALARM	HORN	SEAT BELT
FUSE	LIGHT	THIMBLE
GOGGLES	LOCK	WHISTLE

CORRECT

```
D L F R D E T P E C C A I A V
P E R F E C T Y Q U I D L Z W
F A I T H F U L B N D A H U C
O E R S S B W A F A W E K S U
U L G N I R R E N U X O H A Z
R S U O L U P U R C S F S N P
I U A N B X A C C U R A T E X
A O U N A M B I G U O U S S U
U L M V T C A X E L T L D P U
T U T L S U L E W A Y T U R F
D C T V E R I F I A B L E O O
A I M H N P T E S I C E R P O
A T L R G X T R Z U I S U E M
V E R A C I O U S J R S O R S
R M P V V R R C W E U J R V T
```

ACCEPTED	METICULOUS	TRUE
ACCURATE	PERFECT	UNAMBIGUOUS
ESTABLISHED	PRECISE	UNERRING
EXACT	PROPER	VALID
FAITHFUL	RIGHT	VERACIOUS
FAULTLESS	SCRUPULOUS	VERIFIABLE

BASKETBALL

```
D D W C S B P C S L S N Y P V
A D E D I A W P C P S U X J H
K E U R X C I B I A F A N M F
A G D S T K T T R L F A C O E
X M R S H B S V W M F S U V B
A Z I A M O V I Z I S P S E P
E V B P A A T U R N O V E R E
S B B T N R T C O G R A I T N
C T L S S D A F L L A B R I A
F R E E T H R O W O L B U M L
O A K H W U A I X X C J N E T
F V O C S L A M D U N K H X Y
S E P O I N T F O R W A R D U
Z L A T K E Z R P O J T R M R
R T E C H N I C A L F O U L K
```

AIR BALL	FREE THROW	SHOT CLOCK
BACKBOARD	NBA	SIXTH MAN
BONUS	OVERTIME	SLAM DUNK
CHEST PASS	PALMING	TECHNICAL FOUL
DRIBBLE	PENALTY	TRAVEL
FLIP	POINT FORWARD	TURNOVER

PARTS OF THE BRAIN

```
M L E V R E N C I T P O R I R
S R B L S M P R U X O P E R G
A X O J R E S V S E L I T Q T
I I L T V T U R T T I N A E C
H R L A G S E L K R V E M B E
C B A G E Y N T T O A A A O R
C E R R N S U Q G C R L R L E
I R O L F A C T O R Y B U L B
T E P Q V H G N D A B O D A E
P C M S T P Z L T L O D A T L
O S E U O L U A A U D Y A N L
X U T N F A X U C S Y J L O U
D R S C P U L V I N A R K R M
E C S U L G I K R I Q B E F Y
A V X S A T E C T U M R A L C
```

ALPHA SYSTEM	FRONTAL LOBE	PINEAL BODY
BASAL GANGLIA	INSULAR CORTEX	PONS
CEREBELLUM	OLFACTORY BULB	PULVINAR
CRUS CEREBRI	OLIVARY BODY	TECTUM
CUNEUS	OPTIC CHIASM	TEMPORAL LOBE
DURA MATER	OPTIC NERVE	UNCUS

AROUND LONDON

```
Y F L I Y I S H O S E P R S R
O T E C I C A Y E L M O R B M
A F U L A M B E T H I A V A O
C F I M R A S G O A N U E R Y
T A D L L I G N I L A E L N U
O E O H S A T I I K N N P E B
N O A L G N I R E V A H G T U
O M T N A N H A C K N E Y E R
N M T S O U T H W A R K J P L
R E T A G D L A P E R O E K B
H R W D V R Y V W S H S J V G
S T G H A R R O W B Q R S O B
Y O L R A R U B R E N T L R F
A N U C P M N O A C Y U R N N
H L S E I I T E T A S L U E F
```

ACTON	BROMLEY	HARROW
ALDGATE	CAMDEN	HAVERING
ANGEL	CROYDON	LAMBETH
BALHAM	EALING	MERTON
BARNET	HACKNEY	NEWHAM
BRENT	HARINGEY	SOUTHWARK

POPULAR GERMAN NAMES

```
R  P  R  S  A  T  L  A  G  L  S  W  R  P  R
U  R  P  W  T  T  J  E  R  C  O  S  P  E  W
D  J  T  A  S  A  Y  U  N  I  R  A  K  S  U
U  L  U  S  H  V  E  T  F  A  I  I  L  U  A
S  E  N  I  F  A  B  P  A  T  O  B  R  G  E
A  X  A  M  O  L  B  E  W  M  Q  O  Y  G  S
B  K  E  O  I  A  O  T  D  I  E  T  E  R  N
P  I  I  N  S  U  L  R  I  C  H  K  W  L  B
A  M  H  E  I  K  E  A  I  H  L  P  H  D  U
U  R  A  I  P  B  J  G  N  A  G  F  L  O  W
R  R  M  P  R  C  A  T  U  E  N  U  I  M  G
T  D  P  P  S  U  R  S  U  L  A  P  T  I  Y
H  Y  S  T  D  T  U  O  L  P  F  R  A  N  K
R  O  P  K  V  O  V  W  I  S  T  N  J  I  L
V  O  A  R  T  Y  Q  G  Z  I  P  Y  U  K  O
```

DIETER	KARIN	SABINE
DOMINIK	KLAUS	SIMONE
FLORIAN	LENA	TOBIAS
FRANK	MAX	ULRICH
HEIKE	MICHAEL	URSULA
INES	PETRA	WOLFGANG

SUCCESSFUL MUSICIANS

```
T N A R T A P W I J G E N M T
Q C Y P R I N C E L N D H I E
P I N C A N N O D A M Y O C W
N H O I V K F A K E S O J K V
E R I C C L A P T O N L N J S
T O D L T K R R O U E F O A S
Q D E R C S I C H E R K T G W
E S N I B O T M O A H N L G I
U T I H Q L L S I Q G I E E F
W E L A U P A L A N C P L R W
N W E N E M F T I I A G P L C
V A C N E M A R K N R J V R V
B R Y A N A D A M S S T I N G
L T L R L N A R E E H S D E D
M W A J L E O J Y L L I B F I
```

BILLY JOEL	ERIC CLAPTON	PRINCE
BRYAN ADAMS	MADONNA	QUEEN
CELINE DION	MICK JAGGER	RIHANNA
CHER	NICKI MINAJ	ROD STEWART
ED SHEERAN	PHIL COLLINS	STING
ELTON JOHN	PINK FLOYD	TINA TURNER

STEVEN SPIELBERG

```
S I R R K S P A N T J L R E C
R T S V F O G N A D N A F J A
N R A N Z D O G R E M L I N S
A X R T L Q T H Y N X T R D P
C W S C R E E N W R I T E R E
T A M I S T A D S P E L L A R
I E A U S T I J Y M Q O I C F
P O L T E R G E I S T S G D W
P Q D U E L N Y I J N A H E S
T K U C B O L A L K C N T S S
P R T A M E R I C A N G J U P
T O P E O P R O D U C E R S J
R T H E T E R M I N A L U W S
T T T S S Z W R A E F E P A C
X I N A D G T L Q S H S K J U
```

AMERICAN	FANDANGO	POLTERGEIST
AMISTAD	FIRELIGHT	PRODUCER
CAPE FEAR	GREMLINS	SCREENWRITER
CASPER	HOOK	THE MONEY PIT
DIRECTOR	JAWS	THE TERMINAL
DUEL	LOS ANGELES	USED CARD

HALLE BERRY MOVIES

```
L T P H Y X A Z U N T O W D G
T T L T L K H N I R Z P H O S
A B U L O L F G R O B O T S S
B M A R G O R P E H T H G R J
U L O S I N G I S A I A H T A
L P A N D I K R A K I N G S C
W X O L S A L T A D U O L C K
O D A R K T I D E C V R S A M
R J U N G L E F E V E R W T D
T G X D O O H R E H T A F W S
H S I F D R O W S C X V I O N
M G N A R E M O O B B M A M X
A E N U S E H T E C A R E A J
A Y A B P T H E C A L L T N O
S R T O F A L C T T P C L X Z
```

BOOMERANG	GOTHIKA	RACE THE SUN
BULWORTH	JUNGLE FEVER	ROBOTS
CATWOMAN	KIDNAP	SWORDFISH
CLOUD ATLAS	KINGS	THE CALL
DARK TIDE	LOSING ISAIAH	THE PROGRAM
FATHER HOOD	MONSTER'S BALL	X-MEN

TEAM BUILDING ACTIVITIES

```
U Y A R C H E R Y P L G U P D
U G I G N I D L I U B T F A R
R P N N Q U I Z N I G H T I U
I G N I T S A T E N I W N N M
T Q N X B I Y M F A O A U T M
H R I I P M J R I Z X S H I I
G E G M D V I O N D E L E N N
I K H L I I A L L O T V R G G
N A T I P S R R C B C U U Z L
O E O A X I D Y I K V L S S I
N R U T G N I C A R C R A I R
I B T K O P S W I W X O E F Y
S E S C D A N C I N G T R I C
A C O O K E R Y A L U E T A J
C I R C U S S K I L L S S S U
```

ARCHERY	DRUMMING	RACING
CASINO NIGHT	FALCONRY	RAFT BUILDING
CIRCUS SKILLS	ICEBREAKER	ROCK CLIMBING
COCKTAIL MIXING	NIGHT OUT	SEGWAY RIDING
COOKERY	PAINTING	TREASURE HUNT
DANCING	QUIZ NIGHT	WINE TASTING

GOAT BREEDS

```
E A U G E O M U M U J N C M U
Q N V W E I A X S E Q L S A R
R A H E S T O A I O T E U E K
D I L K P E A C O C K L O C R
S L K M A L T E S E O T Q F S
A E K I N D E R D T A E V O R
R H N A I B U N O L G N A E I
D A L U S Z Z G N H S I R I R
A S H N H I G M S L A P E G O
K C V C J E T Y M G Y P R B C
N A I G N I R U H T F I O S Y
E O N B C A T A R E V L J P I
N G U C O T M E R R F I A X M
H R M I U R C A L M T H M R A
G A I A U P O T L I Z P E O D
```

ANGLO-NUBIAN MALTESE SAHELIAN

DON OROBICA SARDA

IRISH PEACOCK SPANISH

KINDER PHILIPPINE THURINGIAN

LA MANCHA PYGMY TOGGENBURG

MAJORERA ROVE VERATA

EUROPEAN RYDER CUP GOLFERS

```
R K U V A U F Z C L C K L W R
E E Z O X S A O U S G A G S L
N L G G A L L A C H E R S P S
O P B N S S D M S A S L P E H
S O D B A U O A C R E S I L Y
N U U E Y L X M L R O S E J S
E L R U I L R L A I W O A K B
T T K N O I I F R N E N B O S
S E A G Z V O R K G S T H J A
T R Y L E A K T E T T O A P H
I R M R G N T J A O W N O Q I
P V E N O S D L A N O D O W R
P G R R E M C I L R O Y T R X
R Q R A T Z I T W R D Y B W T
T P L R A I O S A L R P T X K
```

CASEY	HARRINGTON	POULTER
CLARKE	KARLSSON	ROSE
COLSAERTS	KAYMER	STENSON
DONALDSON	LANGER	SULLIVAN
FALDO	MCILROY	WESTWOOD
GALLACHER	MOLINARI	WOOSNAM

STATES OF VENEZUELA

```
T E S Z A S T R S D W R T E O
A Y O T A C H I R A B E A S H
O T B S R T B L W S N A W A A
S U A E G U A R I C O I M G F
O A S E D E J O C T H C R R D
J Q I Q T C I I B O L I V A R
R P Q C E N A S L T Z T O V B
D E S M V S T R Y L P R A A I
A N R E D E A M A Z O N A S P
U R D R N C E I R B S Z E D E
O R M I Z L A R A S O L E K S
W I S D U G G A C P W B A I R
A P F A L C O N U S U Z O L I
S R P S I H Q D Y B Y R A F S
V R A R A G U A S U C R E Y D
```

AMAZONAS	COJEDES	SUCRE
APURE	FALCON	TACHIRA
ARAGUA	GUARICO	TRUJILLO
BARINAS	LARA	VARGAS
BOLIVAR	MERIDA	YARACUY
CARABOBO	MIRANDA	ZULIA

BONES

```
H I Z I U Z G J A R W O U S B
S A U K H S U E B S U P R A C
Z T T I B I A H T S U R R U R
K U I G S V Q A L U P A C S X
W O N Y R L P T D I O M H T E
K X S H X E M A N D I B L E P
I N C U S P S U R E M U H R W
B O Y E U N M A X I L L A N C
P A S K I D X V V F E A L U O
C U A I D R T A N S L T A M C
W A S L A X U U M U I N A R C
D G H P R H D M L R M O E L Y
W P R V Y G J C E N T R U M X
O P U L R T A Z R F U F C T C
B R P R T S T W S M E K I H L
```

CARPUS	FRONTAL	PELVIS
CENTRUM	HUMERUS	RADIUS
COCCYX	INCUS	SCAPULA
CRANIUM	MANDIBLE	STAPES
ETHMOID	MAXILLA	STERNUM
FEMUR	PARIETAL	TIBIA

CHEMICAL ELEMENTS

```
R R A H R S E N A Q X I R W W
G U R N O B R A C Z I T W S S
P E M L E U E R S W N A R A R
T N Z U N G O L D D O E E Q B
H A E Y I R Y S D O R S Q S Q
X P X G M H U X E N O N O I R
S A R G O N T Z O V B H A L G
R M I L R R S I L V E R E S U
S D U L B Z D D L C Z Z T P A
L L H N O K R Y P T O N B E W
O A E N I R O L H C R A C S H
E S L N I T R O G E N R A K O
S Z I A L E A D A R C U O Q K
J W U Y I S I L I C O N I C E
E P M P V U C O P P E R L M W
```

ARGON	GOLD	NITROGEN
BORON	HELIUM	OXYGEN
BROMINE	HYDROGEN	PLATINUM
CARBON	KRYPTON	SILICON
CHLORINE	LEAD	SILVER
COPPER	LITHIUM	XENON

CLASSIC LITERATURE

```
K C I D Y B O M E G L I G P D
V Q U O T T W J E I U R S W J
F T L N C S V S T D H Y A T A
P W Y Q S O A T D A L R F Y N
P M S U V L L A R T A I R E E
R I S I B E J D U N J A A S E
F D E X W S T E D U V F N S Y
L D S O S I W P U O D Y K Y R
P L M T M D E L B J R T E D E
K E M E T A E E C O A I N O I
N M S J C R M H E S C N S E L
L A S E H A M L E T U A T H T
O R O A D P A K A S L V E T Z
C C K A A P E R S U A S I O N
R H M M M R A F L A M I N A R
```

ANIMAL FARM	HARD TIMES	PARADISE LOST
DON QUIXOTE	JANE EYRE	PERSUASION
DRACULA	LITTLE WOMEN	THE ODYSSEY
EMMA	MADAME BOVARY	ULYSSES
FRANKENSTEIN	MIDDLEMARCH	VANITY FAIR
HAMLET	MOBY-DICK	WAR AND PEACE

LOW-SUGAR FOODS

```
L H K R L R E H R M I Y Y R A
P J J P A R G P S B C S J U O
I K E O H A Z E L N U T S H Z
N S Q P L I M A B E A N S E W
T N U P E A C A S H E W S M M
O A I Y G K M U D P A U J P A
B E N S B R A Z I L N U T S P
E B O E Y S Z S W I I I H E E
A G A E O L T R A O H S C E A
N N R D S A B S L U M A L D S
S U F S C S P I N E N U T S O
V M S H O A S A U S A I I R M
E C I R D L I W T A A O F M X
J O L E N T I L S X Y A N N R
S D E E S A I H C W R L Y U N
```

BLACK BEANS	LENTILS	PINTO BEANS
BRAZIL NUTS	LIMA BEANS	PISTACHIOS
CASHEWS	MUNG BEANS	POPPY SEEDS
CHIA SEEDS	PEAS	QUINOA
HAZELNUTS	PECANS	WALNUTS
HEMP SEEDS	PINE NUTS	WILD RICE

OLYMPIC CANOEISTS

```
L Q S B E D R S B B G H N V S
U C B C L O E S C R C L R L F
A K H S I I D E M E A K A D E
B E A A A N H N T N R W Q S S
L T N V N L A O G D R G T B L
T A E T H U R J V E I A U Q R
R G D S P D T B N L N Z A S R
B S A R R R L C T G G T R H L
K U I Y S W E T U C T I R R R
A L S D K V Y E R L O M U X W
Z Y K M A R T I K A N L O H J
O R V U V I Q V O R L F H I L
K A U Z E R S O V K K L C L R
Z O A I C P N A F E I H Q A L
O H X O U V U N T T M G K A A
```

BRENDEL	FOX	KAUZER
CARRINGTON	HANEDA	KOZAK
CHANUT	HARTLEY	LAWRENCE
CHOURRAUT	IDEM	MARTIKAN
CLARKE	JANICS	PRSKAVEC
ESTANGUET	JONES	TASIADIS

GERMAN CHANCELLORS

```
C U S X N N A M E S E R T S A
S A J N P I B I S M A R C K A
O C S R Y R L C D L N M J P J
P A C Y S S C H R O D E R L A
E P H R C P A A O K A R M R W
A R E G N I S E I K P K A T N
H I E A N L T L B A U E R S P
O V L W G I I I Q E T L X A I
N I Q T C J L S C H M I D T X
H G K T F U E T X E O S A Z Q
E R Q E T D N A R B U L H J W
H Z J H K A S O U E R H A R D
A P E V D A A O S R H S N B F
T R G S C K R S P T C S Q G L
U I L U V O H W N R T Y V V R
```

BAUER	ERHARD	MERKEL
BISMARCK	HERTLING	MICHAELIS
BRANDT	KIESINGER	SCHEEL
CAPRIVI	KOHL	SCHMIDT
CUNO	LUTHER	SCHRODER
EBERT	MARX	STRESEMANN

DATE AND TIME

```
M K P R E S E N T I E O R I U
V O M O M E N T L S U R R P Y
V S R Y E A R R Y P T E S Y R
S M M H P S P M Z R S M E P W
L I H T N O M M I I A M C A W
U B P C H N E Q J N P U O I S
E A X I O T V S T G U S N B R
R G J Z U P K M E R T T D A E
M J C I R D E C A D E O E K J
L N F E W F U T U R E P A Q L
A E O T M K K C O L C P H O M
Q E Y E L O S A R K T H R L C
X N R P K Z Y A J S B F A L Y
D T R J P I S G I O E B R E M
Z L I X R H R V R L Q L C A E
```

CLOCK	MARCH	SEASON
DECADE	MINUTE	SECOND
EPOCH	MOMENT	SPRING
FUTURE	MONTH	SUMMER
HOUR	PAST	WINTER
JANUARY	PRESENT	YEAR

WORD SEARCH 125

WORDS CONTAINING "AND"

```
U P O N R E I H J E T E I K B
W G R J L N U S Y L C G Z L T
I K A C S K T B T Z W R F A R
U V R N S T E P V A A A R I G
L G Y B D N A T S R N N C D A
T R R O D A R N O O D D H N C
Z A E R G A B O D H E E A A A
W N S P V L A M R S R U N R N
F D E V I J L U O A T R D P D
B S A A O P E I L N A I E P I
S O B L A N D D D D N R L C D
A N N T K S N N N A D W I L L
W H W T V O A A A L E Y E L Y
R R T R L J C C L S M P R O W
S T V S F X B S L A N D E R C
```

BLAND	LANDLORD	STANDARD
CANDELABRA	PRANDIAL	STANDBY
CANDIDLY	SANDAL	STANDSTILL
CHANDELIER	SANDPIPER	TANDEM
GRANDEUR	SCANDIUM	UGANDA
GRANDSON	SLANDER	WANDER

LOUD

```
G V V P C X T Z G L P V Z T R
A E A E T N R H B P M K U I B
O M I S S I T R O F E B R E L
T S B K T O R K Z Y Z E P R A
S U O R E D N U H T V P D Z R
O O O U N D E A F E N I N G I
N R M N T P I E R C I N G A N
O O I Q O R K B L A S T I N G
R M N S R P E Q G N I G N I R
O A G W I R O A R I N G S A L
U L O C A C O P H O N O U S T
S C P N N O I S Y R S C A R X
M A T N E D I R T S O S U T R
R L E I J N T S J U H N T R A
B V M V K R P A S D G C B A T
```

BLARING	DEEP	RINGING
BLASTING	FORTISSIMO	ROARING
BOOMING	NOISY	SONOROUS
CACOPHONOUS	PIERCING	STENTORIAN
CLAMOROUS	RAUCOUS	STRIDENT
DEAFENING	REVERBERANT	THUNDEROUS

PHOBIAS

```
A L I I K O B K S T N A M A E
O J P I C L O W N S P I O T I
A R J A R F Q R A U N E U L B
N R W U O F P N K S N Q Z H X
V Y I Z W A E R E P T I L E S
O A J P D R W C S E S U Z I T
E O U T S R T H U N D E R G S
T T B X S S G O D F A L J H O
Y E M I C E T B A T S T E T H
S L K I R E E S R E D I P S G
U C L A A B Q A G I R A T S R
N E S Y L J E E S T I I Y I A
S Q S K N E Y R M L B Y F X P
I W I R S N E R W Z R N X T F
T Q E T N Y O F C H U L A U U
```

ANTS	DOGS	NEEDLES
BATS	FIRE	RATS
BEES	GHOSTS	REPTILES
BIRDS	HEIGHTS	SNAKES
CLOWNS	INSECTS	SPIDERS
CROWDS	MICE	THUNDER

BACKSTREET BOYS SONGS

```
U S T N B P R A X S C P T U E
M S P W W E T E L P M O C N I
Y R O F A W R D R O W N I N G
S R S O Z R M A D E L E I N E
A G T R R L W R N X T T I M E
B R E A T H E E O B C R A S D
T T R U G A H U T Z I O O I T
H H G Q J O A Q F U I U A B O
E E I N C O N S O L A B L E D
O C R S D U B A R E S L O R C
N A L T I I E M M F C E A I C
E L O I E S D R E G G I B A X
M L G O L T U D P T J S N T G
R V B L L I T S I W A S X A F
I A V S G N T A L G R C R R P
```

BIGGER	MADELEINE	THE CALL
BREATHE	MASQUERADE	THE ONE
DROWNING	NOT FOR ME	THIS IS US
I STILL...	PANIC	TIME
INCOMPLETE	POSTER GIRL	TROUBLE IS
INCONSOLABLE	SIBERIA	TRY

ROMEO AND JULIET

```
L T S R M Z R I Y R E F M D S
Z S A T L M O R W R O R K U L
E R Y U T R A G E D Y I L M N
Y E L P X R P S P U E A Y E G
P V A O B O O H J Y C R S R G
S O T D E S T A O S T L M C D
O L I U N A H K E Y H A O U X
B E Z S V L E E H C E U N T L
B N T R O I C S S L N R T I Y
V U E V L N A P V T U E A O T
H A L E I E R E P Y R N G E F
C S U R O L Y A L B S C U V B
F V P O U O R R X A E E E S I
P P A N U I T E R L T T J U L
W G C A S F A S E T A F L N U
```

APOTHECARY   ITALY   ROSALINE

BENVOLIO   LOVERS   SHAKESPEARE

CAPULET   MERCUTIO   THE NURSE

COUNT PARIS   MONTAGUE   TRAGEDY

FATE   POISON   TYBALT

FRIAR LAURENCE   PRINCE ESCALUS   VERONA

AGENT NOUNS

```
X H M K U S F D G I E I B B P
A A Y O T A B R E L G G A H Z
I U D T R U U E E R K S K A I
S L R M A N N A W H T E E C C
B V E M I T G M C B S L R K V
T R K R T R L E O I J U S E L
P R E A C H E R T I M K L R E
Y P B B J K R R E I E R P B A
Q R R L R O T A T I M I L J E
P A D E C O D E R B X T A P T
T R R U T S S T K V U S N T T
S Z Q E I N N B T X A Y N A R
F Q T K D D I L A U G H E R U
R Y T U U I P R P N W H R R R
S G D X P P R E P P A R O M W
```

ABSORBER	DECODER	LAUGHER
ADMIRER	DREAMER	PLANNER
BAKER	FARMER	PREACHER
BLUSHER	HACKER	PRINTER
BUNGLER	HAGGLER	RAPPER
BUYER	IMITATOR	RIDER

WORD SEARCH 131

PENINSULAS OF OCEANIA

```
I E J M S U T X O K F J T K A
S A Q D B X S H L R L S A A I
J U K U T U A T E B A D S R H
P K O G A T O Y A Y I U M I A
K S O G A B C N K A P D A K M
A R J Q K I K N V B E L N A Z
I A K J N S A I W A F E X R L
K M R E D U R J C U G Y N I S
O A T U P U N T F O R C E E B
U R X A O G H U O N B I A Y D
R I P P J R S A F U H O Z A K
A M U E L L E Z A G G J U L S
Q A X S F S R D O J D O D R A
C E O T Q A G D A M P I E R G
A I I R S N O R T H L A N D I
```

AUPOURI	FREYCINET	MIRAMAR
BANKS	GAZELLE	NORTHLAND
BEECROFT	HUON	OTAGO
COBOURG	KAIKOURA	PAPUAN
DAMPIER	KARIKARI	TASMAN
DUDLEY	MAHIA	TAUTUKU

US STATES WITH A FRANKLIN COUNTY

```
J Y O P E P S C M Z T E V L Z
A A A N E U A L J E V L N A S
K R A P S O S T Q T S L R S K
Z A R N S I N R S F V V X R H
L N X C E F A N A I D N I Q K
A A I R N B K K J A Y H L O G
G I D P N I R B E N I A M H L
E S A X E T A A I N I G R I V
O I H C T S N Z S L T C S O U
R U O N E W Y O R K B U R Z R
G O L A L A B A M A A Z C E S
I L L I N O I S P R L A B K S
A D I R O L F O U A E V D G Y
P T M R P W R C L O M V Z U L
K O P K X Q A Y J P R A Q N I
```

ALABAMA	INDIANA	NEW YORK
ARKANSAS	IOWA	OHIO
FLORIDA	KENTUCKY	TENNESSEE
GEORGIA	LOUISIANA	TEXAS
IDAHO	MAINE	VERMONT
ILLINOIS	NEBRASKA	VIRGINIA

PERFORMERS

```
P M J R A R D S T W I S S B G
K U Y U M A G I C I A N D U U
T L T R G M U S I C I A N Z K
Y S S M T G W G Z A O K R P O
T S I U Q O L I R T N E V P M
M M G N A I D E M O C C T H X
E H O R O O I F R F U H B A G
I L L U S I O N I S T A U A C
S J O H T E S A C T O R B A T
U P P V R S P S T C A M L L A
I D A N C E R T E R P E T C B
M C C L S I N G E R V R R L O
O F S E R E E T E P P U P O R
H R E T S A M G N I R M A W C
V G R E N S B A L L E R I N A
```

ACROBAT	ESCAPOLOGIST	MUSICIAN
ACTOR	ILLUSIONIST	PUPPETEER
BALLERINA	IMPRESSIONIST	RINGMASTER
CLOWN	JUGGLER	SINGER
COMEDIAN	MAGICIAN	SNAKE CHARMER
DANCER	MIME	VENTRILOQUIST

GARDENING WORDS

```
P I L V W K V E L L S L X I S
I I Q L C I P P C S H A D E H
T Q E P N O L T S P R A Y O O
Q L D E U W A T E R A S R R V
D F U S R I S O F O L I A G E
A O H T Y O Y S O U P B K A L
P E P Z N P A L M T L S E N W
R I T W S J T W V O A P H I D
O Y W U L L S T O P N R B C Y
M A T J B C M M U S T U N W I
S H F R D S A P R A L N E T I
S K T A E T B Y Q B R E Z Q S
O U E L M N Z P L D D R V B P
I T E Y L C T Q L S O M A M R
V X T E A A P Q Z E E E G A S
```

APHID	PLANT	SPRAY
BLOOM	PRUNE	SPROUT
BULB	RAKE	VINE
FOLIAGE	SHADE	WATER
ORGANIC	SHOVEL	WEED
PEST	SOW	WILT

ENVIRONMENTAL ISSUES

```
G N I Z A R G R E V O T M W U
T O V E R F I S H I N G U G V
E D I L S D N A L J U W A L L
L U T V B W A S T E C A S O G
U R B A N S P R A W L T A B S
F L O O D I N G R Z E E L A V
R N P N L E L A O E A R G L O
C P O L L U T I O N R S A W U
F O S S I L F U E L S C L A R
R N P N I A R D I C A A B R O
A U C V E R Q L U O F R L M R
R G N I P M U D N A E C O I R
O V E R P O P U L A T I O N P
B I O C A P A C I T Y T M G V
C R A I R Q U A L I T Y P P X
```

ACID RAIN	GLOBAL WARMING	OVERGRAZING
AIR QUALITY	LANDSLIDE	OVERPOPULATION
ALGAL BLOOM	NUCLEAR SAFETY	POLLUTION
BIOCAPACITY	OCEAN DUMPING	URBAN SPRAWL
FLOODING	OIL SPILLS	WASTE
FOSSIL FUELS	OVERFISHING	WATER SCARCITY

LAKES OF AUSTRALIA

```
M D T W E I H C T S L B P P F
J E H I N D M A R S H E B T N
D L S A B J C L F P L A L A M
P F T T R S Y L V E S T E R Q
A G N O O W A A P E L R A R T
L F B G W N U B E R I I A A R
B R N W N S F O U Y T C Q B R
I D H I R W W N R M T E V O B
N E G M T T W N A L B U T O A
A A K Y A K C A M W L U H L G
N A B B E R U W O A U E N S H
B E U A U E L O O U E P I G D
U U Y E R H D O Z T G Y O O A
L I W T Z S V L Z S R U O M D
H T R R I R R T S E Z V C T T
```

ALBINA	BUMBUNGA	MESTON
AWOONGA	CALLABONNA	NABBERU
BAGHDAD	EURAMOO	PEERY
BEATRICE	FLANNIGAN	SYLVESTER
BLUE	HINDMARSH	TARRABOOL
BROWN	MACKAY	WOODS

LEGAL WORDS

```
D R V D D E F E N D A N T T A
X C O U R T H V A T S E R R A
S N Y R E T R I A L B A I L S
T U B E X R P D R E L I B E L
T F W S S L A E N O I T U A C
T L R S A K E N U U E Y N Q S
I B R K F H L C E P S W A V L
F O V V A P P E A L G I L V S
H A O P J U R Y C T K T S I N
N A O E G C C A Y I Q N B E L
O E T X E J H S O R T E I L T
F O I D P H T A C C U S E D C
R U E P I J T T L F M S U A A
P N R D O H M C Y E X M F J R
K C P L Z B S X U M O K W O L
```

ACCUSED	DECREE	LIBEL
APPEAL	DEFENDANT	OATH
ARREST	DURESS	PLEA
BAIL	EVIDENCE	RETRIAL
CAUTION	JURY	TRIBUNAL
COURT	JUSTICE	WITNESS

GOOD...

```
A O D F K S G Z H Z H R H S P
E Y A D I I S E S S R I Q E I
Q F R V E N R E C Q V A O E S
B T L O O T Z A C O L U P R Q
R A P Z T C U V A Y A S R S L
B E S P R S M Y H A Q S R K R
P T K E E X A G X H N X A O U
K P C A L L G J O I U I I R E
N G U F P P N S G F L T G N K
T L L I M W A H D O E T M K Q
A A I F A I T H O R C F I I L
A E A F X O T K J T H O J C X
B D E V E N I N G U E T S P I
Y A M A N N E R S N E U I I Q
E N O U G H R I D E R U T A N
```

BYE	ENOUGH	LOOKING
CALL	EVENING	LUCK
CAUSE	EXAMPLE	MANNERS
CHEER	FAITH	NATURED
DAY	FORTUNE	NIGHT
DEAL	LIFE	STORY

CHILDREN'S BOOKS

```
G O O D N I G H T M O O N V T
R T S Z T H E A R R I V A L S
O P H B H O L I V I A U N G W
Q F S E E O S I A Z G X J T H
C L B E W S E T T O L R A H C
O A I Y O O R M A T I L D A E
R T E R N L R T H E L O R A X
D S R R K D C S S Q Q E M T V
U T E E Y I M Y T A L P P H W
R A H B D J O P T W P D W E Q
O N S M O M A D E L I N E B A
Y L S A N U L A L L E T S F Q
S E E J K T D S K Q X E C G Q
I Y R N E H D I R R O H C H S
L M P U Y C N A N Y C N A F O
```

CHARLOTTE'S WEB	JAMBERRY	STELLALUNA
CORDUROY	LITTLE PEA	THE ARRIVAL
FANCY NANCY	MADELINE	THE BFG
FLAT STANLEY	MATILDA	THE LORAX
GOODNIGHT MOON	OLIVIA	THE WONKY DONKEY
HORRID HENRY	PRESS HERE	THE WORST WITCH

CITIES WITH HIGH-RISE BUILDINGS

```
Z W L A A U Z Z L G L K W O T
O S A K A R D Y H D I R D A M
T Z H O A C Y Q N P V K U C U
Y O O G M Y T I C O C I X E M
W U R N N K I E V S D W C O B
U M E O T O C S J R N N I H A
E W O I N T K H P L Y L O T I
M R S S N T R G A S M L Y L G
P Y O U C V O T N E S M K R I
T S J P S O Y I L O Y T O E N
D H A K A I W S R U H V T O E
I U I A K G E G B L T U U Y C
R J V B U E N O S A I R E S R
X L Z U F K R I S T A N B U L
M Z S Z J A J R S A C A R A C
```

BUENOS AIRES	LAHORE	NEW YORK CITY
CARACAS	LONDON	OSAKA
DHAKA	MADRID	SEOUL
HONG KONG	MEXICO CITY	SINGAPORE
ISTANBUL	MOSCOW	TOKYO
KIEV	MUMBAI	TORONTO

THE SIMPSONS

```
B  T  T  P  A  L  I  O  N  E  L  H  U  T  Z
A  M  A  R  G  E  S  I  M  P  S  O  N  G  S
R  S  S  R  E  D  N  A  L  F  D  E  N  A  O
T  M  U  G  G  I  W  H  P  L  A  R  N  N  F
S  I  O  J  S  K  V  I  P  L  T  E  A  O  K
I  T  S  R  I  R  T  U  R  L  S  H  M  S  E
M  H  R  T  Q  U  E  T  O  T  O  R  O  P  A
P  E  H  R  R  S  N  D  S  B  C  D  T  M  R
S  R  T  K  X  T  O  T  N  H  A  S  T  I  N
O  S  W  T  M  Y  X  J  E  A  N  M  O  S  E
N  O  S  P  M  I  S  A  S  I  L  O  L  R  Y
U  U  T  S  O  C  S  I  D  M  G  F  P  E  T
N  E  L  S  O  N  M  U  N  T  Z  L  D  M  S
A  A  T  U  S  I  D  E  S  H  O  W  B  O  B
Y  U  P  O  O  C  H  I  E  J  D  I  A  H  R
```

BART SIMPSON	LIONEL HUTZ	POOCHIE
DISCO STU	LISA SIMPSON	RALPH WIGGUM
DOLPH	MARGE SIMPSON	ROD FLANDERS
HOMER SIMPSON	NED FLANDERS	SELMA BOUVIER
KEARNEY	NELSON MUNTZ	SIDESHOW BOB
KRUSTY	OTTO MANN	SMITHERS

DATABASE TERMS

```
H L N O C Z N E U I Q H R A R
A X F U E N C R Y P T I O N M
N S R V Y O B E B E R S G I R
D O K S S K C O L D A E D L T
L O I N N E R J O I N R T V B
E U H T W S H N B S S V Q S I
R S C T C R G C I L A E L C I
T O I H J E P N N T C R O S A
Y B E E N S N Z I E T O C K F
C M L C S U R N C R I O O R O
A U B O N L C I O A O S T S B
C H A S H T Q M L C N R O W S
H O T E T S S B U D O G R L V
E O I N D E X K M O P M P I U
G H S R Q T N S N O A J T R M
```

BLOB	HANDLE	RESULT SET
CACHE	HASH	ROW
COLUMN	INDEX	SCHEMA
CONNECTION	INNER JOIN	SERVER
DEADLOCK	MIRRORING	TABLE
ENCRYPTION	PROTOCOL	TRANSACTION

US BIRDS

```
J A B I R U L B S Q U R B O S
O N M A L W I U N N L O Q T E
W H O A R R M F O J V S L Z D
X I C R H S P F W M I P Z O O
B N K S E D K L G E B R V R S
U G I R T H I E O R P E Z X U
I A N U O A N H O L K Y Z T A
M P G F I T I E S I P W W P Y
V A B F I E S A E N E Y E R E
Y D I D A E H D E R K T P L P
S U R F B I R D O S G E L G S
Z N D E E Q Y S I O W L P F P
A L F K J U E L F O W L P P E
B I F I S O S T K I B I S D Z
O N F A E K T J P E R W E S Z
```

ANHINGA	IBIS	REDHEAD
BUFFLEHEAD	JABIRU	RUFF
DOVEKIE	LIMPKIN	SNOW GOOSE
DUNLIN	MERLIN	SURFBIRD
ELF OWL	MOCKINGBIRD	WILLET
GREEN HERON	OSPREY	WOOD STORK

VANISH

```
S L P H P D Y I J D L X I T R
Z X N P L E O D W Y E W Y D Y
C L H Y X P U Q W G W I D I C
E P P K V A I U L I A T S S X
A R T U O R E T E P N H A A X
S G W U S T T V O X E D Z P L
E R O M O N E B L B L R L P B
T O W E A E V A P O R A T E L
O W S L D V L I T T S W R A U
E F V T Z A X Z E P O S B R T
X A R A A N F O Z F R D I M J
I I M W O E T A P I S S I D R
S N U A M S N U J A F O P U R
T T R Y N C R Z P R P M A O U
P D I S P E R S E F Z R U R A
```

BE NO MORE	DISSIPATE	FIZZLE OUT
CEASE TO EXIST	DISSOLVE	GROW FAINT
DEPART	DWINDLE	MELT AWAY
DIM	EVANESCE	PETER OUT
DISAPPEAR	EVAPORATE	WANE
DISPERSE	FADE	WITHDRAW

TYPES OF CHURCH BUILDINGS

```
M S S G Z V O I L A U Y M J H
I O T D S I F P L Y S A E O C
N S R B I X X P E R J T E U H
O L A N O G A T C O P A T A I
R A N I E V E B R T A N I U S
B R G N G O T B W A L R N P T
A D E O A K A Y L R I W G S S
S E R K M S I I E O S I H T S
I H P I I Q G M S V A Z O A R
L T E L R A E H K L D N U V V
I A I O G V L S T P E U S E K
C C O H L E L I P R P L E P R
A O P T I F O R T I F I E D B
I I R A P U C A E U R N R S D
O S K K C H A P E L M L S W S
```

AISLELESS	KATHOLIKON	PALISADE
CATHEDRAL	MAJOR BASILICA	PARISH
CELL	MEETING HOUSE	PILGRIMAGE
CHAPEL	MINOR BASILICA	STAVE
COLLEGIATE	OCTAGONAL	STONE
FORTIFIED	ORATORY	STRANGER

SNAKES

```
K F E T A I P A N A C T D L N
B R K X I C O R N S N A K E U
O T A R B O C G N I K S X S R
D O N I A T F M U R W A T E S
S T S T T T A O U O E N D A U
B Z P S C O F H W D K D B S T
O I I I O N L T S I A A A N U
O R H D R M P K N F N D N A E
M P W E A O G G F T S D D K P
S X E W L U P U T R R E M E T
L N R I S T P H Q E E R P U R
A P J N N H U I P R G U O S A
N E R D A H P I T V I P E R C
G V K E K A N S R E T A W R E
J Z B R E K A N S G N I K L R
```

BOOMSLANG	KRAIT	SEA SNAKE
CORAL SNAKE	MUD ADDER	SIDEWINDER
CORN SNAKE	PIT VIPER	TAIPAN
COTTONMOUTH	PUFF ADDER	TIGER SNAKE
KING COBRA	RACER	WATER SNAKE
KING SNAKE	SAND ADDER	WHIP SNAKE

"K" WORDS

```
N L A J K R I O N L I K H J P
T P B X K H A K I T L I L O N
Z D L H U K N I T T I N G S W
R W E U A I W T Q P W S U S Z
A E K A G P C C H G W W P R K
O S T H U D R H M I T O A E P
T H T J J T K E N Y A M B X V
A K R Y P T O N A A L A O K A
G S I K E R K F O R B N K I A
E G I N D L I E O T M L E N O
K F T E D F D C R R T P Q G N
O T S E U R N N T N K Y H E H
R F G L R P E V I T E Z E O Y
R T A A O W Y D X K E L Z H E
S N S R M L H B O X P A T C E
```

KEBAB	KILN	KNEEL
KEEP	KINDLE	KNIGHT
KENYA	KINDRED	KNITTING
KERNEL	KING	KNOTTY
KHAKI	KINSWOMAN	KOALA
KIDNEY	KITCHEN	KRYPTON

A LA MODE

```
N M W S Y N P R R R N S V R K
X J Y T B E U P P S G G F T E
T F Y D N E R T U P B T P B O
S U U C S E U N R E D O M S L
T A Q L C G E B L S P S E N F
U J W B U A U W S U A D I A S
Q Q C Z R R G Y L G R P S Z R
D P I H R E I A R R U H I Z M
T I H C E H R V V O I Q U Y O
L M C O N T E M P O R A R Y D
E O K O T L D R N V G T A E I
B R D L R L E A A Y A U I I S
E S Z S M A B W S T Y L I S H
N A C O A L R X X T R A M S U
N R O A E L E G A N T O P P H
```

ALL THE RAGE   ELEGANT   POPULAR

CHIC   FASHIONABLE   SMART

CONTEMPORARY   GROOVY   SNAZZY

COOL   HIP   STYLISH

CURRENT   MODERN   TRENDY

DE RIGUEUR   MODISH   VOGUISH

CUSTOMER SERVICE

```
S O N Y E R E S O L U T I O N
Z R R O I T V M K T C U U J O
S O E T I R I I A P O L O G Y
R S P O A T T L O R U O O G I
K I L S P M A E O C R Y Z U V
H V A L E E T C W P T A P L F
V R C F I F N A I D E L S L I
L E E R U K E T R N O T R A O
N P M I T U S N I G U Y P C E
G U E E R U E E E C S M P E A
Z S N N O U R G L V K R M N Q
L C T D P S P A S P S E A O Z
C H E L P D E S K B O Z T H C
I J E Y U O R D N U F E R P Z
T R A Z S S I M J O M A P R O
```

AGENT	LOYALTY	REPLACEMENT
APOLOGY	OPEN TICKET	REPRESENTATIVE
COMMUNICATION	PEOPLE SKILLS	RESOLUTION
COURTEOUS	PHONE CALL	SMILE
FRIENDLY	POLITE	SUPERVISOR
HELP DESK	REFUND	SUPPORT

WORDS WITH ONE SYLLABLE

```
L Q U K R H D A B I S B I O H
T X T I C E V O L V J Q B E A
Z C V S P L K S O F E S S B S
P T J U O P C A X G O S B Q O
S S F T R S I T M C C O K U S
T Z M J I J T T O P J A A R S
U C D L R R A R R U E P C U
N W T E J U N K I Y L F Q T T
E S U K S M T E C A R E Y A D
F E O H P K H F O A M W I B V
O U C A C S F L I G B S P F P
F O O T S W S H T A T I I I U
U O N E V T R L E U A Y G B U
N Y L W T I Q J M P V R U X D
P P T T L B O E O D O A S A U
```

BACK	FUN	MAKE
BAD	GOOD	ONE
CARE	HATE	RUSH
DESK	HELP	TAKE
FLY	JUNK	TICK
FOOT	LOVE	TRY

ECUADOR

```
S S T V T L A D B S F N F O M
L E Q S L V I B A R R A O X R
O L L I S A P O J C N C J A K
T O I C Z T V V N E J E T O D
H R U W A J P T S V O N S G L
T O Q E X J C C H I W T Z T S
I M A N T A A O S C P A I I I
A C Y U G L P S T H X V U U U
O E A P C Q U E V E D O N W Q
R X U D M A C H A L A M T O L
V O G E Y D H C A F T A R L J
J R P R A V I L O B N S K S B
T O S C U E N C A B D R Y I Z
X S U U Z I L E A E D V O W B
K N A A A W U C K M S N S X P
```

AZUAY	EL CAJAS	MACHALA
BOLIVAR	EL ORO	MANTA
CAPUCHIN	FANESCA	PASILLO
CENTAVO	GUAYAQUIL	QUEVEDO
CEVICHE	IBARRA	QUITO
CUENCA	LOJA	SLOTH

MUSIC

```
H A T I B T O N E L R Z T T W
T B P L M C J L A T E M Y G V
A D U B S T E P U S Z T A K T
E E K I A C X A R L Z R R O L
S H D T T L R L G O A O E B P
G Z H R F S I L O G J C P R N
D M O T O W N A E P E K O C T
R I U J L I T T O P A R U L T
R P S R K N F I U A S T A S A
T R E P P G E N J H O O S A B
S T I A S A K R O T W Q G U A
X T L Z E R Z D O T L B S A R
R H F Y R R R V O E T S D R Q
A P Z L E I D F C D X J V W J
R R K R J S S H C W Z G T V C
```

BLUES	GOSPEL	OPERA
DISCO	HOUSE	PUNK
DUBSTEP	JAZZ	RAP
ELECTRO	LATIN	REGGAE
FOLK	METAL	ROCK
GARAGE	MOTOWN	SWING

MORGAN FREEMAN MOVIES

```
T  N  L  A  S  T  K  N  I  G  H  T  S  D  C
D  N  G  R  Q  K  Z  I  K  M  A  L  N  D  A
E  U  T  E  E  T  R  J  C  U  R  A  I  O  R
Y  R  O  H  N  V  O  T  T  T  D  S  G  L  A
M  S  N  C  E  X  O  I  G  N  R  T  E  P  R
L  E  E  T  B  C  D  L  I  E  A  V  B  H  M
K  B  V  A  M  G  O  T  F  M  I  E  N  I  E
L  E  I  C  P  R  S  N  B  O  N  G  A  N  A
K  T  G  M  Y  R  B  I  T  M  T  A  M  T  E
L  T  R  A  M  S  T  E  E  R  T  S  T  A  S
S  Y  O  E  O  U  T  B  R  E  A  K  A  L  O
A  D  F  R  U  H  N  E  B  F  U  C  B  E  P
E  F  N  D  E  E  P  I  M  P  A  C  T  B  F
L  S  U  T  C  I  V  N  I  E  D  I  S  O  N
W  B  J  T  C  A  E  C  O  J  P  Q  V  A  R
```

BATMAN BEGINS	FEAST OF LOVE	MOMENTUM
BEN-HUR	GLORY	NURSE BETTY
DEEP IMPACT	HARD RAIN	OUTBREAK
DOLPHIN TALE	INVICTUS	STREET SMART
DREAMCATCHER	LAST KNIGHTS	THE CONTRACT
EDISON	LAST VEGAS	UNFORGIVEN

AFRICAN MOUNTAIN RANGES

```
U R C R C F E F I R S C T P Y
I P A B E E G U R U G U L U I
Y O L A D Z V O O E P T O M Y
F T M R E O R S Z E E A T A P
E L A B R E A A N M Q R R S H
A O D C B I E U E P G R J E U
P A O T E A L G W L T R R M Z
A S W A R T B E R G G O L I S
O U U L G L T I B E S T I E J
S R U E L A H A M O T O T N E
I H A W G N U Z D U M F G U A
M V U M O T T P K Z E B E M X
P B W I A I B R V T L E O Z P
L F J B A K O S S I R A O L R
B C J A I A H M A R S A T T C
```

AHMAR	CEDERBERG	RWENZORI
AMARO	ENTOTO	SEMIEN
ATLANTIKA	GOLIS	SWARTBERG
BAKOSSI	LEBOMBO	TIBESTI
BALE	MAHALE	UDZUNGWA
CAL MADOW	PARE	ULUGURU

VOLCANIC LANDFORMS

```
G A L R G B P D A F U W M M Y
B U L O R E S G R I C Q R A Z
E Q Y A T A Y Z P S I J S M G
J I T O G S V S A S N O E E S
R D I A T R E M E U D N A L U
R E R L K Q K K T R E A M O P
R M T Q S P A T T E R C O N E
T O L A F A L X N V C L U V R
Q D H S R L R M L E O O N T V
L O O M R C E E C N N V T T O
N T R O A E T N D T E O U G L
X P N O H A A I U L T Y Z M C
Q Y I S I L R O P I A R I Z A
I R T U F F C O N E T C I L N
Q C O X T Q N S M I I D M T O
```

CALDERA	FISSURE VENT	PIT CRATER
CINDER CONE	GEYSER	SEAMOUNT
CRATER LAKE	GUYOT	SPATTER CONE
CRYOVOLCANO	HORNITO	SUPERVOLCANO
CRYPTODOME	MAAR	TUFF CONE
DIATREME	MAMELON	TUYA

LET'S HAVE A DRINK

```
V X R S U G U A I R T H N A X
O P P U B T P V P R A S X K I
V R E O O U Z O R U P M L N E
L V L L T R G D E M O B T O T
G H S I A T C K E K R R Z T O
L U R A B E S A B A T C H A T
R B P T S Q D E N R T Z A P O
P J A K I U P D N G S O P U P
U E K C N I Y A H Q O C I S I
Y A R O T L U Z R K B C O S R
Z A G C H A M P A G N E X T I
R W I N E A I R G N A S P H Q
F T N X O C T C U H H O U A L
L C C U S P E S H E R R Y P W
F B C N N R M T I D X P Y C K
```

ABSINTHE	COGNAC	RUM
ALE	GIN	SANGRIA
BEER	MEAD	SHERRY
BRANDY	OUZO	TEQUILA
CHAMPAGNE	PORT	VODKA
COCKTAIL	PROSECCO	WINE

PHARAOHS OF EGYPT

```
E A M E N H O T E P T F I P Q
S O B E K H O T E P H O T O R
O Q C T R M T O L E K A T L T
M E H A P D O U L F A K J J Y
T T E E V M J C S L N H L A N
U A R T A P O E L C A E V V N
H P J X X S M L F L S N J I F
T T U S P E H S T A H A I R A
F O O J N S H S U U R T O M K
J L D R Q O T S E S S E M A R
A E E I S M R E N S E N E B E
V M L H H U A L D T F W O I S
R Y E M G D G L I Z R R W R U
A N A O I E O N I S R A W B Y
Q P T M I D U M A H K Y R T R
```

AKHENATEN	KHAMUDI	SEMENRE
AMENHOTEP	MERDJEFARE	SHOSHENQ
ARSINOE	PTOLEMY	SOBEKHOTEP
CLEOPATRA	RAMESSES	TAKELOT
DEDUMOSE	RENSENEB	THUTMOSE
HATSHEPSUT	SANAKHT	USERKAF

STRINGED MUSICAL INSTRUMENTS

```
E O F Z K I A U Y R D R X P U
Q O K R R E P U T S P T H L U
T K T P R A A N R C F B U U O
H A R P Y C A R I M B A O W T
H L N P O Q G L V I O L I N J
R O T P A T U E S O L A J X X
K I M R U P I G U K U L E L E
J V T H L R T V E E N A E O O
B I F U L M A N D O L I N I H
V B E L T F R R Z R P K L R D
S A P V U S G N E H Z A Y L N
K N S K I T Y B Y H K E R K D
Q J M R S F E R Y A T S E D U
E O L L E C R T U Z S I T A R
N P P A S P E C R H A C Z Q A
```

BALALAIKA	LUTE	UKULELE
BANJO	LYRE	VEENA
CARIMBA	MANDOLIN	VIOLA
CELLO	REBEC	VIOLIN
GUITAR	SITAR	YAZHENG
HARP	TANPURA	ZITHER

SALADS

```
I M E R N S L T P Z W A S U U
B A C A E S A R B E A N Q B W
U C H T O S P C W P L P O S A
U A I S O R B M A G D X L E A
C R C A S W N U L R O L I V E
S O K P M D E S S E R T V I A
B N E U U R G H E E F N T U T
C I N T O U G R L K U H B J U
L L R F Y S A O O A A A D V U
O U O U B E R O C W E N K S X
J T B K Q N J M T H F D U P G
C W I E K L I M C A R R O T E
C E W I W P D O D M T L U E I
P E P Y L Z R X K M E O R I H
I F Z R T L R H A G R G P R T
```

AMBROSIA	DESSERT	MUSHROOM
BEAN	EGG	OLIVE
CAESAR	FRUIT	PASTA
CARROT	GREEK	POTATO
CHICKEN	HAM	TUNA
COLESLAW	MACARONI	WALDORF

MAROON 5 SONGS

```
O H D G I R L S L I K E Y O U
D A Y L I G H T P T R U V S L
E R N X O X G E R S W B A U K
S D F O S C Q T T X T S N A Z
Y E S U N D A Y M O R N I N G
P R W I P E Y O U R E Y E S M
S T E A N I M A L S T R I T U
R O D S R E V O L T A H W Q S
I B T P I O T I R A G U S F T
X R R P U M A P S E I R K Z G
G E E X H F E E L I N G S O E
Y A W L U C K Y S T R I K E T
M T T E E O P Q Z T I P G E O
T H I S L O V E F S K A R H U
H E L P M E O U T N Z Z W O T
```

ANIMALS	HELP ME OUT	SUGAR
COLD	LUCKY STRIKE	SUNDAY MORNING
DAYLIGHT	MAPS	THIS LOVE
FEELINGS	MISERY	WAIT
GIRLS LIKE YOU	MUST GET OUT	WHAT LOVERS DO
HARDER TO BREATHE	ONE MORE NIGHT	WIPE YOUR EYES

NATIONAL FLAGS WITH TRIANGLES

```
U M O Z A M B I Q U E N O K E
H S U U U C P Q P L P D C A W
G O A J E Z I M E R V J I E J
I N Y M U E T R P U S I R A Z
N I E M A C Q A F T A B O S O
E S O U T H S U D A N O T T Q
A O I L X R A T A U H U R T A
E R I T R E A B O N O T E I L
N O G L H P R C B A A I U M A
A M T A B U C N P V V Y P O T
D O Z I M B A B W E I N U R S
R C P H I L I P P I N E S G O
O M I S A I N T L U C I A Y F
J A M A I C A U E P M U E V U
S Z U L C U O A K W T B F U H
```

BAHAMAS	ERITREA	PUERTO RICO
COMOROS	GUYANA	SAINT LUCIA
CUBA	JAMAICA	SOUTH AFRICA
CZECH REPUBLIC	JORDAN	SOUTH SUDAN
DJIBOUTI	MOZAMBIQUE	VANUATU
EAST TIMOR	PHILIPPINES	ZIMBABWE

SECOND...

S	I	T	R	L	A	X	K	P	S	L	K	K	R	I
F	I	A	T	U	G	T	E	G	T	Y	S	Y	T	C
S	S	O	S	T	P	U	T	H	L	T	P	O	G	I
Y	A	O	H	F	G	R	L	H	R	T	R	T	M	I
F	W	Q	X	R	E	A	D	I	N	G	C	H	B	Z
E	L	S	G	T	A	T	K	D	X	E	A	A	A	A
E	D	K	P	T	R	E	T	T	B	N	H	E	F	U
B	F	L	A	H	J	F	W	H	D	E	Z	K	P	Y
D	B	U	O	G	O	O	I	O	L	R	E	S	E	L
A	E	I	B	I	N	R	W	U	I	A	U	S	R	N
E	S	G	E	S	W	I	T	G	T	T	E	E	S	H
S	T	E	R	O	S	C	R	H	N	I	S	U	O	C
X	U	I	R	E	G	A	G	T	R	O	M	G	N	A
S	P	L	A	C	E	S	L	U	S	N	P	R	R	B
B	A	Z	O	Y	E	V	G	C	P	S	M	T	J	Y

BEST	GUESS	RATE
CLASS	HALF	READING
COUSIN	HAND	SIGHT
DEGREE	MORTGAGE	STRIKE
GEAR	PERSON	STRING
GENERATION	PLACE	THOUGHT

MODERN ARTISTS

```
P Q K C O L L O P G E N A M W
C L S I A R Z T A T B H B K A
E K T H F R E U D X U R Z L R
C H A G A L L M T R A T A I H
H O C K N E Y Q O Q E U H N O
E T R S H A O R U N S P R E L
T M K T Q S U E D E D S P U U
S I X S S N E U T L E R G O Z
N L S A I X C T X E R O I C H
R K C W O H I V N W L I L A N
E I P H A R I O R M D Q F I N
P S I M G C S A E S C H E R I
J T P A T S I Q L D J G X R S
R Q M R A I U R R I L E Y W A
A D P M M M N O C A B P T R S
```

BACON	FREUD	MASSON
BRAQUE	HOCKNEY	MONDRIAN
CHAGALL	HOPPER	PICASSO
DUCHAMP	KLIMT	POLLOCK
ERNST	KLINE	RILEY
ESCHER	MAGRITTE	WARHOL

LIGHT AND DARK

```
Y S W K D V A I Y P O R Z X N
N H C L E A R H N U S P L R N
I A R J T Q U B N K O T Z L D
T D E T A N I M U L L I G W A
T O P B V N E R S I G S D C G
S W U S Z S V G I R O Q T I S
O Y S C L O U D L E S S E S R
R S C S Q E I R X U T K N J N
I T U A E T J C S W F U E J I
P Y L O T L D Q Q U M E B P N
Y G A H N O N C T H G I R B K
K I R A D I Z O K G L O O M Y
R A M I X Z M B O R N E U Z A
U N L I T H F U Y M L R S K X
M H I H D S U N L E S S N I R
```

BRIGHT	ILLUMINATED	SHADOWY
CLEAR	INKY	STYGIAN
CLOUDLESS	LUMINOUS	SUNLESS
CREPUSCULAR	MOONLESS	SUNNY
DIM	MURKY	TENEBROUS
GLOOMY	REFULGENT	UNLIT

GILBERT AND SULLIVAN CHARACTERS

```
Q D E A U J M E J C S P B B H
L H A N N A H E M A D U L A I
S X C C O N S T A N C E Z O L
E L U A D A S Z D S I X E L A
A P D N S B T O M T U C K E R
H H E U D I O L A N T H E T I
S Q S T B B L M R A P T G T O
N O Z I O Y K D G T O I S E N
O I N O T N A R A Y A F Y K J
S P Q A R A C M R N J L E C P
I H E D I C K D E A D E Y E K
U R L T I A I T T S E T P B I
G F I A M E T T A R O A R B S
P Q A I B A O Z E S T R R O S
D S X F K O U O T N D U Z B K
```

ADA	CONSTANCE	HILARION
ALEXIS	DAME HANNAH	IOLANTHE
ANTONIO	DICK DEADEYE	KATISHA
ARAC	FIAMETTA	MAD MARGARET
BOB BECKETT	FLETA	ROSE MAYBUD
CASILDA	GIANETTA	TOM TUCKER

SILENT "G" WORDS

```
N Z T S Z B R M M S T P N I R
G G C H E X V T R E B R D C J
N G I E R O F H S T E Q E K U
O N O L D O G O L S N Z S A U
M O G A A N U U I L I A I H N
E S N I P M G G I G E G Z P
E T A R A D N H H L N G N A W
A I R T D P U T T G H H I G H
Z C L U E O M X N N M R F L A
G R T A E L R A D A P X E D X
H O T A Y L S O C T K S S O E
W A R B C H T P P N U A V R B
T R U B P X X A N C U R T B B
S Z K S E P S Q M X N O Y B T
M F R F Z R X W U U O O Y E E
```

BENIGN	GNAT	HIGH
CAMPAIGN	GNAW	LIGHT
DESIGN	GNEISS	MALIGN
FOREIGN	GNOME	RESIGN
GNARL	GNOSTIC	THOUGH
GNASH	GNU	THROUGH

FASCINATING

```
T C O M P E L L I N G A O S C
N I N T R I G U I N G B S F C
N C O M P U L S I V E S G W I
W N U R I V E T I N G O N G O
E N T I C I N G O D S R I N I
E E N T R A N C I N G B P I N
N M E R H H P Z S R E I P R T
G M W C P R E T R W S N I U E
A E N G R O S S I N G G R L R
G E T K X U E T I V D A G L E
I B X E I I C O A B A Q I A S
N S V E L H Z R J P P T O W T
G T G N I L I U G E B P I R I
J T X N T H R I L L I N G N N
S A G E N T E R T A I N I N G
```

ABSORBING	COMPULSIVE	ENTRANCING
ALLURING	ENCHANTING	GRIPPING
BEGUILING	ENGAGING	INTERESTING
BEWITCHING	ENGROSSING	INTRIGUING
CAPTIVATING	ENTERTAINING	RIVETING
COMPELLING	ENTICING	THRILLING

WEDDINGS

```
L L P I R T M L O R F R R U Q
V M O R E K P B O L X C A H K
Z B V E I L O Z O R A H A M L
U S C H B U Q W C S T A S O P
S R E S Q R E L M E N R E S E
P I L U B R I D E H A I R L S
O E E U G E R J C C M O V Q W
L T B I C C O N F E T T I A Q
E J R I H E F N A E S Z C W A
E L A U U P R E M P E G E X R
G S T V R T I R I S B L P R S
L R I L C I E V L L U Q F T U
B U O S H O N E Y M O O N S R
T S N O I N D S E H M P S S S
S I B T M S S R R S G K E P P
```

BEST MAN	CONFETTI	NERVES
BOUQUET	FAMILY	RECEPTION
BRIDE	FLOWER GIRL	SERVICE
CELEBRATION	FRIENDS	SPEECHES
CHARIOT	GROOM	USHER
CHURCH	HONEYMOON	VEIL

EDIBLE SEEDS

```
Y U S R T P A O N I U Q V J O
F R U C A S H E W R Y N A A I
D R I C E M O F P E A N U T P
A B T C H I A G B K M E I A A
O W Q Z W L E T R H C E O G U
R P J O P D W M E V J I I L U
U P U E Z K T X A Y H O H N T
V B U E G S Y U D S T K C C W
A R A R V X E T N H E O A T K
S T G R O R R A U E E S T Z G
K T F A L O H B T W N Z S Y A
D R L L P E C A N L R I I P U
B L A C K E Y E D P E A P S A
C D X G H R F B V V Y P E N W
O T O R C Q A R E Q R A S I G
```

BARLEY	FLAX	QUINOA
BLACK-EYED PEA	OAT	RICE
BREADNUT	PEANUT	RYE
CASHEW	PECAN	SESAME
CHIA	PINE NUT	SPELT
CHICKPEA	PISTACHIO	WHEAT

"P" PLACES

```
A U D A P R H T P L E V E N H
I H H C P E S C A R A R U T H
W P T C Q R R K Q K E T P D U
N R P R J J P U A T T S A I S
L I N U E K E U G A R P T T X
Y A N O L P M A P I U P N O S
P C A P R E T O R I A Y A U N
R I P L P O R T O N O V O X I
V R R F F R T P A R I S D R S
I O W H T U O M S T R O P H U
D G X O L L A X R K I G M S N
V D G G U C E U W H Z E A C M
O O G A I I U S I U O J I R R
L P E T E R B O R O U G H A E
P L Y M O U T H W T U R J H J
```

PADUA	PERUGIA	PODGORICA
PAMPLONA	PESCARA	PORTO NOVO
PANAMA CITY	PETERBOROUGH	PORTSMOUTH
PARIS	PLEVEN	PRAGUE
PATNA	PLOVDIV	PRESTON
PERTH	PLYMOUTH	PRETORIA

UK FORESTS

```
L U S W I N L E Y M F F X W Y
B S V S U J G R E E N W O O D
S D X O R R F F L E T E F D W
D Y Q D O O W N R A H C R U P
L L C O L A H I E F E Y A F G
P T U O U M I W T H T X N T I
Y W E W E F N R S C F T M U S
U Y N R O R F A M E O S P N B
M R S E E W E D A R R E L D U
I E E H P D L M H B D L T Z R
Y L C S P S L R A U F W C P N
L V F K I N V E R L N O Q B V
L A A O N R W A I R E O J E N
R U X J G O V A R K W D U C Y
S V R R A J L I N C R P I V P
```

BRECHFA	GREENWOOD	SELWOOD
CHARNWOOD	HAMSTERLEY	SHERWOOD
DARWIN	KIELDER	SWINLEY
DELAMERE	KINVER	THETFORD
EPPING	MERSEY	WHINFELL
GISBURN	NEW	WYRE

EXPLORERS

```
J A E I A H S A C B V I M O U
A L I S E E C A B O T S U A F
C P L A M Y O P B V S D S D I
T U T U A E T S U O C R L T A
H B A A G R T L Y P O A Q S N
T I P Y E D O S H Q I K I A E
W E L Z L A M U N D S E N V E
U K Z L L H V B I R D S R Y I
H E S T A L U M I C E Z P U Q
V M O K N R O U C N E P I S J
R N O R G A Y L I O G R C I K
N S B G X Z T O F D W H C R Q
A R V E S P U C C I E B A M P
C Y N Z C O U E D A O T R M B
J I D C R I V C I S S B D S A
```

AMUNDSEN	DIAS	NORGAY
BINGHAM	DRAKE	PICCARD
BIRD	HEYERDAHL	SCOTT
CABOT	HILLARY	STARK
COLUMBUS	MAGELLAN	VESPUCCI
COUSTEAU	NANSEN	WELZL

CANTONS OF SWITZERLAND

```
Z O A T T L R K L J Y P N U G
E E X I Z E O L R U X E N S E
O T S C B X Q U O R V L Y N U
P H L I L E I D U A V N P S A
F U G N I D W A L D E N O M L
R R R O V T S A T S I L B N S
I G I Y F M I Z U U O L W A P
B A S E L S T A D T S R A W O
O U O O V F H Y H X R D L J V
U D N U T F I U L Z N R D T I
R W S V F H R A U R I K E E Z
G F I A V N H G M A V E N E G
T I H Q E O P R H Q A I L K U
R C O A S G L A R U S P B L L
S C H W Y Z V A X Z O B W C J
```

AARGAU

JURA

THURGAU

BASEL-STADT

NIDWALDEN

TICINO

FRIBOURG

OBWALDEN

URI

GENEVA

SCHAFFHAUSEN

VALAIS

GLARUS

SCHWYZ

VAUD

GRISONS

SOLOTHURN

ZUG

AT THE PARK

```
R V F C R H B A E P S D L A S
E T S Y E O T U S J N T N R S
D T A W C N Y U P T P Q U U A
I O K I R P U C R E T T U B R
L Z F L E R Z N P I G N U F G
S R R D A S N S L S I M R I S
H E E L T Y F I E L D S U I Y
K N S I I B U T T E R F L Y R
E C H F O P S P S C F X J Q E
E R A E N R I S H R U B S T N
R S I J E C H G S S P B T S E
T C R W N I S C E E S I T D E
I V O I I Q H P N O E B P R R
W L C P L U R I O E N R Z I G
F W S E I S I A D H B S T B S
```

BENCH	FLOWERS	PIGEONS
BIRDS	FRESH AIR	RECREATION
BUTTERCUP	FUNGI	SHRUBS
BUTTERFLY	GRASS	SLIDE
DAISIES	GREENERY	TREES
FIELDS	PICNIC	WILDLIFE

DAMS IN TENNESSEE

```
U B R P H T B T O I S E O C T
L O D O U G L A S E B R N H B
H Q S K S R S Z D U C T O I E
I C R O M E L T O N H I L L L
A H A G U A T A W U E S I H S
P I N R T T W E A O A O C O Q
S C I W W F H S R D T C H W V
F K C A E A G H A U H I U E P
R A K T P L S C O O A L C E R
U M A T T L Z I Z L M L K W U
R A J S R S A O R T S E Y E B
H U A B X V W W Z R H T A O O
A G C A L D E R W O O D O D I
J A K R U B L I W F D N P N T
N O R M A N D Y R N E A A I A
```

BOONE	FORT LOUDOUN	NORRIS
CALDERWOOD	GREAT FALLS	SOUTH HOLSTON
CHEATHAM	MELTON HILL	TELLICO
CHICKAMAUGA	NICKAJACK	WATAUGA
CHILHOWEE	NOLICHUCKY	WATTS BAR
DOUGLAS	NORMANDY	WILBUR

EAT

```
R U O V E D X H L P F H E Q F
T E O P L M V L Q L F E T O B
P W G R B M U N C H O T A K L
I T L R B M A S T I C A T E D
E T P M O H C R N Y S S I U A
W A U G G G T D Z O Y T G W T
S Y K N I B B L E Y C E R O D
N I T A E Z R F L M N B U L I
C H E W E M J E Z A O R G L G
C Z E W I R S T Z L S L N A P
L L A Y K L B C U L H Y I W P
A Q R Q O A L S G I N G E S T
P M D O Q E E R U O L U F U H
H S H E N T S U R V F S G B T
Y Z N S T S M A R A U R P A P
```

CHEW	GOBBLE	MUNCH
CHOMP	GORGE	NIBBLE
CONSUME	GUZZLE	NOSH
DEMOLISH	INGEST	SCOFF
DEVOUR	INGURGITATE	SWALLOW
GNAW	MASTICATE	TASTE

US ROCK BANDS

```
G L S D R Y B E H T S B O U F
L R E E H C E U L B B O F Q V
L W S A K R A P N I K N I L L
T P X V V O M E V E G J A S T
D Z U Q F E R R R T W O R R A
T F A L L O U T B O Y V N A A
T T H E D O O R S T S I L C T
E H T N O A P F E E Q M J E R
P E A R L J A M I P H L I H A
S K Z A C H I C A G O T E T E
S N S E E K N O M E H T S T H
I A L I M P B I Z K I T O E S
F C S U C I L B U P E R E N O
E K O G I U K Y A D N E E R G
H S P S N L Q L S A D K E T S
```

AEROSMITH	GREEN DAY	THE BYRDS
BLUE CHEER	HEART	THE CARS
BON JOVI	LIMP BIZKIT	THE DOORS
CHICAGO	LINKIN PARK	THE KNACK
FALL OUT BOY	ONEREPUBLIC	THE MONKEES
FOO FIGHTERS	PEARL JAM	THE STROKES

FORMULA ONE

```
S H O R S E P O W E R R P R E
C Z P O T S T I P J A O S H C
I J X U K U V V H C Q T E A R
T T A Z J L Y S Y G S C N I O
A D N T R A C T I O N H G R F
M P A U S K E H C T H A I P N
U A U Z W F N U M A C S N I W
E L T S A C L L N H M S E N O
N L C S I P F D I V I I X K D
P A O R P O L C P S P S E V V
C N C N L I A D R A O B T I P
Y I K T N N A A O O S X E P A
S F P G E M Q U S R A E G W G
H W I O T X Y T L A N E P L A
E R T I S G K C L E A N A I R
```

APEX	ENGINE	PENALTY
CHASSIS	FINAL LAP	PIT BOARD
CHICANE	GEARS	PIT STOP
CLEAN AIR	HAIRPIN	PNEUMATICS
COCKPIT	HANDLING	SAFETY CAR
DOWNFORCE	HORSEPOWER	TRACTION

ROCK CLIMBING

```
T R A V E R S E R T L T T H K
R M B S P L W E J F U S I C U
D W S S C N Y L P I V S L R N
Y R E E O E A T A N S I A O D
O O I R R L S T S G V L P Z Q
B V L T N C L O V E H I T C H
A E X T E N D E R R N Z B S L
T R L U R S R O A B D I E R A
R H S B S X P R A O A A P W Y
W A F G F E W R L A B S J L B
I N A S C E N D E R B O I E A
R G O X R D V E G D I R B A C
P A R E O J A M M I N G B D K
L D B O W L I N E I G R W E E
E R R A O V R R S O M K U R T
```

ABSEIL	BUTTRESS	JAMMING
ALPINE STYLE	CLOVE HITCH	LAYBACK
ASCENDER	CORNER	LEADER
BARN DOOR	DABBING	LIVE ROPE
BOWLINE	EXTENDER	OVERHANG
BRIDGE	FINGERBOARD	TRAVERSE

FISH

```
A S D P I M O N K F I S H R A
F K H L E N R W N H C N E T P
J N C S A Y Y P P U G C S R R
M T T O I M E H C R E P L T S
P M C L D F P G Z Q C I A L U
R P A E W D D R I N T C W M E
A U T R A T A N E B E U H I R
C G F E L R T H A Y B A O P I
M R I K A H H O S B G L F R U
R O S C S H L C Y F E X E W T
W U H A A A L A I N X S S A B
M P V M R F L S S I C A H T K
D E V P P X H M H U S R B S R
T R T I L F L I O O T T S I E
A F L O U N D E R N L Z Y T R
```

BANDFISH	FLOUNDER	MACKEREL
BASS	GROUPER	MONKFISH
BIGEYE	GUPPY	PERCH
BLEAK	HADDOCK	SALMON
CARP	HAGFISH	TENCH
CATFISH	LAMPREY	TROUT

"M" ADJECTIVES

```
M  I  S  C  H  I  E  V  O  U  S  Q  W  O  A
M  A  G  N  I  F  I  C  E  N  T  V  R  O  D
M  H  T  N  E  C  I  F  I  N  U  M  E  Y  I
I  T  M  E  M  O  S  E  L  D  D  E  M  G  M
S  U  O  I  R  O  T  I  R  E  M  V  A  L  E
T  U  N  T  M  I  N  D  F  U  L  I  L  M  L
R  U  O  A  M  S  A  C  R  F  F  T  L  I  A
U  M  T  M  R  E  T  L  V  O  T  A  E  L  N
S  U  O  D  I  L  R  B  I  C  F  L  A  I  C
T  N  N  U  P  N  L  C  R  S  T  U  B  T  H
F  D  O  L  T  Q  A  C  U  T  T  P  L  A  O
U  A  U  O  H  H  T  N  S  R  S  I  E  N  L
L  N  S  L  S  G  X  L  G  G  I  N  C  T  Y
P  E  J  C  I  T  S  E  J  A  M  A  J  G  G
C  I  P  O  C  S  O  R  C  I  M  M  L  M  I
```

MAGNANIMOUS	MEDDLESOME	MINDFUL
MAGNIFICENT	MELANCHOLY	MISCHIEVOUS
MAJESTIC	MERCURIAL	MISTRUSTFUL
MALLEABLE	MERITORIOUS	MONOTONOUS
MANIPULATIVE	MICROSCOPIC	MUNDANE
MATERIALISTIC	MILITANT	MUNIFICENT

ISLANDS

```
E E M D O M I N I C A R B W T
G H C A A E E I X Y L I E R A
S A D C D K F J B E L B B L R
G N I R I E O I A S I I P I L
S O V O A Q I F R R U Z S U T
D E P N P E I R B E G A U X I
L C S I G T P G A J N B N E O
R R J M T O I U D T A E U O A
S E D O H R R E O X W R T Z J
N T O I S A J R S L P M E T U
X E I T P Z I N Y E E U Y N T
F O K Q S N P S L L K D W V V
W I L X I A I E E I M A A S G
R P V H V L A Y N C O R F U S
X E D M S H I S A D A N E R G
```

ANGUILLA	FIJI	LANZAROTE
BARBADOS	GRENADA	MADEIRA
BERMUDA	GUADELOUPE	MINORCA
CORFU	GUERNSEY	RHODES
CRETE	IBIZA	SANTORINI
DOMINICA	JERSEY	TENERIFE

EGYPT

```
R H A F O X K N O Y A S U E Z
E A L E X A N D R I A E Z B N
T P U Z R S B A S L V Y Q D P
U A J N Z Y T U I A F Y I A G
S N A S L U A A S Z A R S K T
Q K L U F T B B A I Z C E I A
A H X R V H H A O G M I S X B
M O U N T S I N A I C B S O O
R N S X Y T H N W I W A E B I
Z F P O R T S A I D O R M L S
F R H R T E S W S T T A A I D
P V I I R P H A R A O H R O V
G T N B M T X A N R N S H K Z
M S X U L I N T A Y S A O Q Z
R Y S L L C A I R O D S A V K
```

ABU SIMBEL	DYNASTY	PORT SAID
ALEXANDRIA	GIZA	RAMESSES
ANKH	KARNAK	SIWA OASIS
ARABIC	LUXOR	SPHINX
ASYUT	MOUNT SINAI	SUEZ
CAIRO	PHARAOH	TANTA

GREASE CHARACTERS

```
L C O A C H C A L H O U N Z W
I X G P P I H O E L V E T W B
F Z V T O T A P G U V U B R U
A Y I C C X R L N L G V T S L
A Z P P G J L S A S F I L N I
H W P A R H E L N R F N E L R
T L W T I J N K E N I C K I E
B P U T Z I E N E U G E N E Y
R T O Y Z W C E T O I L T E T
R L R J O H N N Y S S T I D G
M A R T Y P T D O O D Y X S T
W L L O F D Z N U T P Y W N C
W N G M E T N L V K S Y P J O
I Y R Q D Y D A N N Y T V I B
O U U P K N L T S P F G T O R
```

CHARLENE	JOHNNY	RIZZO
COACH CALHOUN	KENICKIE	SANDY
DANNY	LEO	SONNY
DOODY	MARTY	TEEN ANGEL
EUGENE	PATTY	TOM
FRENCHY	PUTZIE	VINCE

LONDON UNDERGROUND STATIONS

```
E P E A M O O L D S T R E E T
G R R G V A U X H A L L I W R
B O A G D G R E E N P A R K S
F S N U L I R Y L I R D T J S
R B G S Q B R P L O I C Y C T
T F E R Q S Z B R E U S T O N
O S L Q Q U E E N S B U R Y U
O R I C H M O N D O H O W T S
T C O V E N T G A R D E N X V
I K E N T I S H T O W N R E R
N A P B Y W A T E R L O O V S
G N O R T H F I E L D S B L Z
B E R M O N D S E Y T A L E J
E U I U P M I N S T E R O V A
C O L U D J T N L S J Z H U R
```

ANGEL	KENTISH TOWN	RICHMOND
BERMONDSEY	LONDON BRIDGE	SLOANE SQUARE
COVENT GARDEN	MARYLEBONE	TOOTING BEC
EUSTON	NORTHFIELDS	UPMINSTER
GREEN PARK	OLD STREET	VAUXHALL
HOLBORN	QUEENSBURY	WATERLOO

THE WIZARD OF OZ

```
P  E  S  O  U  G  D  T  Y  J  Y  S  R  J  W
E  Y  S  Z  N  L  R  O  T  E  I  C  A  M  S
I  A  E  Q  R  H  A  R  I  D  F  A  R  M  U
A  M  S  K  U  B  Z  N  C  O  A  R  P  A  Y
E  S  G  P  N  R  I  A  D  R  L  E  B  T  R
Z  W  L  W  C  O  W  D  L  O  S  C  G  M  B
K  F  I  I  L  O  M  O  A  T  F  R  P  J  R
A  U  N  T  E  M  I  D  R  H  G  O  S  R  I
N  I  D  C  H  S  S  S  E  Y  T  W  Z  N  L
S  C  A  H  E  T  S  L  M  G  I  O  A  Y  O
A  C  H  L  N  I  G  T  E  A  N  M  T  E  L
S  K  T  N  R  C  U  O  K  L  M  I  L  O  V
V  B  A  I  Y  K  L  Z  S  E  A  U  W  U  F
S  H  E  M  U  N  C  H  K  I  N  S  T  V  P
B  X  P  T  Y  E  H  G  G  E  L  P  O  S  A
```

AUNT EM	KANSAS	TORNADO
BROOMSTICK	LAND OF OZ	TOTO
DOROTHY GALE	MISS GULCH	UNCLE HENRY
EMERALD CITY	MUNCHKINS	WINGED MONKEY
FARM	SCARECROW	WITCH
GLINDA	TIN MAN	WIZARD

OBLASTS OF RUSSIA

```
U U S L E C W O R R L R D M Q
Y M O K T I E T A P E N Z A O
T Z U S Y P I M D S Z A K U H
A O B O U N Z L R U Q G Z G U
J A D U M A K S N A Y R B K P
S L X B E L G O R O D U L A B
A C B S N L V R T R N K T L T
M S P O T G U K S N A M R U M
A T T Z O P O R A I Z E L G A
R P X R X R R R K V A W I A G
A G O S A L Y A H A Y R P C A
O D U F E K W O A N R A E Z D
I J Q S T Q H Y L O L W T T A
D V O L O G D A I V Y O S U N
U A I K U L Y A N O V S K Z K
```

ASTRAKHAN	LIPETSK	RYAZAN
BELGOROD	MAGADAN	SAKHALIN
BRYANSK	MURMANSK	SAMARA
IVANOVO	NOVGOROD	TYUMEN
KALUGA	ORYOL	ULYANOVSK
KURGAN	PENZA	VOLOGDA

JAZZ SINGERS

```
K E G C M T I V E A R X S B E
M L U A N A T K I N G C O L E
S R J R I Q K S E A N H J B X
O K E O S N F P Z H O A A I S
I V S L H A R E L G S K M L Y
L S S S I N A G E U N A I L H
S E O L R C N G N A E K E I P
E N R O L Y K Y A V B H C E R
M O E A E W S L H H E A U H U
A J I N Y I I E O A G N L O M
J H N E H L N E R R R O L L K
A A N S O S A T N A O T U I R
T R A S R O T Z E S E Q M D A
T O G L N N R Y X T G A E A M
E N O M I S A N I N T S O Y N
```

ANNIE ROSS	GEORGE BENSON	NAT KING COLE
BILLIE HOLIDAY	JAMIE CULLUM	NINA SIMONE
CAROL SLOANE	JOHNNY HARTMAN	NORAH JONES
CHAKA KHAN	LENA HORNE	PEGGY LEE
ETTA JAMES	MARK MURPHY	SARAH VAUGHAN
FRANK SINATRA	NANCY WILSON	SHIRLEY HORN

CUNNING

```
U S G N I V I N N O C P M A W
U N A I L L E V A I H C A M P
Y E T C A L C U L A T I N G I
Q A R R A A A W Z R D T I L S
A K E V U L P I N E U R P V A
D Y A Y O S S L Y S P M U D H
D A C F G C T Y E Z L A L N L
J D H S R U V W T M I A A A U
R D E R C K I T O L C P T H F
L H R V U H Y L T R I C I R T
R Z O S I D E C E P T I V E R
A X U T A O V M V F O H E D A
T M S L F P U E I L U T Y N U
V P Q L F S R S Z N S L R U W
E K O E C R A F T Y G F T Z H
```

ARTFUL	DUPLICITOUS	SNEAKY
CALCULATING	GUILEFUL	TREACHEROUS
CONNIVING	MACHIAVELLIAN	UNDERHAND
CRAFTY	MANIPULATIVE	UNTRUSTWORTHY
DECEPTIVE	SCHEMING	VULPINE
DEVIOUS	SLY	WILY

STATIONERY

```
L A I S T A P L E R S B R L A
A P R O T R A C T O R U F C P
M S H C O M P A S S O L O E E
Q I T I P U E H L N S L U E S
K A K A G P R D R O S D N S W
P D D L N H C U D S I O T H A
E L R K E U L G L U C G A A A
N E O A L R I I U E S C I R C
C R A Y O N P S G P R L N P L
I A S A E B S F S H L I P E W
L S B A L L P O I N T P E N E
D E X A A U O I I T N E N E E
I R S C A L C U L A T O R R Z
T T T Z B C K L I C N E T S I
U R W T R J P E T R L A F T P
```

BALLPOINT PEN	ERASER	PROTRACTOR
BULLDOG CLIP	FOUNTAIN PEN	RULER
CALCULATOR	GLUE	SCISSORS
CLIPBOARD	HIGHLIGHTER	SHARPENER
COMPASS	PAPER CLIPS	STAPLER
CRAYON	PENCIL	STENCIL

SYNTHETIC CHEMICAL ELEMENTS

```
O E D C A L I F O R N I U M U
M J F L E R O V I U M L C T R
L C M L X A M P X T E B E P R
R I C U R I U M H H F M I P W
L V V I I F I B L E E U N W U
I L A E E V L T R R R I S P B
A K A T R U E E L F M R T L O
M R A W S M B L S O I E E M H
E B T S R T O K E R U N I U R
R L Y P K E N R H D M T N I I
I T A M E C N B I I N I I S U
C O P E R N I C I U M E U S M
I D U B N I U M I M M M M A T
U S E A B O R G I U M A V H B
M O B E R K E L I U M N T A I
```

AMERICIUM	DUBNIUM	LIVERMORIUM
BERKELIUM	EINSTEINIUM	MEITNERIUM
BOHRIUM	FERMIUM	MENDELEVIUM
CALIFORNIUM	FLEROVIUM	NOBELIUM
COPERNICIUM	HASSIUM	RUTHERFORDIUM
CURIUM	LAWRENCIUM	SEABORGIUM

MOROCCO

```
W W R U R P V S Y T Q T U Q A
K Y Y R P U A G H L C A M T C
U D A I I U L N C M A P E U X
P G N R L Y Z O R G L Z K E D
B R A O E C A S A B L A N C A
Y H Q D R K U D N N S O E T T
X D M A H R I D O A R R S A E
T A O N W R N P M T X S Z G S
O P L K O M T L H N K U D I U
T N I E O R L A R O I P H N U
R P V J U K F A N A U O T E T
E Z E F R R N F T G D J E R W
P A S T I L L A A S I V D E O
I J Y C T R A R E S A E Z A H
R A A Z A B H A H C N E R F Q
```

AGADIR	FRENCH	OUJDA
BAZAAR	MEKNES	PASTILLA
CASABLANCA	MONARCHY	SAFFRON
DATES	NADOR	TAGINE
DIRHAM	NORTH AFRICA	TANGIER
FEZ	OLIVES	TETOUAN

SCARLETT JOHANSSON MOVIES

```
R O U G H N I G H T B P F L O
G Y N A P M O C D O O G N I A
G K D P R D P Y H X I Z F G R
T H E S P I R I T I A E E V R
E M R D D L R O W T S O H G A
D A T Z N H T Z B H X I C A O
W T H E A V E N G E R S O L S
H C E A L T S R J P H L L A F
I H S N S P U S T R P E U W O
T P K N I Q A P J E O O S C G
U O I B E K C S Y S J F O D Y
L I N U H I T M N T P D V C E
J N Y W T A S Z Z I O O T F S
M T T P L T U A U G L G N I S
G Y F D O N J O N E A S A E U
```

CHEF	ISLE OF DOGS	SING
DON JON	JUST CAUSE	THE AVENGERS
FALL	LUCY	THE ISLAND
GHOST WORLD	MATCH POINT	THE PRESTIGE
HER	ROUGH NIGHT	THE SPIRIT
IN GOOD COMPANY	SCOOP	UNDER THE SKIN

ENGINEERING

```
S U T L D N P R O T O T Y P E
I T X Q Q C U C H E M I C A L
M M E T A L L U R G Y P E A A
U W O A E R O D Y N A M I C S
L P E H M E C H A N I C A L T
A J Q L I E O G N I T S A C I
T U B E C A N P N O J E H E C
I M W D P Y P G G I Q E Z R I
O W U O A O C E I N D W I U T
N F X M D A L T O N S L A W Y
A D H E S I O N O R E C I T R
A R C L E N G T H N L O C U E
U A S A P R E S S U R E W R B
E L E C T R I C I T Y A H R P
V R H S H Y D R A U L I C S S
```

ADHESION	CHEMICAL	METALLURGY
AERODYNAMICS	DALTON'S LAW	PRESSURE
ARC LENGTH	ELASTICITY	PROTOTYPE
BUILDING	ELECTRICITY	SCALE MODEL
CARNOT CYCLE	HYDRAULICS	SIMULATION
CASTING	MECHANICAL	STEAM ENGINE

TREASURE ISLAND

```
E R U T N E V D A R C E A O Y
R S S A L T U C E P A Q V S P
R U T X Z T T E L I S S R E T
C R D R P A N A E E T T R N S
A T Z F E A P B V C A E E O N
P S F U C A E R O E W V D B I
T B P C N N S W N S A E W Y K
A T U T G L K U B O Y N O L W
I B E U S R A L R F G S P L A
N V N L T E I O Z E A O N I H
F N A P L N H I U I M N U B M
L M T U D O A C U G S A G O I
I Y H P A I M A P H K O P F J
N P E T J C R S I T O R R A P
T W Q O P I R A T E S O V S L
```

ADVENTURE	CASTAWAY	PARROT
BEN GUNN	CHEST	PIECES OF EIGHT
BILLY BONES	CUTLASS	PIRATES
BLIND PEW	GUNPOWDER	SMOLLETT
BUCCANEER	JIM HAWKINS	STEVENSON
CAPTAIN FLINT	NOVEL	TREASURE MAP

MOONS OF SATURN

```
X T T S R L T D G D Z F K D I
A R H E A E U E P A N U L T J
T S D N U H A N H P D S D C H
P N O O B T Z E O H T I T A N
E D I H P A L L E N E V O C L
C R C T C T L E B I L H E N G
A T A E U L X H E S E A T T E
T T L M I A P E T U S P W N W
S A Y S S S B W T E T H Y S A
S P P A N D O R A J O C A G O
R R S A M I M L A B L N C E G
Z T O W A T B N D F S R F Z H
P R L J H Y U Y E T K T T S L
Q N S Y T S E L Y K R Q I P X
S O E C M A Q P Q S Z X I L W
```

ANTHE	HELENE	PANDORA
ATLAS	IAPETUS	PHOEBE
CALYPSO	JANUS	RHEA
DAPHNIS	METHONE	TELESTO
DIONE	MIMAS	TETHYS
FARBAUTI	PALLENE	TITAN

ZOO WORDS

```
E Z R O X R M L W H C S P T H
A R S T P Z I R I S W D O L L
S W O X A L M L T A T I B A H
L A D V X Z R O E E T E S I M
T L I F I U A C N R R T N P T
O B A T Z N Y A C O O V S U X
U I C O A R M M L V T E D S K
I N J V V I S O O I A R R R E
E O D J C G R U S G D T E A E
O D R U V U T F U U E E H M P
U G I F L S T L R R R B F B E
M S S D M A P A E F P R I H R
X Q P P E L T G R G R A Z E R
R G S C O N S E R V A T I O N
R C A R E R O V I B R E H Y M
```

ALBINO	FRUGIVORE	MARSUPIAL
CAMOUFLAGE	GRAZE	MONOTREME
CONSERVATION	HABITAT	OMNIVORE
DEN	HERBIVORE	PREDATOR
DIET	HERD	UNDULATE
ENCLOSURE	KEEPER	VERTEBRATE

NEW YORK CITY BRIDGES

```
O T Q A B A Y O N N E X X A O
K A T T U M G A E J P I V X S
Z A G H R A R E W T U Y E E M
S R O R Q D A L H D L B U V S
U E E O U S N M E L A R E F S
I S T G E B D A L W S O Q R L
C W H S E M S L L A K O R I O
S A A N N O T M G S I K Y B Y
O A L E S C R F A H I L A K R
K P S C B A E H T I R Y P T I
I E B K O M E P E N L N T Z W
U L A I R R T R F G L L C I O
J H T X O H N A C T H G I H C
E A K T R I B O R O U G H W S
A M A N H A T T A N E X S A J
```

BAYONNE	HELL GATE	PULASKI
BROADWAY	HIGH	QUEENSBORO
BROOKLYN	KOSCIUSZKO	THROGS NECK
CITY ISLAND	MACOMBS DAM	TRIBOROUGH
GOETHALS	MANHATTAN	WASHINGTON
GRAND STREET	PELHAM	WILLIAMSBURG

US PRESIDENTS

```
H Z L D P C N Q T E E W V M S
S I D O G S Q Q W O R T S B L
R W C S R M P O X I U R S W T
T E A L A A M I N L K I T R H
O T R Z N S U E M J P A X S A
Y R T A T O R I X A L T T L R
E U E S M E T F O R D K R D R
R M R A D O T N O H E I K H I
N A J H G B K T I H T W S O S
S N O D T A E I T L A E K O O
I G H O O M N O S K C A J V N
U S N P M A N I X O N L H E X
A Q S M M S E O R N O M Y R T
X C O O L I D G E S X L J N J
I J N A S E Y A H A T O A K R
```

CARTER   HAYES   MONROE

CLINTON   HOOVER   NIXON

COOLIDGE   JACKSON   OBAMA

FORD   JOHNSON   REAGAN

GRANT   KENNEDY   TRUMAN

HARRISON   MADISON   TRUMP

GIRLS' SHORTENED NAMES

```
O E Q E L F E B M V A R B L E
Q V L C R K R A I B G I W I B
V T L Y R O J P B A T A A P E
S J S E E H A I P A I R E F R
T O Z I L A E T O S A R B B O
B T S N T L L L S T N L S S R
A I A N T P L D U S T B H Q Y
P O M A G G I E Z D S G S E D
T J M Z I E E B I Q K Z R P K
Y K Y C O M Q B E S R C B A J
V I Y M A D D I E L S V T L R
S T H N Q T J E N N Y I R B Q
A T D L N S H J L M E C R D S
G Y S A V E I Y B E C K Y H J
O Y R S O T P L F W K Y L O C
```

ABBIE	ELLIE	MAGGIE
ANNIE	JENNY	MANDY
BECKY	KATIE	PENNY
CATHY	KITTY	SAMMY
CHRISSIE	LIZ	SUZIE
DEBBIE	MADDIE	VICKY

WORDS ENDING IN "ILY"

```
T  U  A  H  X  K  Y  L  I  N  N  U  F  N  O
Z  R  M  E  R  R  I  L  Y  K  O  Y  M  E  H
T  B  T  Y  H  E  A  V  I  L  Y  L  L  I  E
Z  U  I  M  Y  Y  T  Y  U  S  L  I  M  L  A
O  H  N  A  T  C  C  R  A  Z  I  L  Y  U  R
G  M  N  Y  O  A  I  C  L  I  R  O  S  C  T
E  A  S  U  L  E  A  B  S  H  G  R  N  K  I
T  M  Q  U  O  I  F  U  A  C  N  O  O  I  L
E  L  Y  L  I  A  D  S  T  E  A  D  I  L  Y
P  S  S  B  L  Y  L  I  D  O  B  R  S  Y  K
K  C  B  A  Y  S  S  L  T  S  I  C  I  L  Y
L  X  T  N  J  T  P  Y  Q  F  A  M  I  L  Y
D  R  L  T  T  D  C  C  D  E  T  U  L  O  Y
L  P  K  K  E  U  A  N  T  V  M  O  D  R  Y
X  T  N  I  J  A  G  Y  A  X  A  K  P  T  I
```

ANGRILY	FUNNILY	NOISILY
BODILY	HEARTILY	OILY
BUSILY	HEAVILY	SCARILY
CRAZILY	LILY	SICILY
DAILY	LUCKILY	STEADILY
FAMILY	MERRILY	TIDILY

WRONG

```
I E D B P I R T Y S U I E K Z
S L I N E X A C T P I X R Q S
T K F W U R J E L U N T R U E
U G L A T O T O U R F S O T A
I T K L L O S D A I D R N W P
K A F M I S I N F O R M E D I
P P D T T Q E O U U I U O F E
E Q I M P R E C I S E D U L H
O I L A C I G O L L I L S A G
V U A Z I S P E C I O U S W L
K Z V M I N A C C U R A T E O
O O N D E D N U O F N U Q D M
U D I L I N C O R R E C T U P
C B R N E K A T S I M T A I A
Q L G Y S U M P R U O E L T D
```

ERRONEOUS	INACCURATE	MISTAKEN
FALSE	INCORRECT	SPECIOUS
FAULTY	INEXACT	SPURIOUS
FLAWED	INVALID	UNFOUNDED
ILLOGICAL	MISINFORMED	UNSOUND
IMPRECISE	MISLEADING	UNTRUE

PUZZLES

```
R S R E T I W U M T W G I F R
S Z A M A R G N A T D F G R I
Z S S T S R L K R J U V R V Z
A T I O F J W I G T R I P X W
W R C R O S S W O R D R B L R
A N A G R A M S T B L O N E U
S S L O Z A H J P Z N T L T Z
G U C P F I N I Y U S I I T R
I K U T K R W O R D W H E E L
J A D I A E E I C B T T I R R
U K O D U S K H L H R L J F I
I U K C Y A J I L I N M N I A
D R U D B L I P S O A U A T E
T O R E B U S M A I G N H Z P
R H C N Z P F A Q R O G A H E
```

ANAGRAM	HITORI	REBUS
CALCUDOKU	JIGSAW	SUDOKU
CROSSWORD	KAKURO	TANGRAM
CRYPTOGRAM	LETTER FIT	TETRIS
FUTOSHIKI	MAZE	WORD WHEEL
HANJIE	NURIKABE	YAJILIN

FABRICS

```
Y Q T S J I A Y C R Y T D H Z
B N O L Y N T H P W E B C S R
H G U G E M E O T A U A H E C
W A R O G N A R E R U L I E A
B J F N I P N G L C H I N T Z
T H E L Y C R A O H E N O U D
U Q L L E C P N L I L E J J D
S E T E B E D Z O F T N K U W
U L K B A T C A N F U X U U R
A T N E I T L E O O C I L A C
B E N M Z R H L C N T S O J E
E L H J E A S E T P L T D N C
L T P D A M T R R S R D O A X
H R T S A B Q V P S S M O C F
Q W O T A M N S Y M A T D R U
```

ANGORA	CHINO	JUTE
BAIZE	CHINTZ	LEATHER
BURLAP	COTTON	LINEN
CALICO	FELT	LYCRA
CHENILLE	FLANNEL	NYLON
CHIFFON	FLEECE	ORGANZA

FAMILY

```
K P S O I S F A T H E R F Q R
E U L S W G N C O U S I N Z R
T L L Z N A E L C N U R A J W
A Y B Y R I R R H M O T H E R
T E A S K G W O U A P A H I D
A A X T A R E T S I S P S U M
U E I C E S J I B U E I N I Q
E E V A V L J U A N F Z O S O
K L A S I B L I N G I R Y B U
M R E H T O R B D T W K I G L
A L C X A Y E G T L Y U E I Z
N U I N L A W P K L H I A R Y
U E N I E C E I A S G A I A P
O A O T R Q R O L C O S Q E U
G L S O H G I O G B U R P O E
```

AUNT	KIN	SISTER
BROTHER	MOTHER	SON
COUSIN	NEPHEW	SPOUSE
FATHER	NIECE	TWIN
HUSBAND	RELATIVE	UNCLE
IN-LAW	SIBLING	WIFE

CARNIVALS

```
T U E I R R F F S J I J H B S
L M I V E R U A R Q A L I A S
E I M R A F M A C X U N E R E
C O M T C L I O S L C A R J G
I C R B A S L R A H N R P A T
N I A P U O O E E L P P L L I
E E S O G R I U T N V O O I S
V A T N K T G J N T E A R M J
L T E I H I G W Z Z A T U A O
M E M I N D E L O I I L R S L
U T A S T G R U W D U G O S L
U U T A A O A O R A T P W O E
Y V E D N Z I V T C S R O L R
A E R V I A V A T O G O B A O
S I R A P J E R R S S S W D T
```

BINCHE	LIMASSOL	SITGES
BOGOTA	LIMBURG	TENERIFE
CADIZ	MINDELO	TORELLO
COLOGNE	ORURO	VALLETTA
IVREA	OVAR	VENICE
LAS PALMAS	PARIS	VIAREGGIO

ROMAN EMPERORS

```
P J K L G Z S P N C Q I G Y J
Y J R H P R G E T A A R Q I A
M Z U A Y T R R E L J U E I Z
F S W D O O A T T I X A T L L
S R U R N T U I A G R S R H R
N T E I E N Y N T U G K A T R
W I C A R A C A L L A G S I U
I A P N V E A X A A U H U T T
T M Z G A L B A Q O G T D U J
G D C L A U D I U S U O O S W
T T D R R R I K T V S T M F U
E D V T R T U N A I T I M O D
U W Y T P U P I E N U S O H P
G E A B A L B I N U S G C T F
R T S K P P V F D B K F B O N
```

AUGUSTUS	DOMITIAN	OTHO
BALBINUS	GALBA	PERTINAX
CALIGULA	GETA	PUPIENUS
CARACALLA	HADRIAN	TIBERIUS
CLAUDIUS	NERO	TITUS
COMMODUS	NERVA	TRAJAN

PHYSICS

```
E O G A R D T L Q R E N S Y L
N I I W Q A G E P U O L A O F
E L E C T R O N R N Y Q S M G
R U I B M K Y L M S Y F T T P
G Q S M M M M E J G O Q Q J K
Y Y O O G A M M A R A Y B H X
J E T L P T P B C A O A U R R
L N O U A T P E S V P T T S O
N P P O R E K C B I E V C H W
E L E C T R I C I T Y A E E C
U X N O I T O M G Y C P O R V
T O L P C N X Y B M S M O T A
R L F L L O M L A H U T Z Z K
O G K U E A A S N W R Q T Z M
N P U I D A S E G X R F S C P
```

ATOM	ELECTRON	ISOTOPE
BIG BANG	ENERGY	MASS
COULOMB	FORCE	MOTION
DARK MATTER	GAMMA RAY	NEUTRON
DRAG	GRAVITY	PARTICLE
ELECTRICITY	HERTZ	VECTOR

SUBMARINE VOLCANOES

```
E E B T O R F H P R Y T G T Z
M M P A V F O I L I S R A M W
P A I A O M S K U W A E D E O
E T T X Y A E P R H V V A T B
D W J I G T T L A U A Q M N M
O R C A S E A M O U N T S U U
C R K L V A I L U L U U S D L
L Y S S N S S D Y E R S E Y O
E U L E L M O N A C O B A N K
S U R A T A M T S E W L M A P
U M N M E T J D O C Y C O Q J
I D L O I H I S E A M O U N T
N I E U W E R K E R K E N C J
B B A N U A W U H U H U T E R
P E B T G Y V F X Z L P P L R
```

ADAMS SEAMOUNT	KOLUMBO	NIEUWERKERK
AXIAL SEAMOUNT	KUWAE	ORCA SEAMOUNT
BANUA WUHU	LOIHI SEAMOUNT	PUKAO
EMPEDOCLES	MARSILI	VAILULU'U
GRAHAM ISLAND	MOAI	WEST MATA
HEALY	MONACO BANK	YERSEY

GIN COCKTAILS

```
N H S U O H U B O G F I O I O
U G T O M C O L L I N S P A T
G I N S O U R G I N F I Z Z B
D B A A W L A V I A T I O N U
S S Y A L N D I B N F D G Z P
L O R R A I N E W D X W O I E
X N O R B P M V T T L S D N K
D Z H Q W A G E Y O A H Y O A
G J C S W R U P R N N L T R A
D G P Y D A L K N I P I L G G
R I X R B D Z P E C C U A E H
E M A R T I N I T A R K S N T
N L Y G O S J Q E O R Z E R T
P E G U O E F O P R H G Q Y I
N T A E S B S U U I W F T S V
```

AVIATION	GIN FIZZ	OLD ETONIAN
BIJOU	GIN SOUR	PARADISE
BRONX	LIME RICKEY	PEGU
GIBSON	LORRAINE	PINK LADY
GIMLET	MARTINI	SALTY DOG
GIN AND TONIC	NEGRONI	TOM COLLINS

FRUIT

```
E C R A N B E R R Y G T S N E
U H M A N G O L T T U P D S T
X L E R S P A N A N A B M Z T
Q L S N I P L I M E V P X T B
L D P K X V B L Y C A Y P T G
L R A A P L I E R T M W S L A
A G R A P E D A R A S L R Y E
X D R E T A N G E R I N E S M
B S A P T B Y T H I Y S E T R
L R U E D N O A C N F D S H Y
N E I R Y R R E B E U L B D H
A E A U P E A C H S Y E P E L
R U Y U Y A N B G X Y M F H D
N K C Y T L G T J R T O A G E
U T O E Y Y E G R J W N X U E
```

APPLE	GRAPE	ORANGE
BANANA	GUAVA	PAPAYA
BLUEBERRY	LEMON	PEACH
CHERRY	LIME	PEAR
CRANBERRY	MANGO	RASPBERRY
DATE	NECTARINE	TANGERINE

UK PRIME MINISTERS

```
C P T G L A D S T O N E U B N
E G R W L Q L A B N T A T X O
D E K N I C A M E R O N U B Z
P P S L H A N T E W Z L Y R X
P K E A C S O E D A J Z V O M
N Z M T R E D E E L T T A W P
T W W C U P C S N U H B I N G
H E A T H N A H G A L L A C C
Z S P O C I M L T V S A S B F
Y O D C M A Y C L O O I Q T F
P J V O J A H V N B V R U B R
P S I O V E A B A L D W I N J
E U R S R U O F L A B U T U E
Q O U R N P T W E T P R H N A
A N A W S O A G F A D F E A X
```

ASQUITH	CALLAGHAN	LAW
ATTLEE	CAMERON	MACDONALD
BALDWIN	CHURCHILL	MAJOR
BALFOUR	EDEN	MAY
BLAIR	GLADSTONE	THATCHER
BROWN	HEATH	WILSON

MODERN ANNIVERSARY GIFTS

```
S A J T P R S G S K U R S Y S
T D E G U R H S K C U P B E R
F F K D O O W T A O S V R W E
F U R N I T U R E L A D A R W
Y S E L I T X E T C G T C H O
R N E P I D A A C S C T E T L
O E S A L E O A X H R W L S F
V R E R A W R E V L I S E P R
I P O R C E L A I N N N T L E
E E Q E S S A R B O R I A A P
W R T Q L E Q A J T P L L T E
F L A Q C K U D U D H O I I A
M S U A C Y P V L G S L N N R
T R L K D I A M O N D S E U L
U L C X S A D S S O N S N M S
```

BRACELET	FURNITURE	PLATINUM
BRASS	GLASS	PORCELAIN
CHINA	IVORY	SILVERWARE
CLOCK	LACE	TEXTILES
DIAMONDS	LINEN	WATCH
FLOWERS	PEARLS	WOOD

SEABIRDS

```
D O D I B A L B A T R O S S O
P R X Y P T E L E R R U M X L
P S I K R I N A C I L E P Y R
E F I B Z E K A W I T T I K T
N R E T C I T C R A I T R G L
G I Z L G I R A Z O R B I L L
U G W V A U P U W H M R S I U
I A H S N V L O I R X R V Q G
N T I A N U A A R T A R O R A
F E T S E R A G L T J E W C G
U B E O T B S A U J H I H I E
L I T T L E G U L L R G G S V
M R E H U T G U I L L E M O T
A D R R R Y K I G Z A U O O X
R O N F A S G W P S X T S O Z
```

ALBATROSS	GUILLEMOT	PENGUIN
ARCTIC TERN	KITTIWAKE	RAZORBILL
CORMORANT	LAVA GULL	SHEARWATER
FRIGATEBIRD	LITTLE GULL	TROPICBIRD
FULMAR	MURRELET	VEGA GULL
GANNET	PELICAN	WHITE TERN

RABBIT BREEDS

```
O J N A I N R O F I L A C A I
O P O S S U M P Z L V K C A F
F O A T F A X E R I N I M O L
R L R B L A X A N A V A H T T
H N O J E R S E Y W O O L Y N
I E G R M L R O T X R N Z U A
N E N W I W G E R M A N L O P
E T A T S D E I L E N A A R L
L E N B H N A P A L O M I N O
A V I L G R N W T N T Z S T I
N L T P I A I Z H U H J U Z N
D E A L A L J A Z I K A U Z U
E V S U N T A T N O T Q R Q I
R H N J T H L C S T B E E E Y
K O L R A M E R I C A N Q Q Y
```

AMERICAN	GERMAN LOP	PALOMINO
BELGIAN HARE	HAVANA	RHINELANDER
CALIFORNIAN	JERSEY WOOLY	SATIN ANGORA
DEILENAAR	LILAC	THRIANTA
FLEMISH GIANT	MINI REX	VELVETEEN LOP
FLORIDA WHITE	OPOSSUM	ZIKA

GULFS

```
T  Z  S  L  P  Y  U  S  P  U  A  S  M  Q  I
G  E  E  Z  F  J  J  I  E  M  A  S  X  S  G
B  P  S  R  O  N  C  S  R  R  B  D  Y  A  E
O  G  O  A  N  D  I  T  A  R  A  N  T  O  N
L  A  R  G  S  Z  E  K  S  Y  Q  O  C  R  O
M  T  P  I  E  T  S  S  N  T  A  J  H  P  A
E  H  E  R  C  H  U  Q  S  O  D  X  R  T  D
R  T  A  C  A  O  B  J  T  A  T  V  T  N  A
T  U  A  N  I  X  X  S  E  N  O  Z  A  C  E
P  O  L  D  I  N  I  C  O  Y  A  L  P  U  N
A  M  C  G  X  A  E  N  D  W  N  E  X  T  I
N  X  A  I  Z  E  R  V  E  I  T  T  W  O  U
A  E  R  C  X  T  U  H  F  D  A  A  L  Q  G
M  D  F  R  L  E  V  K  A  A  A  X  E  X  J
A  L  K  T  U  K  M  R  M  B  A  D  P  E  S
```

ADEN	FONSECA	PANAMA
AQABA	GENOA	RIGA
BAHRAIN	GUINEA	ROSES
CAZONES	MEXICO	TARANTO
EXMOUTH	NICOYA	TONKIN
FINLAND	ODESSA	VENICE

JOHNNY CASH SONGS

```
G N E T A K R T M D T S I C E
R R E M F D E R E T S I L B R
K E T H E M A T A D O R S R I
C D J A Q M F R N R Q N G N F
A I W S E I O N E Y S E E I F
L R B H G G P S Y R T X T A O
B L I F A O Q R E U G T R G G
N L G S C T S O D N B I H A N
I U R R Y S I T C U O N Y R I
N B I K T T Q S A O Z L T E R
A R V R S R E T T T A I H V A
M T E O U I S K A R U N M O R
J R R U R P N P A Y U E S L O
S I X T E E N T O N S T X L F
D E L I A S G O N E E S H A E
```

ALL OVER AGAIN	I GOT STRIPES	ONEY
BIG RIVER	KATE	RING OF FIRE
BLISTERED	MAN IN BLACK	RUSTY CAGE
BULL RIDER	MEAN-EYED CAT	SIXTEEN TONS
DELIA'S GONE	NEXT IN LINE	THE MATADOR
GET RHYTHM	OH LONESOME ME	WHAT IS TRUTH

SECRETIVE

```
U A C I T A M G I N E G T O I
V N S T S U K L Y U L Z A X M
S Z F T U J C O O O B X C E P
U N C O M M U N I C A T I V E
O S T T R U S A W D T P T A N
I T E I E T Q E S W U J U S E
R E I S G A H H O E R I R I T
E E U L Q H X C T B C E N V R
T R Q U F R T I O U S O L E A
S C K H U F Q L E M N C T R B
Y S U R R E P T I T I O U S L
M I I E T A V I R P W N B R E
K D E K I L X N I H P S G R E
P I I G V P R E T I C E N T J
L E T R E V O C C H E G D E G
```

COVERT	INSCRUTABLE	SPHINXLIKE
DISCREET	MYSTERIOUS	SURREPTITIOUS
ENIGMATIC	OBSCURE	TACITURN
EVASIVE	PRIVATE	TIGHT-LIPPED
FURTIVE	QUIET	UNCOMMUNICATIVE
IMPENETRABLE	RETICENT	UNFORTHCOMING

WRITING GENRES

```
Y F L R R J C H O R R O R X U
S Y R C E R L E N I R R I E O
T F N Y I E W O A I D B E X G
L Y A M F S L E G E N D A D R
E R E S A A S P S L G P E A A
O A I A N E E A J T V T O T P
C R U E T H R I L L E R T T H
H O Q S A T C U G C J R S O I
I P N U S M Y S T E R Y N Q C
L M L S Y S D I E N O N F Y N
D E P P H H V V S Y E I C I O
R T Y E Z E L B A F B V R U V
E N I N C F X T R A G E D Y E
N O R S I H I S T O R I C A L
S C I E N C E F I C T I O N T
```

ADVENTURE	FABLE	MYSTERY
CHILDREN'S	FANTASY	SCIENCE FICTION
CLASSIC	GRAPHIC NOVEL	SUSPENSE
CONTEMPORARY	HISTORICAL	THRILLER
CRIME	HORROR	TRAGEDY
DETECTIVE	LEGEND	WESTERN

GARDEN POND

```
E T L V X T F J J E J W L X J
M F D M G E O X L I V A M W T
Q L I V W O U P N I E T A A R
O H V L U A N F R O G E Y J S
X Y D I D T T W K A E R F K A
T S Y A K L A E O G T B L P T
T L L P M T I I R Z A E I A Q
A R H I T S N W R L T E E E R
S P K C A B E L K C I T S R R
D R A G O N F L Y B O L O T F
X T G T L V S T F Q N E Y N S
P O N D W E E D R L A R V A E
D A E B N A I Q N N Y M P H S
P D W H S I F D L O G A X R C
E U T Q U T S E L O P D A T F
```

DAMSELFLY	MAYFLIES	TADPOLES
DRAGONFLY	NEWT	TOAD
FOUNTAIN	NYMPHS	VEGETATION
FROG	POND SNAIL	WATER BEETLE
GOLDFISH	PONDWEED	WATER LILY
LARVAE	STICKLEBACK	WILDLIFE

SPORTS WITHOUT BALLS

```
D A T U G J G X T S H Q R C X
R S S E C A O C V I S B T A V
K N K T E V S Y T P A Q V H M
S A I A E E G C E D R S X O E
P S I R T L Y L M S A N T R P
T A N A T I M I J U D O C S I
E R G K C N N N K I R W M E R
M C A A I T A G J R E B S R I
O H R Q O C S V A S A O U A S
G E T N R J T C T N X A R C D
W R E S T L I N G R W R F I I
T Y A A F N C M S T P D I N V
E P W U G E S R U N N I N G I
S S L Q G S W B O X I N G L N
N S A R S W I M M I N G N R G
```

ARCHERY	HORSE RACING	SKATING
BADMINTON	JAVELIN	SKIING
BOXING	JUDO	SNOWBOARDING
CYCLING	KARATE	SURFING
DIVING	MOTOR RACING	SWIMMING
GYMNASTICS	RUNNING	WRESTLING

FROLIC

```
S X K O F R T P O R P A I C U
Y V T U T R I V T H C J R P S
R W L R P T L X U J P U Y T R
S D R A V O J R A Y T M L Y P
W P R C S C E X T R I P E R A
H H I P A H R U I W P A A P R
X R B O B V R S S V I E P R K
H R L F H O P S D N F R I S K
I C T C C M U R A V A U L T A
T R M M P A S N N N D S N T J
P S Q S K I P S C A M P E R N
S N L A I G I E E E A R F O L
I I T F Q L N S R E L I S V D
I T L N C G A R E T C N U A U
R S H D Y Y L O B M A G X C H
```

BOB	GAMBOL	SKIP
BOUNCE	HOP	SPIN
CAPER	JUMP	SPRING
CAVORT	LEAP	TRIP
DANCE	PRANCE	TWIRL
FRISK	SCAMPER	VAULT

NOCTURNAL ANIMALS

```
A K L U A N B Y L F L I D E P
U S N G P R E G D A B S C P X
Y I K C H A O F T A B M O W T
R A N R P U S D O O Q S C W B
T B U E O G S P D O L X H O L
U A K T R A C C O O N E A E A
I W S S C J T H I Y D E C M L
R S S M U Z R Z T G R D O O C
S I T A P T I G E R A R Y U R
A T C H I N C H I L L A O S D
T Q P A N G O L I N T P T E X
Z Z R R E G X S P G S O E A N
L R P S S I T A R S I E R T O
P D I S T K T Y K L V L B W C
E R J H Y E N A O P S M U U Q
```

BADGER	JAGUAR	PORCUPINE
CHINCHILLA	LEOPARD	RACCOON
COYOTE	MOUSE	SKUNK
HAMSTER	OCELOT	TARSIER
HEDGEHOG	OWL	TIGER
HYENA	PANGOLIN	WOMBAT

FLOWERS

```
S A R S O T W I O E C T D B V
O N K H I S R R L G L H O R R
S N O W D R O P A R E B R E G
E E I W W O C R Y P M P C T K
H L K W B P D U O Y A O H S K
L T A N G E L I C A T M I A U
U R N Q N O R T U L I P D G O
O Y L I L N A R C I S S U S H
P M A M C Y E A Y W A U Z S A
D A I S Y A I S E E R F E Q S
O B L S Q O Y L O G T Q K I P
G J H S L O M H P R E N A Y S
S P A E A S J R U X G A U R T
Q L D N L T E H U O E W W G K
E E C K R R C O O J M R D C F
```

ANGELICA	GARDENIA	ORCHID
ASTER	GERBERA	PEONY
CLEMATIS	HYACINTH	ROSE
DAHLIA	LILY	SNOWBERRY
DAISY	MYRTLE	SNOWDROP
FREESIA	NARCISSUS	TULIP

ANGELINA JOLIE

```
O P W A K Q R T X C T S V A T
Y E T R U E W O M E N T W T P
P A R A L E X A N D E R T D U
Z G N I L E G N A H C Q H T S
C T R O F M C B Z R I S E K H
T R A A A X T E I R F K T D I
A L C U U M O J A V E M O O N
A S T R U T R F R D L Z U G G
T I R B Y T H E S E A X R G T
S Z E E O U W O R T M K I N I
X K S O K U O U R N L Q S I N
I P S W N C E J G A K A T Y P
U T D U P S A I I W I L S A X
O T P L P R S H A R K T A L E
U R I F A U K P A Q F T X P J
```

ACTRESS	FOXFIRE	PUSHING TIN
ALEXANDER	GIA	SALT
AUTHOR	HACKERS	SHARK TALE
BEOWULF	MALEFICENT	THE TOURIST
BY THE SEA	MOJAVE MOON	TRUE WOMEN
CHANGELING	PLAYING GOD	WANTED

AIRPORT JOBS

```
F D T E C H N I C I A N L Z W
C F N R A M P P L A N N E R T
S B A G G A G E H A N D L E R
R S D T A X I D R I V E R C E
E E N R S E C U R I T Y H I H
P J E T O L I P S O X E Q F C
Q T T C L E A N E R F T I F T
S A T I C K E T A G E N T O A
S C A A N N O U N C E R A T P
P B T C I N A H C E M E R S S
F Z H E N G I N E E R L B R I
P L G R O T A L S N A R T I D
U R I S G R O U N D S T A F F
A E L N U I S P S U H X R C E
L H F T W P S R S O H Y U G C
```

ANNOUNCER	ENGINEER	RAMP PLANNER
BAGGAGE HANDLER	FIRST OFFICER	SECURITY
CAR RENTAL STAFF	FLIGHT ATTENDANT	TAXI DRIVER
CHEF	GROUND STAFF	TECHNICIAN
CLEANER	MECHANIC	TICKET AGENT
DISPATCHER	PILOT	TRANSLATOR

CHRISTMAS

```
C Z A N Q C G Y Z M E R P L E
P A N S D R E H P E H S P N A
B F Q N U V I E J L S F J O P
A V S O N A T I V I T Y P I P
E L K I K H L U D Z A Z E T A
A Y U T A H Y C O K R S I A R
W D E I S P H T A E R W U R K
I E A D G R F E S T I V E B K
I O E A N E E R G D N A D E R
M V L R I S E A S O N A T L A
N R Y T T E W S N T I N S E L
L T F T E N S A L G E T A C L
C S T B E T H L E H E M U T S
J K O P R S D R A C O L Y U D
Z G S R G N I D D U P G S E R
```

ANGELS	NATIVITY	SHEPHERDS
BETHLEHEM	PRESENTS	STAR
CARDS	PUDDING	TINSEL
CELEBRATION	RED AND GREEN	TRADITIONS
FESTIVE	SANTA CLAUS	TREE
GREETINGS	SEASON	WREATH

GERMAN FOOD

```
M  P  P  G  B  U  L  E  T  T  E  N  E  Q  C
N  L  F  P  P  R  U  W  V  L  T  L  A  F  A
M  A  R  Z  I  P  A  N  I  E  F  O  T  R  R
M  A  E  A  O  N  A  T  O  B  O  E  K  T  P
I  L  S  S  R  R  K  U  W  K  E  X  L  L  T
N  P  E  N  C  R  K  A  R  U  F  L  R  P  R
T  S  R  U  W  Y  R  R  U  C  R  L  E  A  W
E  R  E  L  S  S  A  K  Y  H  I  S  T  Z  R
S  P  R  I  N  G  E  R  L  E  K  R  T  S  H
T  B  P  L  E  K  R  E  F  N  A  P  S  E  R
O  V  S  R  F  R  O  U  L  A  D  E  N  T  K
L  G  L  A  B  S  K  A  U  S  E  D  A  T  M
L  R  A  F  N  U  L  S  J  U  L  R  O  R  F
E  D  A  M  P  F  N  U  D  E  L  G  P  I  R
N  I  E  B  S  I  E  R  K  R  E  U  N  C  A
```

BRATWURST	HENDL	ROULADEN
BULETTEN	KASSLER	SAUERKRAUT
CURRYWURST	KNIPP	SPANFERKEL
DAMPFNUDEL	LABSKAUS	SPRINGERLE
EISBEIN	LEBKUCHEN	STOLLEN
FRIKADELLE	MARZIPAN	WIBELE

CANADIAN NATIONAL PARKS

```
E S P U R U E U Q R P T F L D
S R H L A T K L U A N E O S O
Y H N G R Q T U T N U V R E I
D B D X I G B U T Y E C I R A
N V S I R M I L I K O H L I O
U Q U T T I U S U A Q H L K T
F W S E K I I E Y T Y M O Y Q
W F O R W I R U C R O N N I I
A T N R V M S R A U T O A L S
P D N A L S I K L E B H F U A
U S V N B R J U N J A S P E R
S I Q O Y C A A U N Q A L G Q
K L S V O W Y C N X X W S K V
Z A P A C I F I C R I M R A T
T R X N R E I C A L G N I R Q
```

AUYUITTUQ	IVVAVIK	QAUSUITTUQ
BANFF	JASPER	SIRMILIK
ELK ISLAND	KLUANE	TERRA NOVA
FORILLON	KOOTENAY	VUNTUT
FUNDY	NAHANNI	WAPUSK
GLACIER	PACIFIC RIM	YOHO

CHESS

```
K P R O M O T I O N S N M W X
C Z Y R C H E C K M A T E C T
A O S O E T Q N D T H G I N K
L M O K S T M D W R O O K U T
B Y O T E W S N S A C N I N N
Z C L N T S P A P I P S M D A
T Z A K E E X L M L Z P D R S
E J X S F E H L G D A T R A S
T S Q G T L U C L P N Y Y W A
I L K N I L W Q N A O A E I P
H A T I O R I S O A S H R R N
W T R K A R R N M A I I S G E
S D M R B X V T G V T F E I I
J N E R A S G A M B I T D Y B
F I N E U E T A M S L O O F R
```

BISHOP	FIANCHETTO	PAWN
BLACK	FOOL'S MATE	PLAYER
CASTLING	GAMBIT	PROMOTION
CHECKMATE	GRANDMASTER	QUEEN
DRAW	KING	ROOK
EN PASSANT	KNIGHT	WHITE

PROGRAMMING LANGUAGES

```
M S D L O Y P C A R T H E T A
G T C R U B Y L S K S P B Q W
V I L S S L T R D W A U P P P
H V A S F C H F L O A A X F U
U R C P S R O X U Q R R E P A
P M S H I R N G L F F U A T S
V I A P T X L G O P J A R M E
A R P R O L O G M L B A I N P
P A A M E P E K Z B E O Y P M
Z N T K I A B A S I C Q U L U
Q D S I M U L A V K L Z X J S
A A I A V G R O F A R M O P O
H C O B O L E I T D J U O F L
Y W U L I S P L D A H J B Q R
T T S R U J P Z B B S E S A C
```

ADA	HASKELL	PERL
ALGOL	JAVA	PHP
BASIC	LISP	PROLOG
C SHARP	LOGO	PYTHON
COBOL	MIRANDA	RUBY
FORTRAN	PASCAL	SIMULA

ORIGAMI TERMS

```
I H C U D I A M O N D B A S E
E T O R V L R A X L Y N E S A
S R T X A N O Z O T S I W I I
D A X W J N U F S T L I J N T
E B S S I I E T Y M V J E K D
F B R T N S G C R E A S E S O
J I R A R L T V L L L J Q E G
A T P E T A L F O L D L A R B
S S V L E L O W O B J C A B A
U E Q P R L N K R L L V L V S
R A R H D F O L D E D E D G E
F R R H Q D L O F E T I K K D
A S A W F X T E N S I O N N R
C I L D L O F H S A U Q S G D
E C D L O F K O O B L T O D H
```

BOOK FOLD	KITE FOLD	SQUASH FOLD
CRANE	PETAL FOLD	SURFACE
CREASE	PLEAT	SWIVEL FOLD
DIAMOND BASE	RABBIT'S EAR	TENSION
DOG BASE	REVERSE FOLD	TWIST FOLDING
FOLDED EDGE	SINK	VALLEY FOLD

EUROPEAN MOUNTAIN RANGES

```
S P Q A U W I C K L O W Z I R
T M K H N L S B K D T H L S A
D G A R T R I L A A O M G E I
I R N S Y S H S R H Q O O D D
Z A S O P J E T E S T T I Z S
W M P I M L L T L N O A T T T
S P L Y R A A I I S I B T N U
U I A D L U M R D M K N T R X
D A C X E G A Y E Y O M N Q A
E N I R I P S T S N R L V E L
T S N O W D O N I A R R O E P
E E R P O Y T G R U E U S D S
S W A B I A N A L B I R G R Z
T I C A I R N G O R M S E A Z
P E L L Q D H K H S O Y S P X
```

CAIRNGORMS	KARELIDES	SWABIAN ALB
CARNIC ALPS	PENNINES	TATRA
DOLOMITES	PIRIN	TUX ALPS
GRAMPIANS	RILA	URNER ALPS
HARZ	SNOWDONIA	VOSGES
HOHE TAUERN	SUDETES	WICKLOW

ROLLER COASTER TYPES

```
N I T W E R C S K R O C I R Q
L S T K E A O P O W E R E D V
R U O N S S T A N D U P I N T
P S E I A B S H G E L X K W A
O P L A H O F P N D D L I E D
R E T R C O P I I L D S E E E
D N T R E M L F W N T I K A T
L D U E L E P L R E N C V A R
A E H T P R K O R J A I Q E E
C D S I E A T O V R C R N T V
I E P H E N P R T T E V M G N
T R I Y T G R L V K I I E R I
R J T R S L A E P V B N U W U
E U Q Z T U O S M Y P F F S W
V A D P D D F S F L Y I N G S
```

BOOMERANG	INVERTED	STEEPLECHASE
CORKSCREW	PIPELINE	SUSPENDED
DIVE	POWERED	TERRAIN
DUAL-TRACKED	SHUTTLE	TWISTER
FLOORLESS	SPINNING	VERTICAL DROP
FLYING	STAND-UP	WING

PROVINCES OF SPAIN

```
Y Z U U B G A T B Z K C M R R
O O R O U N I C P T G B A O J
R L T G R A N A D A I H L S N
C R G J G V D M E S R I A G O
T A I Z O A U C C G B G G U E
A Z R A S R L A R I O J A G J
T A O L C R Y C U E N C A W P
A R N I Q E S N E R U O I O G
U A A C A L B A C E T E A D A
A G S A K T R M N A A D H K Z
N O P N T O O A T E O C U H Y
P Z X T I U M L U P X R E L N
V A L E N C I A E T A V S S R
E F P W G U U S A D N L C M P
M O Z I J T E Z A M O R A T K
```

ALBACETE	GRANADA	OURENSE
ALICANTE	HUESCA	SALAMANCA
BISCAY	LA RIOJA	TOLEDO
BURGOS	MALAGA	VALENCIA
CUENCA	MURCIA	ZAMORA
GIRONA	NAVARRE	ZARAGOZA

AMERICAN HORROR STORY CHARACTERS

```
P T H E C O U N T E S S X F S
Q T I N F D S H T R H M T U D
B O K U E A I B D O E J U S O
X J A N P E S U U L L I S S N
D R I O O M T A X A B M P Z O
A C A D H M E E H N Y M A E V
N Z N G Y A R V A A M Y L D A
D B D N L I J A R W I D D O N
Y S E A R R U L H I L A I O U
M T R L E I D E Q N L R N G A
O A S E V M E I I T E L G A I
T N O T E G Q R J E R I I N E
T L N A B K I A R R K N V O O
T E R T W S L M C S A G M I E
A Y U R N E L S A M A R S F V
```

BEVERLY HOPE	JIMMY DARLING	SISTER JUDE
DANDY MOTT	KAI ANDERSON	SPALDING
DONOVAN	LANA WINTERS	STANLEY
ELSA MARS	MARIE LAVEAU	TATE LANGDON
FIONA GOODE	MIRIAM MEAD	THE COUNTESS
IRIS	SHELBY MILLER	VIVIEN HARMON

BRING TO LIGHT

```
T R R L A D E C L A R E R R W
D S S E F N O C I A T J S P P
I S T A P O I Z N P O T O W X
V H A K S O A Y F U Z J L S G
U U T T E R R R O B O L V B Q
L R E X R O C T R L R N K R Y
G J B L K J I N M I N S N O M
E X P L A I N O R S U K L A E
R A R K P L G T N H S R K D M
V C O M M U N I C A T E O C W
E S C P U I A F Q F K V Q A F
U D L P E S A Y M N Y E S S R
P C A D I S C L O S E A I T H
X L I V A B U W C W I L B R T
I S M A T E N A X Q Z R A L A
```

ANNOUNCE	DIVULGE	PROCLAIM
BROADCAST	EXPLAIN	PUBLISH
COMMUNICATE	INFORM	REPORT
CONFESS	LEAK	REVEAL
DECLARE	MAKE KNOWN	STATE
DISCLOSE	NOTIFY	UTTER

ENDOCRINE GLANDS

```
I  S  D  T  P  U  H  X  F  I  G  P  T  M  G
R  E  Y  S  U  N  B  C  I  A  C  C  I  O  S
P  B  T  R  L  I  E  B  E  R  K  U  H  N  S
D  A  M  E  I  B  O  M  I  A  N  P  A  T  O
T  C  B  N  R  X  R  U  D  K  I  R  U  G  L
R  E  D  N  A  E  I  A  Z  P  Z  I  U  O  F
D  O  Y  U  Z  R  P  A  R  O  T  I  D  M  A
T  U  S  R  L  S  U  O  N  I  M  U  R  E  C
S  S  U  B  M  A  N  D  I  B  U  L  A  R  T
L  E  E  A  G  S  G  B  F  Q  F  W  B  Y  O
L  F  S  U  D  O  R  I  P  A  R  O  U  S  R
O  E  I  U  U  O  H  E  N  L  E  S  E  N  Y
M  V  B  R  A  A  H  C  N  J  D  V  I  U  Y
L  P  Y  L  O  R  I  C  R  B  Z  A  P  E  R
T  Z  L  O  D  T  K  D  S  R  E  B  E  W  Z
```

BRUNNER'S	LIEBERKUHN'S	PYLORIC
CERUMINOUS	MEIBOMIAN	SEBACEOUS
CIACCIO'S	MOLL'S	SUBMANDIBULAR
EBNER'S	MONTGOMERY'S	SUDORIPAROUS
HENLE'S	OLFACTORY	WEBER'S
KRAUSE'S	PAROTID	ZEIS

DENTAL TREATMENTS

```
L A N A C T O O R B A Q D V K
M B R I D G E B U V B P E T S
R M M B G E X R A V U Q B E J
H S I L O P T A O L D N R M G
Z P B M P F R C P M W U I P N
S L N P I R A E I O T A D S I
L A T L L A C S R N Q A E C L
U T M K F T T C E K G D M A L
B U I X O R I D P N U G E L I
G I A M Q I O Z B R L O N I F
Y T Y E O T N A L P M I T N R
T R O O T P L A N I N G J G N
B L E A C H I N G V E N E E R
A M R R R E S T O R A T I O N
U G C L E A N I N G E G M Q K
```

BLEACHING	DENTURES	PULPECTOMY
BRACES	EXTRACTION	RESTORATION
BRIDGE	FILLING	ROOT CANAL
CLEANING	GUM LIFT	ROOT PLANING
CROWN	IMPLANT	SCALING
DEBRIDEMENT	POLISH	VENEER

WINTRY

```
G N Z L W O I N N P L K S T P
X R M P A H G U A K E D Q T I
R I R O S T T A L J R U B U S
K F R L Y R G C W K G R I C Y
R E S A U U L O S U F T T S R
J J B R U M A L H Y L L I H C
T X I E A S C D A N S A N R L
A L T D M P I E R C I N G O H
T P T I S F A C P Y E R O S Y
B L E A K R L U Q N B E T W N
W A R O C O A W Y O D B J H Y
N N N T B S F R E E Z I N G U
S O I S C T B B Z S H H L E S
O C K O E Y N D J G E U C E A
S T L I L R M C A H A R B U G
```

ARCTIC	COLD	ICY
BITING	FREEZING	PIERCING
BITTER	FROSTY	POLAR
BLEAK	GELID	RAW
BRUMAL	GLACIAL	SHARP
CHILLY	HIBERNAL	SNOWY

WORDS ENDING IN "FUL"

```
R  L  C  J  P  O  W  E  R  F  U  L  X  U  R
H  Z  S  A  R  Q  A  J  Q  O  U  I  B  S  S
A  E  D  A  R  T  F  U  L  R  U  Y  W  O  U
U  Z  D  U  S  E  F  U  L  G  S  R  H  C  G
L  G  T  T  L  U  F  S  S  E  C  C  U  S  L
R  E  Z  E  U  U  L  U  V  T  V  O  R  H  U
A  V  C  R  F  S  F  I  L  F  A  S  T  A  S
R  E  U  H  R  Q  Y  I  K  U  T  G  F  M  R
T  N  W  O  E  F  U  L  T  L  T  R  U  E  D
N  T  S  F  D  E  V  R  W  U  I  A  L  F  L
Q  F  U  C  N  T  R  I  H  K  A  T  M  U  B
A  U  I  W  O  L  U  F  E  C  A  E  P  L  I
S  L  L  A  W  F  U  L  U  L  T  F  B  B  D
O  W  F  A  I  T  H  F  U  L  E  U  S  U  N
S  N  B  X  D  O  U  B  T  F  U  L  S  Z  R
```

ARTFUL	FAITHFUL	POWERFUL
BEAUTIFUL	FORGETFUL	SHAMEFUL
CAREFUL	GRATEFUL	SUCCESSFUL
CHEERFUL	HURTFUL	USEFUL
DOUBTFUL	LAWFUL	WOEFUL
EVENTFUL	PEACEFUL	WONDERFUL

CHRISTMAS SONGS

```
C O S S L L E T I T S N O W T
O T D E C K T H E H A L L S U
T A A O Y B K I H R M U L Q L
T N E H B L S R N E T A Y F E
H N D O A U I M Z O S J E E O
G E U L B E L O X T I I K L N
I N J Y A C V T C E R N N I T
N B D N T H E H Y L H G O Z S
T A L I N R R E U T C L D N R
N U O G A I B R S S E E E A I
E M N H S S E M B I T B L V F
L M I T A T L A A M I E T I E
I T M D L M L R A P H L T D H
S A V B S A S Y K O W L I A T
S S M I A S R I V E R S L D I
```

BLUE CHRISTMAS	LET IT SNOW	RIVER
DECK THE HALLS	LITTLE DONKEY	SANTA BABY
FELIZ NAVIDAD	MISTLETOE	SILENT NIGHT
IN OLD JUDEA	MOTHER MARY	SILVER BELLS
JINGLE BELLS	O HOLY NIGHT	THE FIRST NOEL
LAST CHRISTMAS	O TANNENBAUM	WHITE CHRISTMAS

ENZYMES

```
N C N P A R V U L I N S H U H
R Q N I T R O G E N A S E R E
U R E A S E G S E S A T L A M
T K S F N P A I A S X L I H A
L O A Z I R E N N E T G C E I
T K N U T Z H M E A M M A L C
T E I H R E N A S K S R S A A
P F T H I A M I N A S E E S T
B Y I V L O B S B X L P H T T
A G H K A X T U W M U P E A D
C M C V S T E C M R O N I S O
G L R S E P A R A S E R N E R
T K V A M Y L A S E G T H P N
O L K F P E P S I N R S A T E
E L A C T A S E P O L T P B I
```

AMYLASE	MALTASE	RENNET
ARGINASE	NITRILASE	SEPARASE
CHITINASE	NITROGENASE	SUCRASE
ELASTASE	PARVULIN	THIAMINASE
HELICASE	PEPSIN	THROMBIN
LACTASE	PLASMEPSIN	UREASE

ALICE IN WONDERLAND

```
A F Q R D S E S U O M E H T U
G V E R E T T A H F A Y A V D
C F I R N O V E L I J R E A V
A A Z G R W R A O O U O S C T
M A I U A H M K H K D L U H O
O I O S I I P N O D I E O E D
C R Y E N T T D C Y N H M S O
K C C G E E T R T M A T R H D
T O O O N R E S P R I T O I E
U F A N T A S Y W O R L D R H
R P I L T B T H E E A G L E T
T E A U H B U X T H E D U C K
L L R P P I E R A H H C R A M
E E L O H T I B B A R K P T Z
S S E H C U D E H T B P I V S
```

CHESHIRE CAT	MARCH HARE	THE DUCHESS
DORMOUSE	MOCK TURTLE	THE DUCK
FANTASY WORLD	NOVEL	THE EAGLET
FLAMINGO	ODD CREATURES	THE LORY
HATTER	RABBIT HOLE	THE MOUSE
JOHN TENNIEL	THE DODO	WHITE RABBIT

WORD SEARCH 245

LADY GAGA SONGS

```
L E E C A F R E K O P L X B F
R J U S T D A N C E R C C A V
N U P I E B Y A R J S F S P P
A D O N C O N L P O L H T V S
T A A G N R G O L A I A P I D
T S P E A N A G K O A R V D O
A J A R M T E O N S D V U E W
H J P E O H S N P I R C E O H
N P A S R I I T O T H R E P A
A A R U D S D I M H V T L H T
M R A A A W N O H E P O Y O U
F T Z L B A A W E F S E F N W
J P Z P G Y U B H A L H L E A
Q O I P O A O O Q M B Z H E N
T P M A R R Y T H E N I G H T
```

ANYTHING GOES   FASHION   POKER FACE

APPLAUSE   JUDAS   SINGER

ARTPOP   JUST DANCE   TELEPHONE

BAD ROMANCE   MANHATTAN   THE FAME

BORN THIS WAY   MARRY THE NIGHT   VIDEO PHONE

DO WHAT U WANT   PAPARAZZI   YOU AND I

DUTCH CITIES

```
A H L U T S A P A C S A L S M
U S T S I E L G O E S N A J R
M A S V E O F B I U Z E Q A J
I U D E L F T N O U H P R T R
D S K E N O D O K K U M J H D
B H B R W H O L Y A L A T T D
H F X E O V R N U R S K A D U
O J E V E W D T T T A L U G
U Q E I W R R R H R E R M W N
U N I C R E E G O U D A E L V
A E R S C B C T R H U F L M A
U D R H N O H E N G E L O C G
L I T A M S T E R D A M S Y E
P E D P R P R R S Y T I P L Z
S L P T Y X R L M I P A W D P
```

ALMELO	EINDHOVEN	LEIDEN
AMSTERDAM	GOES	THORN
ASSEN	GOUDA	TIEL
DELFT	HENGELO	UTRECHT
DOKKUM	HULST	VEERE
DORDRECHT	KAMPEN	WORKUM

DANIELLE STEEL BOOKS

```
E V A J O S M R O Z Y D D A D
V O Q P M R L V O S Q L G A G
S Y W A G T A C F L A D H L Y
E F A M I L Y T I E S X M I A
T U N E E S K R N W B L J T R
H A D V B L M K E E I O Q V I
E C E U E H C Y T J G V P A S
R C R B S M Z R H F G I Q I R
I I L H T C O S I E I N D O E
N D U S E R Y H N C R G J P F
G E S T M R A H G T L S E T C
B N T A T D B E S N T L L H S
S T E R C E S Z H K I W U U T
J D R N P A L O M I N O Q F V
R P V T H C R O S S I N G S F
```

ACCIDENT	FULL CIRCLE	SECRETS
BIG GIRL	GOING HOME	STAR
CROSSINGS	HEARTBEAT	THE GIFT
DADDY	JEWELS	THE RING
FAMILY TIES	LOVING	WANDERLUST
FINE THINGS	PALOMINO	ZOYA

MUSCLES OF THE BODY

```
C H T D U S T A P E D I U S S
A A V W K L U M B R I C A L S
N Z S U N R E T X E O T I R P
C R E M A S T E R W N L N P K
O O S A T X U M T R E L A E R
N F E U O H O P L A T Y S M A
E R R P I W Y O I E Y B A T L
U O O A A V S R G N R N L P O
S N T E E U A A O T A I I A D
G T A A E L A L E H L T S L E
L A T J E S C I C U Y L O Q L
F L O Q D B U S K B S O I R T
C I R T S A G I D F U F I M O
R S U I Z E P A R T U S T D I
G S D L T D S I L A T N E M D
```

ANCONEUS	FRONTALIS	STAPEDIUS
ARYTENOID	LUMBRICAL	SUBCLAVIUS
CREMASTER	MENTALIS	SUPINATOR
DELTOID	NASALIS	TEMPORALIS
DIGASTRIC	PLATYSMA	THYROHYOID
EXTERNUS	ROTATORES	TRAPEZIUS

US NATIONAL FORESTS

```
A W F E T X N Z L R M Y N R A
X N W U C C I B O L A X I T Y
N K G E E N O A S U B T T B R
A O A E S E E C I T U I A A R
Z A S I L A K S O I L E L T H
J K V R B E N O S N U A L A O
J S E A A A S T R A I E A R O
F A M S L C B I A E L N G A S
W R E K A L H S I F H K O N I
G B O A L I Y A Z T E C R G E
E E S A B I N E L A O F T E R
E N B C R E S O T H W T J L R
K T K N L I I L C C G R I I R
I S P E W J E O B H B R S N R
P R H V E D W O S C Q R Y A Z
```

ANGELES	DELTA	LASSEN
ANGELINA	FISHLAKE	NEBRASKA
CARSON	GALLATIN	OCHOCO
CHEROKEE	HELENA	PIKE
CIBOLA	HOOSIER	SABINE
COCONINO	KAIBAB	SANTA FE

AROUND PERU

```
U  N  V  C  U  S  C  O  R  N  I  Y  P  W  I
O  P  C  H  I  M  B  O  T  E  C  S  G  X  P
K  R  A  E  Q  L  I  L  H  H  D  F  A  R  R
S  L  E  P  U  T  I  L  S  C  S  Z  J  S  Q
C  E  O  E  I  D  Z  I  U  L  U  W  I  O  E
S  L  F  N  T  P  R  J  L  I  J  C  S  T  D
O  R  A  G  O  I  L  U  L  M  U  K  A  H  H
Y  P  N  R  S  P  E  R  A  A  O  L  C  Y  U
F  Y  C  P  A  T  O  T  N  U  A  A  A  N  A
H  U  A  I  T  U  S  I  A  R  A  I  I  T  C
P  W  T  K  J  T  H  U  A  R  A  Z  L  L  H
I  A  R  T  I  S  N  M  M  R  I  O  U  S  O
R  E  S  A  V  E  R  T  R  E  U  F  J  U  L
T  S  F  Y  S  T  P  T  A  T  N  I  P  U  T
T  A  S  E  O  K  Y  E  T  S  R  H  P  W  J
```

AYACUCHO	HUARAZ	SICUANI
CHEPEN	IQUITOS	SULLANA
CHIMBOTE	JULIACA	TACNA
CUSCO	LIMA	TALARA
HUACHO	PAITA	TARMA
HUARAL	PIURA	TRUJILLO

CANADIAN CELEBRITIES

```
F H I N I N A D O B R E V O C
Y A C T R R T J R I L U J S U
T V E J R S D U Y E O G A A S
S R L I T H R S A L D E S Z M
M I I M G A A T N L A N O M A
J L N C N N K I R E T I N B D
M L E A I I E N E N R E P R A
I A D R L A Z B Y P U B R Y C
K V I R S T H I N A F O I A M
E I O E O W A E O G Y U E N L
M G N Y G A O B L E L C S A E
Y N R F N I P E D F L H T D H
E E U Q A N P R S K E A L A C
R K R I Y R R R J R N R E M A
S E T H R O G E N X D D Y S R
```

AVRIL LAVIGNE	JASON PRIESTLEY	RACHEL MCADAMS
BRYAN ADAMS	JIM CARREY	RYAN GOSLING
CELINE DION	JUSTIN BIEBER	RYAN REYNOLDS
DRAKE	MIKE MYERS	SETH ROGEN
ELLEN PAGE	NELLY FURTADO	SHANIA TWAIN
EUGENIE BOUCHARD	NINA DOBREV	TRICIA HELFER

CURRENCIES

```
R I E J K O R U N A Z X O C E
K A N U K P P E S O A U E J S
I P N F O R U E D L H F A A T
S O E I F Z Z L X L E K G A E
V U D O D O L L A R I X K H M
O N I U Q N I R O L F U H U T
B D O K C A T P I Y Q A G P G
E F D H M S S I Z Z P Z X O S
N P R T U A E G S J P D P E S
D O A A Z N A W K H L A O N E
R U M I N X I K C U A F S T P
S T A K A C L E E O L T L P G
R R U Z U A B T S T D S O K W
P G Y O Y N T O H R P L W P T
F M R L Q A G B D N H T P H L
```

AUSTRAL	FLORIN	LEK
DINAR	FRANC	PESO
DOLLAR	GUILDER	POUND
DRAM	KORUNA	PULA
ESCUDO	KUNA	TAKA
EURO	KWANZA	YUAN

ARIANA GRANDE SONGS

```
E H C B A A N I Y S E D B L U
J S R O H Y M G N A B G N A B
H L O Q N Z R S K R O N A I P
R A A L U E S T I I A O R B U
H B N S C R L S Y G S S E R Y
A O A D U O E A G H P C K E H
N Y G T S T O U S T W A A A B
Z Z P I T O I T S T N L T K S
Q I V V V H N W D H T L S F C
P C R B C E P M H E H I I R N
I N E A Y R I J E R E D M E Q
C F N B A O M T I E W A T E Z
N F Y E V F O C U S A C S A Q
L F B M E L B O R P Y T E D M
B R H A K M B E M Y B A B Y E
```

BABY I	FOCUS	PROBLEM
BANG BANG	GIVE IT UP	RIGHT THERE
BE MY BABY	HANDS ON ME	THE WAY
BEST MISTAKE	L.A. BOYZ	TOO CLOSE
BREAK FREE	ONE LAST TIME	WHY TRY
CADILLAC SONG	PIANO	ZERO TO HERO

SORROWFUL

```
U D C C M M R D O W N C A S T
A E X C L N P N F O R L O R N
W S D Z R E G R E T F U L I E
U O Y A M E L A N C H O L Y D
D L E A A R S H S X I U B H N
E A L B W R E T C H E D D I O
T T B I E G L U F N R U O M P
C E A E O G U N H A P P Y I S
E G R I N C O N S O L A B L E
J W E R D R B N V M U L G P D
E U S D O W N H E A R T E D E
D A I R D O L E F U L T Y N Q
D L M P V L L D S R T S R D M
B L R J L D R Y F A W S K G S
E X C L A M U O R X L B M T G
```

CRESTFALLEN	DOWNHEARTED	MOURNFUL
DEJECTED	FORLORN	REGRETFUL
DESOLATE	GLUM	SAD
DESPONDENT	INCONSOLABLE	UNHAPPY
DOLEFUL	MELANCHOLY	WOEBEGONE
DOWNCAST	MISERABLE	WRETCHED

WORD SEARCH 255

THE LORD OF THE RINGS

```
S  S  R  Y  S  B  B  T  P  M  L  R  G  S  U
Y  O  A  P  P  Q  Z  T  P  B  I  S  D  V  J
F  S  N  H  E  L  V  E  S  E  T  I  P  S  E
T  O  Z  J  A  G  O  A  F  N  T  T  Y  A  F
P  R  B  S  I  Y  O  G  T  D  R  A  Y  U  B
A  A  Q  L  M  W  A  L  B  O  G  I  A  H  U
R  H  S  H  I  R  E  E  L  R  L  N  Z  U  L
D  G  T  Z  W  B  C  L  T  U  A  G  H  H  K
B  N  A  H  O  B  B  I  T  W  M  O  E  S  E
I  R  I  N  Z  C  S  S  O  N  D  N  Q  Q  X
D  O  P  I  D  A  R  K  L  O  R  D  E  R  D
C  E  L  L  W  A  T  O  K  G  I  O  E  U  I
S  Q  E  B  A  O  L  P  I  A  N  R  U  E  G
W  A  E  O  R  M  A  F  E  R  G  L  T  B  E
T  I  U  G  F  X  L  S  N  D  T  T  T  D  B
```

BILBO	ENDOR	HOBBIT
DARK LORD	GANDALF	ORC
DRAGON	GLAMDRING	SHIRE
DWARF	GOBLIN	TOLKIEN
EAGLE	GOLLUM	TROLL
ELVES	GONDOR	WIZARD

US RYDER CUP GOLFERS

```
U S U O R T S S U A R W A R R
Q T S R A E V I A H G U S R Y
F R Y U H T R U M A H A N T P
T I X V C Y E E S P I N O S A
P S N I U X K A K A S M N A L
S F O A K P E O K C P O V L N
U U L P U O D R N D I O N L I
R R H O L M E S O V E R T O N
B Y Q L Y I N D S R T E T K O
J K T C R D S O T H H P A S A
X O O D R E X O A T Z L H S A
S T M E E U I W W A J I A M U
A N E T P W D J R Y A X M R T
U D U M E E A A A Y W L P U R
E E L I O T G V K S W R E T Y
```

ESPINOSA	KUCHAR	SIMPSON
FINAU	MAHAN	SNEDEKER
FLOYD	MOORE	SPIETH
FURYK	OVERTON	STRICKER
HOLMES	PERRY	WATSON
KOEPKA	REED	WOODS

TYPES OF PASTA

```
A E S R R I B B O N S O C A A
G I N L L E A R S P C T O T K
I I P I L V R V A F T S B A U
E Y E V O E Y G K V W N I E N
S O U L T V H V T A I L G I G
N R F A S E S S O B S O V L F
X Z U N T R C O R Y T Q L G A
U U S T A M A N T T S I Z I D
U R I E R I V O E Z L N A H G
O D L R S C A O L P Q O R C M
Q B L N P E T D L Q Z C L N E
I A I E L L E L I K O A I O Y
P M N L E L L E N A P M A C V
X N U O V I L S I I S U B Y T
E F E D E L I N I U Y L V L E
```

CAMPANELLE	LANTERNE	SHELLS
CAVATELLI	LUMACONI	SPAGHETTI
CONCHIGLIE	NOODLES	STARS
FEDELINI	PENNE	TORTELLINI
FUSILLI	RAVIOLI	TWISTS
GIGLI	RIBBONS	VERMICELLI

"L" NAMES

```
S G S P L G I L I V A F A V E
G R J R V E R Q S C S L N J K
L E Q V T L I L S L A O T Q A
H A L O L L D G J C L U R U R
I R N O D S V V H U F I A E S
Q H A D R R L L U C A S T J T
T V I Y O L A U R E N E T L I
L H A O U N R N P K B Y N E A
U E D L Z R L O U R D E S K
C C E L Y U Y Y K E T G J L A
O F T C N L I N C O L N O I H
S B L E W I S E A R E G A E Y
S R A F T N I P U J A L I E L
M R U O T U K K A N O L O S O
I E L A R S I J U A Z T D C P
```

LACHLAN	LEILA	LLOYD
LANDON	LEONARD	LOGAN
LARRY	LESLIE	LOLA
LARS	LEWIS	LOUISE
LAUREN	LINCOLN	LOURDES
LEIGH	LINUS	LUCAS

WORD SEARCH 259

US VICE PRESIDENTS

```
O Q F R N B A A V J E M A C O
S R I X K P Q R P T X S G H R
S A T I U C E Z R N N U R A Q
I G H A M L I N A D X U E R E
Y N K E Y I G P C S A A U F A
E E I T J N B I D E N P R R O
J W N K K T L Z K L A T F A E
R C G E W O D T V T M A U O P
S O J O H N S O N S B K A P I
S L O T E C O M K U U K S R U
D F Y V E Z R L A P R I L A O
B A R K L E Y W H D R O F R E
L X R G E L Y A U Q A V D C E
R Z E E R O G A L L E A E U I
A A G T V V A G U A P L L T P
```

ADAMS	CLINTON	JOHNSON
AGNEW	COLFAX	KING
BARKLEY	FORD	PENCE
BIDEN	GERRY	QUAYLE
BURR	GORE	TYLER
CHENEY	HAMLIN	WHEELER

LONDON BRIDGES

```
J  I  R  L  A  G  L  J  L  F  I  I  B  Q  F
E  H  A  L  O  C  R  O  F  T  B  A  L  O  B
L  O  K  I  N  G  S  T  O  N  T  E  V  P  C
I  O  V  A  U  X  H  A  L  L  L  S  D  Q  Q
N  Y  N  L  E  I  V  G  K  E  R  R  A  P  C
P  K  N  D  O  R  X  A  R  D  X  E  I  T  H
R  U  E  N  O  O  O  E  A  R  S  T  T  J  I
T  I  P  W  A  N  D  S  W  O  R  T  H  A  S
S  T  C  M  U  E  Z  L  H  F  D  A  E  Y  W
U  M  Y  H  A  V  S  E  T  R  G  B  N  D  I
S  E  R  S  M  S  B  H  U  E  N  R  L  X  C
X  C  E  Y  E  O  Z  C  O  G  T  P  E  L  K
R  F  W  B  A  R  N  E  S  N  P  R  Y  I  A
N  Q  O  I  O  G  T  D  P  U  T  N  E  Y  F
X  S  T  W  I  C  K  E  N  H  A  M  I  Y  T
```

BARNES	HUNGERFORD	SOUTHWARK
BATTERSEA	KEW	TOWER
CHELSEA	KINGSTON	TWICKENHAM
CHISWICK	LONDON	VAUXHALL
GROSVENOR	PUTNEY	WANDSWORTH
HENLEY	RICHMOND	WATERLOO

"J" WORDS

```
Y V L E L G Z X D Z C N S A F
V R I E F J W C A A P A U H C
R C L M Y A I N U T I D E O P
J E S T E R M G X Y L U W R G
G I G D K G L U S P P L N B S
J N H G C O N O T A P J T R R
D I V S O N K S Z Q W I M W E
P L J A J J A C U Z Z I G P H
J E A L O U S Y J U I C E R R
A V Z X A N V U A I I V O E W
G A Z U U C S O A C G T R J T
U J I E L T S O J M G G R E K
A C E A I I T Z A K U J L W P
R T R C J O Y F U L R E H E A
I P E J A N U A R Y Y A Z L Z
```

JACUZZI	JEALOUSY	JOGGER
JAGUAR	JESTER	JOSTLE
JANUARY	JEWEL	JOYFUL
JARGON	JIGGLE	JUICE
JAVELIN	JIGSAW	JUNCTION
JAZZIER	JOCKEY	JUSTICE

HORSE BREEDS

```
R E G R E B I E R F I A H E A
W E D A U D N F L Y Y O T U H
F Y G G S O E H A C K N E Y O
C A R R P O N E C I L A G N E
A K U E U L O F L M J I A A T
M U B D S B A L O S S G O Z U
P T N N D M N E A P R I F Z V
E I E A K R X E N K J D S I V
I A D L I A E B L U L R T P X
R N L E N W N P R K S A R I S
O X O N S H O T M B C B W L A
I N U I K C K A S A S E R F P
P P F H Y T O A L T A I M U H
U R X R J U T L A N D L S T R
J M K M S D A R P O S A V A C
```

ALTAI	HACKNEY	OLDENBURG
BARDIGIANO	JUTLAND	POSAVAC
CAMPEIRO	KINSKY	RHINELANDER
DUTCH WARMBLOOD	LIPIZZAN	VLAAMPERD
FREIBERGER	MECKLENBURGER	WALKALOOSA
GALICENO	NOKOTA	YAKUTIAN

GLENN CLOSE MOVIES

```
N O A U A C N K S G T K A S M
T G B S E V I L E N I N W A S
E T H E B I G C H I L L X V I
S N A Q G B H S T H G I E H L
U W O E T R O U X C E O I P U
O O M E E T I N G V E N U S V
H D A M C A M T T T Q E K A T
D W M S R R J T A R Z A N T H
E O L P E U O Y Q D E C R E E
K L T H E W I F E Y U B R L P
O T H E N A T U R A L P L M A
O P Q D A O R E S I D A R A P
R H Y L L I E R Y R A M H H E
C O H E V E N I N G T R F G R
Q N J A G G E D E D G E O R Y
```

AIR FORCE ONE	JAGGED EDGE	PARADISE ROAD
ALBERT NOBBS	LOW DOWN	TARZAN
CROOKED HOUSE	MARY REILLY	THE BIG CHILL
EVENING	MAXIE	THE NATURAL
HAMLET	MEETING VENUS	THE PAPER
HEIGHTS	NINE LIVES	THE WIFE

ISLANDS OF MINNESOTA

```
C L P F S V B S U O Q T K Q T
E F Q D D C A M P E R S R C W
P I N R S B A R R E T T E C G
S A M J P N J T P O B H T A E
N E I P I K E E J N A T M U T
B E M T Y W R I C H L P R U H
A E O E G N I R E E D U Z V D
L U Z L A E P R A N W S P L L
Y G A L E S P A G N I S I A C
U K A O U O L H L E N P R A S
P T E C X O E S E P B V U Q N
L R N I T G R E A I T A W A Q
B A A N D E R S O N S A B T J
T P R E A B P A A C X U A A U
I S C R B Y U L U U A H I O I
```

ANDERSON	CRANE	HENNEPIN
BABE	DEERING	MANITOU
BALDWIN	EAGLE	NICOLLET
BARRETT	GALE'S	OAK
BEAR	GOOSE	PIKE
CAMPERS	HARRIET	RIPPLE

WORDS ENDING IN "ED"

```
T F T D I M D E H S Q A A E C
R X G J U O E E X A C T E D T
R L S R N C H G T P A I R E D
T P U N I S C E R S A D M M W
I A E U N Q A J O K E D E U R
E E D U C A T E D D F R I S X
D L C O L S T O P P E D R S U
E R H H I L A O G J E R D A I
H P R I N T E D A P G Z I I V
X P Y D E F F O C S Y G D W A
F K L E D E E W U W J B C N Y
X R Y F W F J S W S I A G V R
R Z B V E A M R F C Y W I S F
T R Q C W H V R A T A Z A O T
M G U O M I X A N G G U O C A
```

ARRESTED	JOKED	STOPPED
ASSUMED	NEED	SUED
ATTACHED	PAIRED	TIED
EDUCATED	PRINTED	USED
EXACTED	SCOFFED	WEED
INCLINED	SHED	WIRED

SHAPES

```
P C V E F O P T E K O O H T H
S Z H E P T A G O N J T H E N
L D I R E P R H P R N S X Y U
A K N A K I A O P E C A A A I
R E E U S U L V C M G I U U N
E A U Q S Y L S N O N A G O N
T J T S G O E L N A E S I U K
A S T O R R L L O O L H S R D
L N N U C H O U G I G E B C E
I A R U Q O G M A N N A W I C
R X V W U M R V T R A R T R A
D G Q O U B A M N K I T E C G
A R T E R U M L E T R T C L O
U N Z T L S F P P T T C I E N
Q K R S V E I T G P N J X R R
```

CIRCLE	KITE	POLYGON
CRESCENT	NONAGON	QUADRILATERAL
DECAGON	OCTAGON	RECTANGLE
HEART	OVAL	RHOMBUS
HEPTAGON	PARALLELOGRAM	SQUARE
HEXAGON	PENTAGON	TRIANGLE

POPES

```
S M S R S U T X I S V V A U T
T C A I U S N L T P M N L I Y
E R R L S Y E M E C T K J E A
M P F P A R M T L O D O T D E
T F R T M L E V G K H S R Q Y
T E A Q A R L C P N P I U S Z
B E N E D I C T T S A W N O I
A R C I N N O C E N T B Q U B
Y M I G T R A I O K V A R X R
Y I S J Y S U I R O N O H U T
R F T L Z X E C A F I N O B S
A K S A C A L L I X T U S Z L
R U M U P D G R E G O R Y E G
T N T S R Y S W Q C E A U Q W
S A O O F X T R O D W S P D P
```

ADRIAN	CLEMENT	JOHN
BENEDICT	DAMASUS	LEO
BONIFACE	FRANCIS	PETER
CAIUS	GREGORY	PIUS
CALLIXTUS	HONORIUS	SIXTUS
CELESTINE	INNOCENT	URBAN

PARTS OF A DOG

```
E  E  B  E  S  W  F  E  I  P  U  W  X  Q  M
T  P  T  H  R  O  S  L  E  S  T  C  H  A  J
A  O  B  C  H  E  E  K  U  W  A  K  L  I  O
B  C  E  S  O  B  U  U  R  E  O  K  U  T  C
G  Q  E  R  C  A  R  W  G  Y  T  L  A  R  F
D  A  L  P  K  E  V  I  S  N  F  H  F  U  O
L  O  A  L  M  T  C  T  S  N  O  S  E  U  N
S  P  R  Z  S  U  A  H  R  K  R  T  P  R  T
B  K  U  S  T  Z  R  E  C  H  E  S  T  O  U
J  P  G  R  O  U  P  R  V  R  A  T  N  E  I
R  L  I  E  P  P  A  S  T  E  R  N  V  D  O
Z  U  M  U  Z  Z  L  E  K  L  M  E  W  U  B
Z  Z  K  A  O  L  S  G  M  B  I  P  L  T  R
I  M  S  N  I  T  G  Y  B  O  P  A  D  S  N
F  A  R  P  P  U  X  P  U  W  E  N  T  V  W
```

BRISKET	GROUP	PASTERN
CARPALS	HOCK	RUMP
CHEEK	MUZZLE	STOP
CHEST	NAPE	TAIL
ELBOW	NOSE	TONGUE
FOREARM	PADS	WITHERS

PRINCE SONGS

```
I  E  A  E  A  P  A  I  O  A  H  Z  U  N  L
X  H  K  G  V  U  E  P  A  T  C  C  P  S  B
E  Z  A  P  R  M  O  U  N  T  A  I  N  S  E
A  B  A  T  D  A  N  C  E  G  E  N  E  S  Z
T  L  Y  A  E  F  I  L  P  O  P  N  T  U  Y
J  E  Z  Z  P  U  R  P  L  E  R  A  I  N  T
N  E  G  L  A  M  S  L  A  M  G  M  I  W  I
A  N  C  F  C  R  E  A  M  A  G  O  N  S  C
M  R  L  R  B  P  C  S  T  R  P  N  L  W  X
Y  D  E  L  I  R  I  O  U  S  V  G  R  D  G
T  J  U  L  E  T  I  T  G  O  K  I  S  S  E
R  W  H  E  N  D  O  V  E  S  C  R  Y  U  S
A  V  V  T  T  E  R  M  S  S  T  L  P  Q  S
P  I  N  K  C  A  S  H  M  E  R  E  J  S  P
R  S  F  T  I  N  S  A  T  I  A  B  L  E  E
```

BATDANCE	I HATE U	PARTYMAN
CINNAMON GIRL	INSATIABLE	PEACH
CREAM	KISS	PINK CASHMERE
DELIRIOUS	LET'S GO CRAZY	POP LIFE
GLAM SLAM	LETITGO	PURPLE RAIN
GOLD	MOUNTAINS	WHEN DOVES CRY

CHARLES DICKENS CHARACTERS

```
S E T A B Y E L R A H C N P W
R E L L E W Y N O T P H A U S
S B S A T I H C T A R C B O B
Y N P R E G D O D L U F T R A
D B E T S Y Q U I L P R A R D
N L E Z S E K I S L L I B S O
E L H C T I W G A M L E B A O
Y E H O N H W T S O B R R N R
C N A D S I Z T O R O Y S O D
A E I A X N G M R O D O I L N
R L R T Y C N A N E T C L S I
T T U N L O I P F M V S F L W
O T O L P L I U Q L E I N A D
N I R E B M A B K C A J L L E
V L J A C O B M A R L E Y O I
```

ABEL MAGWITCH	DANIEL QUILP	NANCY
ARTFUL DODGER	EDWIN DROOD	OLIVER TWIST
BETSY QUILP	FAGIN	SYDNEY CARTON
BILL SIKES	JACK BAMBER	TONY WELLER
BOB CRATCHIT	JACOB MARLEY	TOOTS
CHARLEY BATES	LITTLE NELL	URIAH HEEP

BRAZILIAN CITIES

```
J Z L P T K Q K M A C O T O O
H I C P L O S F T S V A A H V
R U A N N L C U A E S R C O K
A A N O D I A D E M A V U T M
P O I W E N M V R J J G O L A
L S S L F D P S A T O L E P N
A A E J I A I S O R O C A B A
T S R O C S N C S N L C L N U
S C E P E D A U D Y L A V N S
A O T A R W S R O D A V L A S
R R T C A S I I B O S C O T E
R B A N U R T G F Z N S A R
Z K P A A G L I W A A V D L R
E T E R M S H B R C T S B I A
A S J F P N T A E J L R R T W
```

BRASILIA	LONDRINA	RECIFE
CAMPINAS	MANAUS	SALVADOR
CANOAS	NATAL	SANTOS
CURITIBA	OLINDA	SERRA
DIADEMA	OSASCO	SOROCABA
FRANCA	PELOTAS	TERESINA

"DEF" WORDS

```
U R L S E L B I S N E F E D T
E T S C V E H D X D I B Y E S
A N U O I K X E D E F Y Z F Z
S A O U T J U F E F R U F E A
A I T O I T N I F A W L G A W
R F C C N A L C I M T D B T A
Q E E E I I D I N A M E S I L
D D F D F D P E I T L F T S D
S D E F E R E N T I A L O M T
O D D F D F O T I O D A A V L
K R T Y O A R O O N E T A D U
E L X T T R P A N P F I D V A
Y S A T L Z E V U G U O T O F
S T D E F R O S T D S N V H E
S S U E O Q U S T C E L F E D
```

DEFAMATION	DEFIANT	DEFOREST
DEFAULT	DEFICIENT	DEFRAUD
DEFEATISM	DEFINITION	DEFROST
DEFECT	DEFINITIVE	DEFTLY
DEFENSIBLE	DEFLATION	DEFUSE
DEFERENTIAL	DEFLECT	DEFY

LEADERS

```
V T I O C K H T A Y S O Z B O
R P G Z O I V T M D M K A W O
R Y T Q N N L P R M S Y R O L
N R L L T G A A V T I C O V E
U E E U R Z O P P B H F T E F
M L I M O L R V R I A M C R T
B A E I L Q U E E N C E E S E
E R S N L M A F S R T N R E E
R E D A E L G N I R N T I E A
O N A R R C N V D J Q O D R Z
N E E Y D R U L E R N R R T P
E G H V N R E D N A M M O C M
O P G G I C A P T A I N T R B
G O S E E L P G C O E E B I R
R R Q W E P G R S J K W X C O
```

CAPTAIN	GOVERNOR	OVERSEER
CHIEF	HEAD	PRESIDENT
COMMANDER	KING	PRINCIPAL
CONTROLLER	LUMINARY	QUEEN
DIRECTOR	MENTOR	RINGLEADER
GENERAL	NUMBER ONE	RULER

STARS

```
A H L V I X U I S Z O L S A B
V S Y B Q S R X N S R J P A A
W S U N E P I S N A B P R B R
E J G R A N R E H C A R S N R
P O L L U X E E B W V O I H T
I C K W L T R D E E R S R L O
A L L E P A C P A L T A I R S
A A I D C N U R E G U L U S R
H R T T O T L O A S E L S U X
M I M O S A R C I R H V A P R
F G T T P R T Y E B A Y D O G
F E B L I E T O Y N D H W N S
Q L A D C S Y N S H A U L A O
B P P M A A X P R T R V Z C A
R R M L P R B A I A F T I E P
```

ACHERNAR	DENEB	RIGEL
ALTAIR	HADAR	SHAULA
ANTARES	MIMOSA	SIRIUS
ARCTURUS	POLLUX	SPICA
CANOPUS	PROCYON	SUN
CAPELLA	REGULUS	VEGA

BATTLES OF WORLD WAR I

```
K X M R I H A O I K R X S Z I
E I S S U R I C I U M M H Y L
C K T T O P X A T I E K U R D
I T F R R O R P V X A U F P C
H A E G E I L O K C G U E F L
H Q W S H B K R M F W M A D K
I R Y Z I K U E O R U E I L E
D A S A P P T T N O K S S I U
A H R O B U H T S M Q S O B P
M S S B S A L O N E P I N E S
A D A R M H L U N L F N Z B R
R T A N G A K V A L O E O O N
L O B I E N C A U E T S S R R
S S S B V Q T H E S O M M E L
E M E G I D D O X T U T U H E
```

CAMBRAI	KUT	MONS
CAPORETTO	LIEGE	RAMADI
CTESIPHON	LONE PINE	SHARQAT
FESTUBERT	LOOS	SUVLA BAY
FROMELLES	MEGIDDO	TANGA
ISONZO	MESSINES	THE SOMME

"S" SHAKESPEAREAN CHARACTERS

```
K T I E X G L X R T U U S L T
R N O T Y E S S T S T C A O W
O I H G O S W A S U N I L O S
S I L V I U S M R I Q U E E D
E H L D N C T P T L D R R T E
Y R Z S A A G S G I M S I S M
W R A R L R O O D S A L O A R
A H M N O Y N N L L Z U E T R
R D R T S S E B A S T I A N K
D X N A V K F R I H Y H S E U
A A A I V L I S W A P M U I L
K X Y T I N R E T S O E R R E
S C R O O P L Q S T R A T O M
L R G S A L S E L E U C U S A
F C S M L O N J T A I O L I S
```

SALARINO	SEYTON	SOLANIO
SALERIO	SEYWARD	SOLINUS
SAMPSON	SILIUS	SOUTHWELL
SCROOP	SILVIA	STEPHANO
SEBASTIAN	SILVIUS	STRATO
SELEUCUS	SNARE	SYRACUSE

MOTHS

```
F L E R R F O R E S T E R E N
P S N T F I W S D L O G A H O
J R I F A Z Y T L G I S B O O
K E M I X N C O A S T D A R T
A W R W Q A G R P S X Y N N S
G H E S X S Z L P R M U N E E
C T F E E A G A E B O M I T F
G O F G U Y R H T S C A C M E
J M U N P I T K O O H K A O N
U H B A P Z H I A S A A J T F
P C O R S H L U G D T G D H V
B R F O X M O T H E R M T E S
N A M T O O F Y S O R X O H S
V M B R Q A S A N D D A R T L
X O K J C T O S C R S A U M H
```

ANGLE SHADES	FOX MOTH	MARCH MOTH
BUFF ERMINE	GHOST MOTH	MOCHA
CINNABAR	GOLD SWIFT	OAK HOOK-TIP
COAST DART	HORNET MOTH	ORANGE SWIFT
FESTOON	JERSEY TIGER	ROSY FOOTMAN
FORESTER	LAPPET	SAND DART

PROVINCES OF CHINA

```
K L O U O P A O H Y A A S R T
W S F W S N S H A N X I I F D
G A G S H E U R I Q G X U H S
I H U U L I A O N I N G O S X
L T I S I C H U A N A N U P A
S R I G X Z S P N G I A R T F
X R G N N Y H A A H J I L I N
A T R A A U E O D A E J U J A
F U J I A N H L U I H U S S T
B O P J H N O U R U Z R B P A
K K D U S A S I I E B U H T S
U Z T X E N A N E H V L I S T
Z A R A A F S R B A U Z V H S
Y K T G T S E T E A E T A T E
Q H C Z E U F H H U O O T O E
```

ANHUI	HENAN	QINGHAI
FUJIAN	HUBEI	SHAANXI
GANSU	JIANGSU	SHANXI
GUIZHOU	JIANGXI	SICHUAN
HAINAN	JILIN	YUNNAN
HEBEI	LIAONING	ZHEJIANG

OPERAS

```
X M N N R U R J C T A S B P A
S G T P H S E I L S L F G G U
E T N A D O I R A E C O P V L
I T U R A N D O T M I T A I N
X R L O H E N G R I N D G H S
P A R S I F A L A R A O L T P
O R D O N G I O V A N N I D S
I T I N U E A T I M D P A T V
L S T H I I M Y A I D A C Y P
E P O E O L A R T D P S C Z Y
D J S X L I E B A E L Q I Y D
I L C W A O E D P C E U W B L
F G A T U X G E O D L A N I R
O L A J J D D I D R O L N R W
D T L E L E S T R O Y E N S H
```

AIDA	FIDELIO	RIGOLETTO
ALCINA	LA TRAVIATA	RINALDO
ARIODANTE	LES TROYENS	RODELINDA
CARMEN	LOHENGRIN	SEMIRAMIDE
DON GIOVANNI	PAGLIACCI	TOSCA
DON PASQUALE	PARSIFAL	TURANDOT

ANDEAN MOUNTAINS

```
E F P E O R L H H U A N D O Y
P A X U O L J X R T L R R R A
R W M B O N I M A L A U R H T
T R D S S R Q S I M M D C U N
U S S I M O E Q A C S U H A A
P C L U A S P D T U R N O N C
U H O L N A A P A I H D P T L
N I S A C N L O C L C A I S A
G N P G O T C I O L E B C A S
A C A R H A A L N I P V A N R
T H T A U C R L C M K O L S I
O E O N M R A A A A S R Q E L
J Y S D A U J M G N T P U S D
T X I E M Z U P U I E S I K O
E T A G N A S U A B U V H A D
```

ACONCAGUA	HUANDOY	PALCARAJU
ANCOHUMA	HUANTSAN	RAMADA NORTE
AUSANGATE	ILLAMPU	SALCANTAY
CHINCHEY	ILLIMANI	SANTA CRUZ
CHOPICALQUI	INCAHUASI	SIULA GRANDE
DEL VELADERO	LOS PATOS	TUPUNGATO

COUNTIES OF ENGLAND

```
Y Z S R R T B E R K S H I R E
R O V L H E W R Y E U C M X R
K E N T A G R P K R R O E V I
L P J X M N R I P I R R R P H
O A V W P D C I H H E N S L S
F O E S S E X A T S Y W E U D
F N T O H V N L S E T A Y S R
U R E W I O J C Q H R L S S O
S E S D R N R B L C I L I K F
U E R F E U V Y N A X R D W T
G Y O V T Y N E A N D W E A R
P L D L O X F O R D S H I R E
K U A E F P S P Y M R A Q W H
I N N E P A S A E L I P S I O
D A R U M G Y W T T A Q J B R
```

BERKSHIRE	HAMPSHIRE	OXFORDSHIRE
CHESHIRE	HERTFORDSHIRE	RUTLAND
CORNWALL	KENT	SUFFOLK
DEVON	LANCASHIRE	SURREY
DORSET	MERSEYSIDE	TYNE AND WEAR
ESSEX	NORFOLK	WILTSHIRE

PLUMBING

```
M R R I Y S K T A E M T H Z I
I U L R C T S E L F F A B L P
E J M E T T R D R K W S R Y K
T L N L M A N I F O L D B S T
Z N B I T E A P L U N G E R R
A P C O V F R T O L B Y M X U
T A R B W F F U W L U U N U A
X G M L R L S B R I S E R B B
P R E S S U R E A B H N R R L
Y I R Z L E F I T T I N G U U
S A I E C N H N E E N N O M A
W K J U W T Q W G K G L Q C T
W P D X S U X D X S A C H Q C
K E L F V C O L L A R O R O V
R M W W P M L F E G N A L F P
```

AERATOR	DIP TUBE	GASKET
AIR GAP	EFFLUENT	MANIFOLD
BAFFLE	ELBOW	PLUNGER
BOILER	FITTING	PRESSURE
BUSHING	FLANGE	REDUCER
COLLAR	FLOW RATE	RISER

BOARD GAMES

```
T K C Y L O P O N O M R H S F
R R R C A R C A S S O N N E A
U A I R S S T S O H G B C U O
M Y T V A R T I Y T A Y B T R
M T R C I R E C C T A A R U T
I J B A A A A K T T C A E A M
K E Y T N M L L A K U S S I R
U N E S O O E P G Q X H P C O
B G M L S S I A U X U O I H T
O A P K H E M T T R M H L U S
C I S I I M H B C K S B C Z N
D I P P O C H C T I U U E H I
R O H N Q S V S L Q P R I D A
B L A N K E T Y B L A N K T R
R A L H A M B R A K A Z B Q B
```

ALHAMBRA	CHESS	PICTIONARY
BACKGAMMON	DIPLOMACY	QUARTO
BATTLESHIP	ECLIPSE	RISK
BLANKETY BLANK	GHOSTS	RUMMIKUB
BRAINSTORM	JENGA	STRATEGO
CARCASSONNE	MONOPOLY	TRIVIAL PURSUIT

GLACIERS IN SOUTH AMERICA

```
V P L L A D N Y T E N Q M I A
I G P E R I T O M O R E N O R
E S H L A I L A T I S P F E L
D H I C M F F L H O L A N D A
M S C F O R A V E L L S B S Y
A I L N L L Y R R N X T E F Z
O L I O A E O R N W I O R N X
A O W N P M I N Y A L R N T K
M P T O A R O V I A S U A T D
B A Y S L P Y R A A P R R M S
T U M K Y D P R E S S I D R O
B U U C W P A O H M F E O J S
O U A I L A M A T R L A Q E C
R E C D W P I U P S A L A N K
G O G I S F O X W Q A H B A U
```

AMALIA	LA PALOMA	ROMANCHE
BERNARDO	MARINELLI	SAN RAFAEL
COLONIA	NEF	STOPPANI
DICKSON	PASTORURI	TYNDALL
HOLANDA	PERITO MORENO	UPSALA
ITALIA	POLISH	VIEDMA

SKIING

```
M L A M U G C A N T A C S E D
W L R O S S M O G U L H U Q T
S A M Q S T R R I F Y A T H N
I W E Z N D W E P J V L U B S
V B B B I N D I N G S E Z J U
K Y V C A L L O D S A T M O M
Z S D A T E L E M A R K M R M
R E S M N E C I N R O C K T I
Y O T B U Z H X H R E S O R T
G L S E O A L P I N E D P S L
N P X R M S T S K H W I W E S
E D T T A C O S L A L O M O T
L C H U P I A N Y D S B D H P
D L G J F D P O U B O O T S P
S P U T U Q S W E W L J L O Z
```

ALPINE	CORNICE	RESORT
BINDINGS	DOWNHILL	SHOES
BOOTS	MOGUL	SLALOM
CAMBER	MOUNTAINS	SNOW
CANT	NORDIC	SUMMIT
CHALET	POWDER	TELEMARK

SAINTS

```
T G M S L A Y P T A T I I T S
E E U E A H Y A K N S R Y R O
J K M O P X S V S J Z I S P A
Q U N I R R I V K A E C X I O
M L D P C X C O D A R U H X E
J O S E P H N T Y O Y I C Q X
U Y B A Y R A M S A V R T P Q
W E E S E D R E E A C T U A I
G E S A P U F X L N I Z P T D
J T G N A N G E H D T E A R K
R W E T T S N R H R T C U K A
L Y O H R T A A R E F F L T R
A E R O I A O L R W C N O J A
R A G N C N J C T Q I R R A Z
B Q E Y K A A I V I U Z S U L
```

ANDREW	JOAN	PATRICK
ANTHONY	JOSEPH	PAUL
CLARE	JUDE	PETER
DUNSTAN	LUKE	RITA
FRANCIS	MARY	ROSE
GEORGE	MICHAEL	VALENTINE

AROUND ASIA

```
W  T  Q  L  O  B  M  R  N  R  S  P  T  O  P
I  N  D  I  A  K  S  V  O  F  X  M  Q  S  P
L  E  A  W  Z  F  G  W  O  H  S  M  J  O  E
N  M  P  T  D  S  E  A  F  S  Y  A  A  B  L
M  E  R  X  U  I  S  K  Q  A  R  I  P  T  I
B  Y  L  O  H  H  M  S  A  H  I  A  A  D  R
H  V  T  C  U  Q  B  A  H  R  A  I  N  T  R
P  E  A  H  B  R  U  S  H  N  U  S  F  J  S
H  M  J  I  U  A  N  O  N  A  B  E  L  X  O
E  M  T  N  R  O  N  A  F  T  H  N  T  P  V
F  E  E  A  M  R  Q  L  R  S  A  O  E  X  R
E  I  T  A  A  K  U  W  A  I  T  D  B  L  A
L  G  H  Z  X  H  O  N  G  K  O  N  G  X  A
S  S  I  A  I  S  Y  A  L  A  M  I  L  C  L
U  R  K  W  H  U  J  R  G  P  R  R  U  A  R
```

BAHRAIN	INDIA	LAOS
BHUTAN	INDONESIA	LEBANON
BRUNEI	IRAN	MALAYSIA
BURMA	IRAQ	PAKISTAN
CHINA	JAPAN	SYRIA
HONG KONG	KUWAIT	YEMEN

SIX-LETTER ANIMALS

```
O S T W T H A R H E A E I D V
B A B O O N R A B B I T S Y F
T P Y T H O N R S E E O P A P
I R Q R O E I Q J A X R U H C
L I B R E G F C T V C R J T I
K L A L E I F O R E Y A I S R
S O E S I P U U N R R P P P S
L A Q S V C P G T K R V X L A
W O N J A G U A R T F S C O A
V D O N K E Y R C U O Y H Q W
K I C L R X W A L R U S M S I
K Z L X C O B Q R T T L I C C
A L A S Q O T U X L R A S U A
I N F S A M O N K E Y A B J G
R X M L E U R U L X T L Y T E
```

ALPACA	GERBIL	PYTHON
BABOON	JAGUAR	RABBIT
BEAVER	MONKEY	TOUCAN
COUGAR	PARROT	TURTLE
DONKEY	PIGEON	WALRUS
FALCON	PUFFIN	WEASEL

MARGARET ATWOOD BOOKS

```
Q A M O R A L D I S O R D E R
A A A D E E S G A H A U A R A
L A D Y O R A C L E R E C M S
I I F V A U V A Z I H E E I L
A N F M P I N T E R L U N A R
S T H E T E S T A M E N T S I
G O O D B O N E S O V I H R G
R N B L U E B E A R D S E G G
A A U S U R F A C I N G T A N
C A T S E Y E O I Z T M E V I
E T R U E S T O R I E S N Z C
E S S E R T T A M E N O T S N
S S C R I B B L E R M O O N A
E Q O R Y X A N D C R A K E D
O M O T H E D O O R Z U N T W
```

ALIAS GRACE	INTERLUNAR	STONE MATTRESS
BLUEBEARD'S EGG	LADY ORACLE	SURFACING
CAT'S EYE	LIFE BEFORE MAN	THE DOOR
DANCING GIRLS	MORAL DISORDER	THE TENT
GOOD BONES	ORYX AND CRAKE	THE TESTAMENTS
HAG-SEED	SCRIBBLER MOON	TRUE STORIES

POETRY TERMS

```
A T A L S I M I L E S R R C D
C L L I U D J E G Q P O D I T
S H L P I I X A T N Y S I T S
E D U E O S E N E A B D C N U
E T S C G S A W L P P T T S L
S A I N M O A L P A R H I L I
E R O A D N R R U R C Y O S T
G T N N Z A V Y O U X P N R H
A T L O V N J P C S T E R M O
M F A S O C T A V E B R Y G O
I F E S R E V K N A L B T A D
O Q L A H Y D N O C T O L R T
T G Q P Y E O T C A S L D P W
S S Y H M S T A N Z A E L N P
R H S B E P B U X M Y T T T A
```

ALLEGORY	DICTION	RHYME
ALLUSION	DISSONANCE	SIMILE
ASSONANCE	HYPERBOLE	SONNET
BLANK VERSE	IMAGE	STANZA
CAESURA	METAPHOR	SYNTAX
COUPLET	OCTAVE	VOLTA

STRAITS

```
G K O B M O L E A M W E T A R
D M J I D E W R E T A C E H Z
R A T L A R B I G F Z R P T O
C T E G I I C V E U R I P U S
N A L E H T U R F Q A H T X Z
P S B S L B B A O I D R R Q A
T A A O R E L O Z O V E A T I
L K T Y T N O M O N A F S J T
A X M R K E R B T G S M S B I
S U U P A M Z A A Z O P A T V
Z A I A L U E I S H R R K X E
O E T L M R I I X O R B A J T
A V O K A O V D L U A U M A R
S O B K R A Q A Y L B P P A U
L F R N D P H L I Q Z T R R S
```

AKASHI	FOVEAUX	NEMURO
ALOR	GIBRALTAR	OMBAI
BALI	HECATE	PALK
CABOT	KALMAR	QIONGZHOU
DAVIS	LOMBOK	VITIAZ
EURIPUS	MAKASSAR	WETAR

RIHANNA SONGS

```
T E W F E H E O L H O D S M L
M B V U A Z Z U M T J M E B K
C A Q U M B R E L L A G I F F
R A T N O M E L R N K P U T B
A I D F A U A U D U O K A I R
R E I A W E F O U N D L O V E
S O S I T E W K D I K A B U A
O R T T A N N E A T A X U E K
D Q U H G I R E H A B T A Z I
G U R F A E P A C K K E H P T
X E B U P S T A Y E R O B M O
Z S I L T T T T E A M O P B F
U S A P A R U D E B O Y W S F
U Y E L S D I A M O N D S L U
P P K R O V S T F W E R I D E
```

BREAK IT OFF	REHAB	TE AMO
DIAMONDS	RUDE BOY	UMBRELLA
DISTURBIA	SOS	UNFAITHFUL
LEMON	STAY	WE FOUND LOVE
MAN DOWN	TAKE A BOW	WE RIDE
PON DE REPLAY	TALK THAT TALK	WORK

TOM CRUISE MOVIES

```
K W R U S I V O A L J R R X T
L T H E O U T S I D E R S A X
A C E I F A L R L T R I P R R
H O I D W B E A O A R S F A L
T L R N A Z G I N T Y K P F P
I L Y O C M E N G R M Y R Y Y
W A K E C D N M A U A B R K K
J T L V E K D A M C G U T S V
M E A N U O O N C W U S H A S
P R V A Z R B F O I I I E L M
Y A W A D N A R A F R N M L A
I L I A T K C O C G E E U I R
E N D L E S S L O V E S M N T
S M R I F E H T U L A S M A L
E G G O B L I V I O N B Y V R
```

AMERICAN MADE	LEGEND	TAPS
COCKTAIL	MAGNOLIA	THE FIRM
COLLATERAL	OBLIVION	THE MUMMY
ENDLESS LOVE	RAIN MAN	THE OUTSIDERS
FAR AND AWAY	RISKY BUSINESS	VALKYRIE
JERRY MAGUIRE	ROCK OF AGES	VANILLA SKY

WORDS ENDING IN "AGE"

```
E I V E Z S W R Q U A Z L I R
L L T A T I O U X G K S U N T
X U O U E W R P O M Z N X Q M
U W U A D G D Z R H S H R P A
E G A M O H A R R E L A V U N
I M O L S T G T U E Y L O S A
V A N T A G E S T N U Q Y A G
E E T O G S C E F O O T A G E
H G G M E G A R N E C L G E M
R A Y A O E J L D A R Y E X U
H R Q H I E H A V U G I I R A
T O R X B R E A K A G E P L V
B T L E V E R A G E G Q D O R
H S P M E S S A G E T E R M S
L P E G A T S K C A B D L I U
```

BACKSTAGE	FOOTAGE	STORAGE
BREAKAGE	HOMAGE	TEENAGE
CARRIAGE	LEVERAGE	USAGE
COTTAGE	MANAGE	VANTAGE
DOSAGE	MESSAGE	VOYAGE
ENRAGE	SALVAGE	WORDAGE

OLYMPIC GYMNASTS

```
J B P P L T Q P L A J S A A B
E A J W N G U Y E N G U S A R
S J N H N X O T Y O K F O G F
R I A I E S I N V S G K R X T
U A L T F C R I A L I O E T P
R I W L X A R U M I H C U A O
Y X C O S R T X P W R I T K T
E K Y C R A I S M A N A Y O L
L I U K I N N E U S S N M M P
P O I O X O N L Q M I E Q O T
H T I M S B I I H U X S K V Q
C S L N P E L B A R P Y T A S
P R H O I M Z P U B Z A F W W
D O U G L A S A M C C I L T T
J U A T A Y S X Z C G R K I B
```

BILES	LEYVA	RAISMAN
CARANOBE	LIUKIN	SMITH
DOUGLAS	MARIANO	UCHIMURA
JOHNSON	MUSTAFINA	WHITLOCK
KOCIAN	NGUYEN	WILSON
KOMOVA	PASEKA	YILIN

MAGIC

```
T S K V S S M N Y O L E T J O
F O R G O C S W G O A N Y O S
A R S N R R I P R F U E D X M
R T I I C Y T S U P Z O I A S
C I S D E I L M T Y O R V N I
H L P A R N U R A V E L I C T
C E E E Y G C A M T V G N P I
T G L R M B C H U T O Z A P R
I E L D O P O C A N C I T E I
W M S N R M U Z H N A X I C P
R F R I N C A N T A T I O N S
Q L Y M A T S N G T I M N B W
X L E I A V L X C F O R E S B
S L W I Z A R D R Y N A L N F
T G X L M E E R Y G R U E H T
```

CHARMS	MIND READING	SPIRITISM
CLEROMANCY	OCCULTISM	THAUMATURGY
DIVINATION	SCRYING	THEURGY
ENCHANTMENT	SORCERY	VOODOO
EVOCATION	SORTILEGE	WITCHCRAFT
INCANTATIONS	SPELLS	WIZARDRY

ASTRONAUTS

```
N Y U R I S E E U U G R D S V
P I A G H M J L L A N Z Y P N
I T R A C C S B R J O G O D T
Z T H D B C E R N A N R U D C
Z O K P L L G A G A R I N P S
H B I D R A P E H S J S G P L
T A N P W I L L I A M S H S A
X T S J H N C T R O I O M R V
O J E M I S O N I P T M Z C A
J D R S T G L E T C C A A D N
U Y A A S U L G R A H M T I J
E I R R O J I E U E E A S C Q
R L I D N F N N N I L B W U I
S D T K O O S Q S N L F D L L
E F W E G T C R E A F P M U A
```

ALDRIN	GLENN	RESNIK
CERNAN	GRISSOM	RIDE
CHAWLA	JEMISON	SHEPARD
COLLINS	LUCID	WHITSON
CONRAD	MCCLAIN	WILLIAMS
GAGARIN	MITCHELL	YOUNG

LIVING IN A MANSION

```
A C M A C I N E M A U D U O H
H Y R V O D U N Y R Q L P L X
Z A T S N R S I G J O W B C S
O E C T S A O A I W S I S U H
B R G A E W S G N I T N I A P
A W U B R I I L A S U E E D S
L R A L V N T O R A D C G S G
L K S E A G L O X U I E B A R
R A C S T R O P S N O L L O L
O B L M O O R D R A I L L I B
O I U R R O L F T U E A B Q N
M R G T Y M U V J R C R P F K
B M H A L L W A Y D A T S Q B
U O D P R E A G A R S X L U M
Z S Y A R A R P Y I U R R X E
```

BALLROOM	DRAWING ROOM	POOL
BAR	GALLERY	SAUNA
BILLIARD ROOM	GYM	SPORTS CAR
BUTLER	HALLWAY	STABLES
CINEMA	LIBRARY	STUDIO
CONSERVATORY	PAINTINGS	WINE CELLAR

ELEMENTARY PARTICLES

```
K L G L E P T O N C P U R Z H
D R T L I R G L U O N A I W Y
K R A U Q E G N A R T S B H L
R T A U N E U T R I N O R J W
A T N V Q U P U J P S G H S F
U G T O U M M E S O N R R P E
Q S I Z S P O C N R S A T T R
P S T U H O J T C O L V Z O M
O K A P T M B P T K S I B T I
T X U Q S L J S S O W T O S O
M D R U J G A U G E B O S O N
A D F A L R J U S G O N O C B
C S A R V R N O U M I T N A P
H V E K R A U Q M R A H C Q Q
N W G R R D F X O S L R I T E
```

ANTIMUON	GLUON	STRANGE QUARK
ANTITAU	GRAVITON	TAU NEUTRINO
BOTTOM QUARK	HIGGS BOSON	TOP QUARK
CHARM QUARK	LEPTON	UP QUARK
FERMION	MESON	W BOSON
GAUGE BOSON	PHOTON	Z BOSON

BURGERS AND TOPPINGS

```
C N N U B U T N V S X B Q Y S
E H P P E P P E R F R J S C A
B C R U E I C H H X L Q C P S
T R S S F C H I C K E N A R U
R S O Z J K E J H H T E S R I
T E T A E L E R W R T M A T A
J E L Q L E S U E Q U U S E L
R K V I G G E C O S C S T V P
E O U M S E A L H T E T T B U
L N C T G H E R K I N A I L D
C I L B S M O O N A I R O P T
W O T A M O T B R I A D A P M
B N U C M J O F N D S A S A V
U C M O S B E K E T C H U P A
E G R N U E L F U Y H C N K N
```

BACON	GHERKIN	ONION
BEEF	KETCHUP	PEPPER
BUN	LAMB	PICKLE
CHEESE	LETTUCE	RELISH
CHICKEN	MUSHROOM	SAUCE
GARNISH	MUSTARD	TOMATO

WORD SEARCH 301

FEELING FEARFUL

```
P T P O T O R P N R E C N O C
E C I D R A W O C U A P A S T
A S P O T V Y M A D S I H B S
S E A L O I A W E U B A U I S
V S N T R L R T R O V O A X S
C J I D J P A D H E D D E D E
O R C K O T E P R F U Y L A R
L B O T I S D S R A Z T A L T
D A P G P T I R T H M E G A S
F V A A R O R R E T N I R R I
E A I G N X D A E A Y X U M D
E R X H W O R R I E D N K O I
T I Z Q V R G U D E R A C S C
R O R R O H H T A S K F M O O
P W E Q A P H T S G N A R P A
```

AGITATED   CONCERN   HORROR

ALARM   COWARDICE   PANIC

ANGST   DESPAIR   PHOBIA

ANXIETY   DISTRESS   SCARED

AVERSION   DOUBT   TERROR

COLD FEET   DREAD   WORRIED

CATE BLANCHETT

```
T T M E S N T Q L H H T L P Y
K V C A R D H A E H U O V L Q
N E V A E H S I L A M J K P A
U R A G G X G O I N E L Z B S
Z C B A N D I T S N L O X P A
A I L T A I Q S E A B R T A H
T N F T B I S C U G O A H W S
P D I B B J L S S B U C E A K
R E T A R S T T I D R S A R O
X R H B N R A N W M N S V F I
V E E E A S H P A G E Y I A O
K L G L F O S I I J J H A A Y
I L I O O E L I Z A B E T H N
S A F D N A L T R A E H O A O
N S T D Y O S D N A L K R A P
```

AUSTRALIAN	ELISE	PARKLANDS
BABEL	ELIZABETH	PONYO
BANDITS	HANNA	ROBIN HOOD
BANGERS	HEARTLAND	THE AVIATOR
CAROL	HEAVEN	THE GIFT
CINDERELLA	MELBOURNE	THE MISSING

PARALYMPIC ALPINE SKIERS

```
L U A N H M E F U M J T R D L
I S N I C H O L S V E K A D P
B A T H U M M T H D N T O V O
O I P E H C A W V O M O R I I
S L N K P D Y Z B B W X L C M
S L Z I D H B C R G K D G T A
U O A T D A E T S M U O A O D
A N T V F A R N O T N G S R P
G G E R O T R M S R Z T T O G
Y A T C R S Y R B U G A E V T
L T P A E K A N O A A X I U C
R R T L S O N K O C D I G I S
R E B L T P B S R T C Y E Q P
Z B R A X E N T H A L E R C Z
Q O C H P R E O U Y F I C I W
```

BATHUM	FOREST	MAYBERRY
BERTAGNOLLI	GASTEIGER	MORII
BRAXENTHALER	GRADWOHL	NICHOLS
BUGAEV	HALL	STEPHENS
CORRADINI	KANO	UMSTEAD
FARKASOVA	KUNZ	VICTOR

PARTY TIME

```
A R J Q X D S P Z I C A K E S
D S E S A K S T H G A M E S A
P R B I D W E D D I N G Z R Q
A E B S S R O Q P L D C E H N
R I I I E A A U G T L E D A C
M H R N R P C C R Q E L E D L
B T T G V P E W A Y S E C G A
A P H I Z I T O D X Q B O L H
L G D N K N T I U M H R R I S
L P A G Y G P A A U V A A N R
O H Y S U P A T T S O T T P A
O X W E Q A R D I I K I I S H
N O S R N P A L O C O O O V L
E T A P R E S E N T S N N Q I
S T S W H R F R I E N D S T S
```

BALLOON	DECORATIONS	INVITATIONS
BIRTHDAY	FRIENDS	MUSIC
CAKE	GAMES	PRESENTS
CANDLES	GRADUATION	SINGING
CARDS	GUESTS	WEDDING
CELEBRATION	HATS	WRAPPING PAPER

FOOTWEAR

```
S A E S B R O G U E S R N G R
E O E Q K S L I P P E R S T H
G R M S I R S K I B O O T S O
D E A S T S L E E H H G I H B
E F T T T E M U L E S B L P N
W P V S E O H S N E T T A P A
R F L A N H O U G N E X N K I
R M X N H S B B P O L R K P L
Q N A D E F P P Y G L I L H B
A W A A E L S I A O A C E E O
X U B L L O A S K R B M B Y O
K N R S S G A N S E H W O L T
R R Q R U N N I N G S H O E S
A E P K A A U M S E L L T C C
I I T T U L L O A F E R S T L
```

ANKLE BOOTS   HIGH HEELS   RUNNING SHOES

BALLET SHOES   HOBNAIL BOOTS   SANDALS

BROGUES   KITTEN HEELS   SKI BOOTS

CLOGS   LOAFERS   SLIPPERS

COWBOY BOOTS   MULES   SPIKES

GOLF SHOES   PATTEN SHOES   WEDGES

COMMON SPANISH SURNAMES

```
S S R U B I O I S A N C H E Z
K D G N T J J R Z O T S Y U A
A L O N S O C U E E N B U P R
Q I M A S L O O H M X E G V Y
A A E V T J O L A T O R R E S
G T Z A R D S R P M Y R U O O
A R E R R B T V T L Z T I V M
R A A R D I L O P E Z S Z L A
C Z G O N Z A L E Z G W T V R
I G L E S I A S R D I A Z V A
A O Z Z W R I A E S J B A T L
R I V O K E S M Z E V R T T W
X R L Q F Y A R S O F Z O U I
K T Y T T L R C X S P V A K S
O A B R A Y S U H R O H U R R
```

ALONSO	LOPEZ	RAMOS
DIAZ	MARTINEZ	ROMERO
GARCIA	MORENO	RUBIO
GOMEZ	NAVARRO	RUIZ
GONZALEZ	ORTEGA	SANCHEZ
IGLESIAS	PEREZ	TORRES

MERRY

```
T B R I G H T S T A A P U T L
P U Z S X C A I A C R Y L N R
S B L I T H E S E O A R S O G
U B X P U E E S P Y N R Q B T
G L A D L E B U L L I E N T D
S Y A Q L R M O E L M M S U I
A A K Z T F Z I A O A K P B N
X H B R H U G C S J T B L D S
J O V I A L S A A G E N I A L
R T B O P P Z V N A D T L J A
Z U L T P A S I T N A Y O U B
R G O F Y E I V A P A Y X R E
Y P H F E W T A S F F J R L M
R L V L H V I P Q U N S O B X
M B A O D Z O K L A U R B I P
```

ANIMATED	EBULLIENT	JOYFUL
BLITHE	GENIAL	MERRY
BRIGHT	GLAD	PLEASANT
BUBBLY	HAPPY	SPARKY
BUOYANT	JOLLY	UPBEAT
CHEERFUL	JOVIAL	VIVACIOUS

RHYMES WITH "SEW"

```
M I L F O S P S I L P I U P O
L R B M T K I S J S E B I A P
E C A M E O D N R P H J V T A
S B E A L T H O U G H Y Q I U
V I B U E A R W M B A N J O W
R W O L E B N O R I K T B L L
W K W I L L O W D X N T E V R
N R S W B E S T O W O O A A V
R Y W O D A E M U X W E U Y U
J Q U D E U Z A G Q W Y Z W B
I R A A O T R B H O Q O I Y G
A O F H R T A N X M Z L E M S
R I R S D S W A Y C B J D Q A
P E T J P V J N Q C W H H N L
V Y X A N S L H M H Q R S I Z
```

ALTHOUGH	DOMINO	PATIO
BANJO	DOUGH	SHADOW
BEAU	GATEAU	SNOW
BELOW	KNOW	TABLEAU
BESTOW	MEADOW	TOE
CAMEO	METRO	WILLOW

RIVERS OF THE WORLD

```
J H I P T F Z P I R B D X U S
N G Y A J Z L E N A J P R T N
I W S R U Z E I D R S R F S P
X M E I S T A M U R R A Y J L
M Z O Z R O D F S M I U B A K
M A E P I L C O M A Y O O I N
G M D I W B F R U C M O N E L
R A E E S S T G I K I Y I G N
R Z O T I A A J D E H I L N N
S O G V R R I Y Y N S S E O O
L N N I A R A P N Z I E S K K
A V O L G A T K A I A S M E U
V K C Y A N G T Z E G X R M Y
A W X U Q O E A Z O M E C R J
X X S Y S I A A K Z I O R I Q
```

AMAZON	LENA	NILE
ARAGUAIA	MACKENZIE	PILCOMAYO
CONGO	MADEIRA	VILYUY
INDUS	MEKONG	VOLGA
ISHIM	MURRAY	YANGTZE
KOLYMA	NIGER	YUKON

BIOLOGISTS

```
D N S H F L E M I N G C D A A
K O A O H R O J L M R L R G H
P A R A C I B L P R E U N K T
I F Z B O T L S L P I S O P U
U S A L H L D Y Y V D I S I T
A I V U G A P A S T E U R M E
A Z O F R M E S E B R S A N U
E S K W X A C C N R I Y C C E
V K I T B R A D K N R D H R T
I N F K J C L N O E I A C D P
V A P E R K L R O U L W O E S
R B S A V E A S Z D S K K N M
A F F U Y R W I A P G I Y P Y
H W D S S N B N X M O N O D U
V A Q S R M E N D E L S E L M
```

BANKS	GREIDER	MAYR
CARSON	HAECKEL	MENDEL
CLUSIUS	HALDANE	MONOD
DARWIN	KOCH	PASTEUR
DAWKINS	LAMARCK	PAYNE
FLEMING	LYSENKO	WALLACE

DOG BREEDS

```
L T M S M R V A V B T O E N C
A Q J S A O D I R O S I L H R
P O O D L E A S V X S R O A H
U F S M T E L G A E B W I C L
G T B B E Z M R Q R C C T N O
G O U R S H A Z H H S H N S V
R E L I E W T T O R H I Q A P
E O L T M N I W T T I H H E F
Y T D T E D A C H S H U N D R
H B O A O P N D O S T A U U H
O L G N R Z P R T R Z H U Y D
U C U Y R B Z I S A U U I I A
N L I K U L A S H E E A A M T
D U E L A W G L T W R R A V X
C L A U B U E B A R S P G P C
```

BEAGLE	DACHSHUND	POODLE
BOXER	DALMATIAN	PUG
BRITTANY	GREAT DANE	ROTTWEILER
BULLDOG	GREYHOUND	SALUKI
CHIHUAHUA	LABRADOR	SHIH TZU
CHOW CHOW	MALTESE	WHIPPET

QUEENS OF ENGLAND

```
H M A T I L D A H R A U S E U
A Y H T P S I O T A U C N C G
S E R R K U A A I L M A R A M
V L P A W H B B D R U M A T T
A I R A M A T T E I R N E H Q
I Z O A O P J Y P L S K Y E S
R A N N M H R L R O L O S R L
A B A N M I Z T A H P A Z I B
G E E E A L H S W I T H S N R
N T L F R I U T S J U F S E Q
E H E E G P Y C M W A A L U J
R P R S A P U Y T X N N W E O
E X F S R A V C A Z I L E D A
B A I E E R I K W P S R T S N
O I E D T U A J E R O R C T J
```

ADELIZA	EDITH	JANE
AELFTHRYTH	ELEANOR	JOAN
ANNE	ELIZABETH	MARGARET
BERENGARIA	EMMA	MARY
CATHERINE	HENRIETTA MARIA	MATILDA
EALHSWITH	ISABELLA	PHILIPPA

LOUD SOUNDS

```
H R H A D R N A R P A X S F A
P K T J Q N U N O B D N T N R
S W L V S K L S I R S B V Q S
S R L F G K W A U Q S P U N J
T A E V A E L V U S C R E A M
G V H T Q S X E G B R R B B H
S Z Y P L I A W C S E F A J Y
T Z R S U L U L A T E L W E M
Z A S W V A S E T C C N L A H
S O V H H O L L E R H L A O O
H P T O R O I V R Y Z A N W W
T Y U A C I P N W H O O P R L
F V O C I F E R A T E T V R O
S R H U T C S K U N A O T O T
Y U S C F E M G L I Q U T M K
```

BAWL	ROAR	SQUEAL
BELLOW	SCREAM	ULULATE
CATERWAUL	SCREECH	VOCIFERATE
CRY	SHOUT	WAIL
HOLLER	SHRIEK	WHOOP
HOWL	SQUAWK	YELL

THE HUNGER GAMES

```
G F K C I N N I F T U M U D S
R A R A F F I P A D A C R S H
R W L U Y U X I H G I O H S A
E D R E L R L K S L S I A O A
A P B S E I A N N I C Y Y L N
C O D C V R S V A M A Z M G G
U M A E R T R L R M F C I U S
C T L R A M H L P E S J T N Q
O U U E M V F R O R A S C S K
F Q Z M R P M I E T O X H O E
R U E H U E E R C S I I V T I
O J P S N D R E W T H P B O U
Z E W A E H I E T T I Z A Q A
F U P C L E V O N A U O I C A
M E H V F K A T N I S S N A E
```

CAPITOL	GALE	MARVEL
CASHMERE	GLIMMER	NOVEL
CATO	GLOSS	PANEM
CINNA	HAYMITCH	PEETA
FICTION	KATNISS	RUE
FINNICK	MAGS	THRESH

JAMES BOND

```
I L Y R E N N O C T D R E P S
Q R S K Y F A L L H U B W A Y
X O S R A Q E A I U X I A B A
R R U E G O L D E N E Y E B J
A O P R L A N Z P D O S L L B
A S O R Q G N I M E L F N A I
B C T N E G A T E R C E S Z R
D R C O W K S V S B T P R E R
U A O Q N L A N I A D V E N G
C I S S Y M C R O L A Q R B A
A G E L N I A Y N L L I T Y D
S A T E W A H R E O T A W M G
E O R V I A N S T I O X I M E
P E R O O M R W O I N M N N T
D I R N G O L D F I N G E R S
```

ASTON MARTIN	GOLDENEYE	NOVELS
BROSNAN	GOLDFINGER	OCTOPUSSY
CONNERY	IAN FLEMING	SECRET AGENT
CRAIG	LAZENBY	SKYFALL
DALTON	MOONRAKER	THUNDERBALL
GADGETS	MOORE	VILLAINS

VODKA COCKTAILS

```
R G A L M H R E D L O T U S R
A E P S W O T C S Z R U R C S
I S P V T E S J C A E S A R G
N E K S Y R C C S G R R K E L
I C A P E C O D O L C G T W O
T U M Z Z V S P U W Z B U D W
R L U N E R M O O D M L S R T
I O D A E B O R H P E U A I I
L P S T R R P D K W A E L V N
F W L L B S O N R L H L T E I
B O I P Y F L O R H Q A Y R S
V O D K A G I M L E T G D M K
H W E O B A T E M L U O O E A
C O D L E L A L H R S O G P T
G O A O R A N G E T U N D R A
```

ASTRO POP	FLIRTINI	RED LOTUS
BAY BREEZE	GLOWTINI	SALTY DOG
BLUE LAGOON	LEMON DROP	SCREWDRIVER
CAESAR	MOSCOW MULE	VESPER
CAPE COD	MUDSLIDE	VODKA GIMLET
COSMOPOLITAN	ORANGE TUNDRA	WOO WOO

"ZZ" WORDS

```
A L O O N Z T U A M A B U Z Z
G H U P E Z A E C Z S T K J O
M R E L F Z D Q L N G M T L
Q B L I Z Z A R D Z T B I A W
R O Z Z P I Z Z A E Z O C S H
Z Z Z Z Y F Z Y L Z Z I R G T
Y H E U D R L B U Z Z A R D J
O R B C H F E D L Z K I E D J
O K M A A Q P S I E U R G K X
R P E J P V B U Z Z W O R D N
J K A R G D Q E Z A Z F S M E
I Z P P L A B A H Z R Y P E F
Z R C J O S S I Z Z L E U H E
E T T W M N N O Z Z L E C D S
M O I N I C S V M J S I C J R
```

ABUZZ	DRIZZLE	JAZZ
BLIZZARD	EMBEZZLE	NOZZLE
BUZZARD	FIZZY	PIZZA
BUZZWORD	GIZZARD	PUZZLE
DAZZLE	GRIZZLY	QUIZZICAL
DIZZY	JACUZZI	SIZZLE

THINGS THAT OPEN

```
A  J  I  X  O  O  L  S  X  I  A  F  T  P  I
L  S  N  V  N  S  T  U  T  O  U  N  P  I  A
P  O  R  T  Z  M  T  D  A  T  S  Z  R  M  I
T  S  U  N  J  E  L  R  Z  A  K  F  O  V  I
V  S  H  M  A  O  L  P  P  R  I  P  Y  T  J
P  D  O  O  R  T  W  T  A  I  S  F  M  A  M
C  J  S  U  P  S  W  L  T  S  L  O  J  B  N
A  C  A  T  F  L  A  P  T  O  Q  T  A  E  L
M  P  F  H  C  A  R  A  W  Z  B  U  O  R  C
M  R  E  W  A  R  D  E  L  I  F  G  T  A  S
R  U  N  H  R  D  R  P  Y  I  G  O  B  S  S
A  S  W  I  N  D  O  W  O  E  E  I  T  K  F
Y  U  X  T  R  T  B  S  A  P  N  X  O  S  W
D  T  L  A  P  Y  E  N  V  E  L  O  P  E  N
R  R  G  S  X  V  G  E  T  A  B  O  X  T  Z
```

BOOK	DRAWER	MOUTH
BOTTLE	ENVELOPE	SAFE
BOX	EYE	SHOP
CABINET	FILE	TAP
CAT FLAP	FLOWER	WARDROBE
DOOR	JAR	WINDOW

BOOKS OF THE NEW TESTAMENT

```
T M P B H T U U O U X O O L R
U S J U D E Z N E R E N H O J
A S A I Y H T O M I T Q M J O
I R M O R B I M P L X A A P K
R G E H E B R E W S N R H E G
A W S T V C O L O S S I A N S
W L U K E A S I I S L S R R B
R T A P L P M H O I X V O B Z
K T M U A Z I P P H A F M J R
B W A C T S E P H E S I A N S
U H R A I R I A Y P X W T I M
R R K D O A E B E T M R T P O
C O R I N T H I A N S T H T I
S V S S N A I T A L A G E R O
Y V W P Q T G Z K W A U W S A
```

ACTS	JAMES	PETER
COLOSSIANS	JOHN	PHILEMON
CORINTHIANS	JUDE	PHILIPPIANS
EPHESIANS	LUKE	REVELATION
GALATIANS	MARK	ROMANS
HEBREWS	MATTHEW	TIMOTHY

YOGA POSES

```
L E M A C O M Z O F E A S C M
J R G O U P W A R D P L A N K
H L A G U Q A T E E I O A K Y
A E R A L N S S H T G C B C Y
P F L P D U T T G E E U A N S
P I A V X S H A N K O S N U U
Y R N U T Q T M I I N T O A T
B E D O L P H I N N W P I U O
A L C F K T X N I H P S K D L
B O U N D A N G L E A A J O R
Y G J P E A C O C K D C S S B
U T K P J E X Y E K N O M X A
Z M A R J M R N R T R B U S A
Y P E J K A R T C T H R Q L P
R B H R U F O N I D K A R R E
```

BOUND ANGLE	HAPPY BABY	PIGEON
CAMEL	LOCUST	RECLINING HERO
COBRA	LOTUS	SCALE
DOLPHIN	MONKEY	SPHINX
FIRE LOG	MOUNTAIN	TREE
GARLAND	PEACOCK	UPWARD PLANK

CAREFUL

```
T M K O W G U A R D E D P B G
C I R C U M S P E C T X R S A
H N E V I T N E T T A R U W J
A D G H J M E A S U R E D M F
R F A Z E S A W A R E A E W V
Y U R V O E T I R G B T N A G
O L D E I E D C H F I A T T H
A O F G W G H F S C L C I C I
C U U K A T I L U O E C S H F
Y A L E R T L L T L D E O F V
U J F O Y G O C A U T I O U S
C O G D W U E Y T N U K B L D
R A O B S E R V A N T W L X R
G A V T X S E F Y R A B R F U
F N U B S L R G H B B S P R A
```

ALERT	DELIBERATE	OBSERVANT
ATTENTIVE	GUARDED	PRUDENT
AWARE	HEEDFUL	REGARDFUL
CAUTIOUS	MEASURED	VIGILANT
CHARY	METICULOUS	WARY
CIRCUMSPECT	MINDFUL	WATCHFUL

GOOSE BREEDS

```
A Z C C T T B Y P R U H L P L
R V P V I S H T I N E S C V T
Q R M I A C E S Y L I P E O O
O T M P L A C B E V H R C J C
H O U P S N Z S A W O F Z K H
L U S F A I L Y R S C H E O I
E L H C T A P N O T T O C N N
S O E S I E E X I A S O H U E
E U T N A A D E O X E Z P T S
O S L P N M I R G L I P Y O E
R E A U B R E C O N B U F F L
A O N G H U S P L M O U Q J T
F D D C E P O M E R A N I A N
N T D R N I T A L I A N M R S
Q S R I H L N A C I R F A F T
```

AFRICAN	CZECH	SEBASTOPOL
ALSATIAN	FAROESE	SHETLAND
AONGHUS	ITALIAN	SUCHOVY
BRECON BUFF	PILGRIM	TOULOUSE
CHINESE	POMERANIAN	TUFTED ROMAN
COTTON PATCH	SCANIA	VISHTINES

NATIONAL ANIMALS

```
C L S P R I N G B O K A J Q A
M R N A M P Q R G U Q N L M E
K R O T S E T I H W B S E Z G
P H W B R O W N B E A R D I K
B A L I O N A B D S I L A P A
I R E L D W X O L C B N S A K
M P O Q U E T Z A L T R R K I
G Y P Y M S C N Z P V F L O W
I E A Y T S B K A T K N B T I
R A R A B I A N C A M E L N T
A G D E S H D G X P E I Y A J
F L Q O J A G U A R W L N P C
F E N N E C F O X C S T X H D
E Z O M U Y I P A I R A R J T
A O U K S P G L L Q L E Z Y Y
```

AMERICAN BISON	GIRAFFE	OKAPI
ARABIAN CAMEL	HARPY EAGLE	QUETZAL
BROWN BEAR	JAGUAR	SNOW LEOPARD
EMU	KIWI	SPRINGBOK
FENNEC FOX	LION	WHITE STORK
GIANT PANDA	LYNX	WOLF

BALLETS

```
U T V A L L I M R E T A W L J
G L O R I A C I N A M T T L R
A G I Z S T I V A G H C H J E
I G C A H R N E C E M K E R S
S I E K O A D S F R S C R V O
A N S O N D E I R W Y A E T O
T A O U I N R A A T J J D A G
S U F S R E E N O U R N S R R
A J S K B L L A R R X O H S E
N N P I A A L T P H Y I O W H
A O R E K C A R C T U N E H T
Y D I E L Z O R P H E U S Y O
E K N E A Z A J D R Y Y J Z M
G X G X K A K H S U R T E P W
O M D R R J U S I O U W N I B
```

ANASTASIA	KALKABRINO	THE NUTCRACKER
CINDERELLA	MOTHER GOOSE	THE RED SHOES
DON JUAN	ORPHEUS	UNION JACK
GLORIA	PETRUSHKA	VOICES OF SPRING
IVESIANA	SWAN LAKE	WATERMILL
JAZZ CALENDAR	THE FIREBIRD	ZAKOUSKI

UK AIRPORTS

```
U  H  T  A  R  F  T  H  J  E  R  S  E  Y  M
S  K  P  M  E  M  D  C  O  V  E  N  T  R  Y
S  C  R  L  S  T  A  H  E  A  T  H  R  O  W
F  H  E  X  A  J  D  H  R  C  S  G  P  S  F
L  U  T  O  N  P  U  E  G  L  E  O  V  R  S
R  D  S  U  D  P  N  G  Q  N  C  R  B  R  X
T  E  E  L  O  N  D  O  N  C  I  T  Y  I  H
L  T  H  A  W  M  E  G  M  G  E  M  R  C  G
L  S  C  P  N  Q  E  A  L  L  L  A  R  F  R
V  N  N  X  U  R  M  N  E  A  U  Y  S  I  U
T  A  A  B  Y  F  U  B  R  I  S  T  O  L  B
O  T  M  P  H  O  S  R  H  U  O  G  L  O  N
X  S  O  U  T  H  A  M  P  T  O  N  O  Y  I
H  G  A  T  W  I  C  K  Q  Y  X  B  R  W  D
N  Q  N  E  W  C  A  S  T  L  E  U  S  U  E
```

BIRMINGHAM	GATWICK	LUTON
BOURNEMOUTH	GLASGOW	MANCHESTER
BRISTOL	HEATHROW	NEWCASTLE
COVENTRY	JERSEY	SANDOWN
DUNDEE	LEICESTER	SOUTHAMPTON
EDINBURGH	LONDON CITY	STANSTED

WORDS ENDING IN "ABLE"

```
R R E L B A R E N L U V E A I
E X P L I C A B L E W Z Q K Z
M H E L B A R E T L A N U R P
A C U L P A B L E E O V O U P
R L E L B A T I P S O H T O E
K A L L P A L P A B L E A S M
A H B I B R E S E D A R B T E
B E A N W A P E T C R U L H M
L L N R P M V K S O C M E I O
E B R J I A T E M E P A W N R
E A E L B A N N I W R Q E K A
Q D V C J R Z H S H U O S A B
R A O N M T Z Y X S C K F B L
A E G Z H B E L I E V A B L E
I R S D T L A U G H A B L E E
```

ACCEPTABLE	GOVERNABLE	READABLE
ACHIEVABLE	HOSPITABLE	REMARKABLE
BELIEVABLE	LAUGHABLE	THINKABLE
CULPABLE	MEMORABLE	UNALTERABLE
EXPLICABLE	PALPABLE	VULNERABLE
FORESEEABLE	QUOTABLE	WINNABLE

LIPSTICK SHADES

```
E N G S A P E Q E H J R T T S
L O R G T A Y D D T U U Q Z X
Y O Y E N Y J N E E Q S T K Z
R R E Y E R A S A R T T G M L
R A Y G G R A I T G E Y R L L
E M A L A R Y S P U O U S O A
B J U I M B U L P E W H R I R
N O S M U K U A L B C R A T U
A E J R L M L E T O E I A M T
R S K U N I S I A R R R P A A
C H O C O L A T E I Y W R S N
T P L U S R E T L A R O C Y N
B L U S H T R E S O R M I R P
P Q L S F O E U I O M O B A D
O Y D N A R B K Q E V U A M A
```

BLUSH	MAHOGANY	RAISIN
BRANDY	MAROON	RASPBERRY
CHOCOLATE	MAUVE	RUBY
CORAL	NATURAL	RUSTY
CRANBERRY	PLUM	SPICE
MAGENTA	PRIMROSE	TRUE RED

EUROPEAN CAPITAL CITIES

```
V L C A R I C Y Q E Q E X B B
I O E X O A S J E N E U W N I
D N T W V G O S S G J Q Q T I
O D I B I O F V P X U K J S L
T O R E E S I E L T F W F E O
J N A R N L A Y L P P K T U A
B I N L N P W C I A R U F I B
L R A I A V M A D R I D L U I
E U U N L R V L R I G U C O D
L S P S H L E Z D S A H R V U
K O W S S Z A N B J A S T E B
S K O P J E G T A R E W R I L
A D X T A Y L H E L S I N K I
I E B R A T I S L A V A A J N
F N E H O H T U H R D H V O U
```

BERLIN	KIEV	SOFIA
BRATISLAVA	LONDON	TALLINN
BRUSSELS	MADRID	TIRANA
BUCHAREST	PARIS	VIENNA
DUBLIN	RIGA	VILNIUS
HELSINKI	SKOPJE	WARSAW

LAKES OF EUROPE

```
H L I U X X P J T Y K C W Z G
M A M R Y S L A B E L O Y E W
A R Z F A D J Q A I T S N I O
C O O W L T Z S U P I E P I E
A U E W U S U V A S V E S I T
J O K W U O C C E A T E E W S
J M N L P X O K S P V T L S R
K L U B K A N I P I V A I N P
C S B V A E S D K E P K G A Q
I P S A E L T U H L O N E G A
Z R A G O D A L I I A D R A G
U G O S F H N T Q N A C A P A
X Q E N C A C P O E Q O H T S
I K C I L M E N V N O M M A A
O P Z J Y T R A O O K O K P K
```

BALATON	HAUKIVESI	PEIPUS
BELOYE	ILMEN	PIELINEN
COMO	LACHA	PUULA
CONSTANCE	LADOGA	SCUTARI
GARDA	MAMRY	SELIGER
GENEVA	ONEGA	SUVASVESI

PACIFIC PORTS

```
G B E L L I N G H A M Y E S V
N I Y O K O H A M A L A P A Z
I R V N W E I V G N O L V S R
H O N G K O N G D Z S L E O Y
C P R B A K D O H K A N R N D
U J M E T R S R A D N T P T X
K K A A D Q U S I A G U B I N
Q W N C A W O V N P E R O S T
P N I H K D O A U U L U T R L
X I L B K S K O O T E I A S A
A S A T T U O M D A S K N R E
T X T O T Z U N S C M U Y P O
S T K K T H A V J O I P B X O
O M Q Y H O A E O M E T A I E
R T K O T U H K B A R L Y E C
```

BELLINGHAM	LONG BEACH	SUBIC
BOTANY BAY	LONGVIEW	SUZHOU
HONG KONG	LOS ANGELES	TACOMA
JACKSON	MANILA	TOKYO
KUCHING	NAKHODKA	VLADIVOSTOK
LA PAZ	REDWOOD CITY	YOKOHAMA

COUNTRIES USING THE EURO

```
I O C L Z B T K I H O O S P V
F R A N C E R H J G E A H O N
V G I R E L A N D I G R Q T Y
R A X I R G I I O M T O U Z T
D M K O X I R S N G R E E C E
I N T O X U T Y I E Y S X Y U
O C A N O M S N A F V L P P U
P L V L E L U A P L U O K R C
E S T O N I A M S A R V L U K
N E P P A I S R Q T I A A S A
Q J I E L T F E U V P K A T T
Y Y Z T G T C G P I E I A I X
U D P V A M A L T A O A L M E
B S V T G L U X E M B O U R G
I X O Y Z S Y A Q T M D Z T R
```

AUSTRIA	GERMANY	MALTA
BELGIUM	GREECE	MONACO
CYPRUS	IRELAND	PORTUGAL
ESTONIA	ITALY	SLOVAKIA
FINLAND	LATVIA	SLOVENIA
FRANCE	LUXEMBOURG	SPAIN

US SECRETARIES OF STATE

```
A R K B T A S H Z N R K G P A
X O C T G B M B T A B Q T E K
N S L R N A V I L L U S I V I
C O Q M U K I S U B R H A I G
R X T U X E E H R N A F R U
G I P N L R T A S I S N L C T
P F C U I E X I N G U N O L B
P O W E L L H J D H Y O R F U
P Q A R M A C O S T P N T O V
E O U O O G W M S E O K T G G
G J M U S K I E R R A B A X G
L L S P W T S E I N P B D T U
K M B F E S N I T V W V F T G
R I T R N O E E X Z S O V E Y
D N S S Y R R E K P Z F F L U
```

ALBRIGHT	HAIG	POWELL
ARMACOST	KANTER	RICE
BAKER	KERRY	SHANNON
BURNS	MUSKIE	SHULTZ
CLINTON	NEWSOM	SULLIVAN
COOPER	POMPEO	WISNER

ROMANCE

```
R M A R R I A G E T O O E J P
X E G D A R L R D H F L L T R
K I V C O Y U E E O N S G A P
V C E O T R T L V N C A M A F
L U S E L R A A O E U Z S F A
S I E N A F Q T T Y P S Y P I
J I D C S I A I I M I T T E T
P I U H O R F O O O D F C N H
L F C A P S F N N O N I O N F
U A T N O T E S T N X G U O U
U L I T R D C H P E S W R M L
Q C O M P A T I B I L I T Y O
P I N E U T I P G P G O I N D
T E L N X E O P R E S E N T S
O X R T R Q N E M G B R G I A
```

ADORATION	ENCHANTMENT	MARRIAGE
AFFECTION	FAITHFUL	PASSION
COMPATIBILITY	FIRST DATE	PRESENTS
COURTING	GIFTS	PROPOSAL
CUPID	HONEYMOON	RELATIONSHIP
DEVOTION	LOVE	SEDUCTION

DAIRY FOODS

```
M A P A W D R L W E C K R T I
E D R A T S U C T T T Y E T P
I T E S E E H C E G A T T O C
C Y A A O H K I O E P D T E Q
O L V L J U U G U N U R U S K
P P O H O L R U P L L E B E L
T L R T P C T C C E K U S E I
M A A D T W O E R A R A U H M
F A B N Y E D H C E R A I C S
E D E F O E D E C I A W S M T
T R S R L T S C F K H M S A A
A U M E C E A E R E L G A E O
R C C O E E K L Y E G I L R G
M H S H L Y C Y E L A X M C I
E T C T R L T I I G L M A W R
```

BUTTER	CUSTARD	KEFIR
CHEESECAKE	DULCE DE LECHE	KHOA
CLOTTED CREAM	FETA	LASSI
COTTAGE CHEESE	GELATO	MILK CHOCOLATE
CREAM CHEESE	GOAT'S MILK	SOUR CREAM
CURD	ICE CREAM	WHEY

CAVES OF AFRICA

```
C M S R O T M T S O E A K U U
T X O O H T W A R G R Y Z K N
K M U M B A A G B B Y I I E O
E S M A U M A U P U M E S R O
F O Z G E A O E O N R L L I B
T H Y S V I L L E I A A T Y P
O K T P R J S D B K R O T A T
G L A D Y S V A L E K F K I J
H L I P U T A M N A E T I B A
O R S O F O M A R N A W L H I
B T H A H R G N M O U H X O U
E A J I N Z E X U B K R A X S
I Y O H N I H C T E O P J K K
T O T O T O F D I U M N Z R P
D S N B E X O P K I E R I F P
```

AMBONI	KEF TOGHOBEIT	MUMBA
BLOMBOS	KITUM	OGBUNIKE
CHINHOYI	KOME	RHINO
FRIOUATO	MABURA	SANNUR
GLADYSVALE	MATUPI	SOF OMAR
GUELDAMAN	MAU MAU	THYSVILLE

SEDIMENTARY ROCKS

```
E U E N O T S O L O D L R H T
P E T I L L I T S R A Z L P A
E T I N I V L Y S K A R G O T
T N M F G I B V T G K M A R E
I Q O R E T I L L I G R A E T
R X T T Y E S O K R A V R H R
O W A R S P N O N A E A L L D
P S I A E T A O B R E C C I A
A H D T R L L L T A C P E G L
V N G U I A L I D S G F S N R
E Y I P T J N T S Z E K T I L
T Z F U E E S E L T L K S T L
T T K T Q T J A C R R L C E E
Z Q R B U O T E T I R E T A L
F O S G E S C H E R T P U E W
```

ARGILLITE	DOLOSTONE	OOLITE
ARKOSE	EVAPORITE	SILTSTONE
BRECCIA	GEYSERITE	SYLVINITE
CHERT	LATERITE	TILLITE
COQUINA	LIGNITE	TRAVERTINE
DIATOMITE	MARL	WACKESTONE

SHADES OF RED

```
Y L I H Y M E R E F A S N K S
Q L C A R D I N A L U R I J O
P O Z M I H N L I A B G X H U
I S R A G R G U T M U F P J I
T S U R A B G L G E R J J K W
H P B A R H E N L R N A T T O
Y T Y N N S C I A O U O C I I
C A J T E L R A C S U B C A D
D E Y H T O I H R E D W O O D
E G C M I M M U S W U Y T L D
A R G U L E S G N O O R A M T
W R E M S S O L P O S X V Z F
O U A V E O N Y Y D Z E A Z V
L F H T E U U M B Z C P L O B
A N T P A M L K R W M W J P J
```

AMARANTH	FLAME	ROSEWOOD
AUBURN	GARNET	RUBY
BURGUNDY	GULES	RUSSET
CARDINAL	LAVA	RUST
CARMINE	MAROON	SANGRIA
CRIMSON	REDWOOD	SCARLET

HALLOWEEN

```
R C A E G S K S N H L Z M Y H
S U P E R S T I T I O N X T B
P U O H S C C A U L D R O N A
T T T R I C K O R T R E A T T
Y T L G M U N W P A R T I E S
R W B O F R I G H T E N I N G
A E W B E K E R I P M A V Y Q
C L G L L A M R U J U L N S W
S C G I U S K E L E T O N I W
W P H N R W F B O S R K I E N
F D O S I S I O A L I C K W S
A G S O A L T T X Z A A P J U
R E T I K E W C C M S J M J R
K A S T S Y R O P H E D U G U
D L D E T N U A H H V L P X I
```

BATS	HOWLING	SKELETON
CAULDRON	JACK-O'-LANTERN	SPOOKY
FRIGHTENING	OCTOBER	SUPERSTITION
GHOSTS	PARTIES	TRICK OR TREAT
GOBLINS	PUMPKIN	VAMPIRE
HAUNTED	SCARY	WITCH

CELINE DION

```
T  T  S  T  A  I  D  N  A  U  O  Y  K  D  R
E  T  I  M  A  L  I  V  E  A  U  T  E  O  E
L  L  L  U  U  S  O  U  A  N  S  L  N  T  V
L  I  T  R  S  R  F  N  I  A  S  E  B  G  Z
H  L  F  R  E  A  I  S  E  I  H  C  V  H  N
I  A  E  P  U  Y  O  L  M  E  P  F  D  A  N
M  S  M  R  B  N  A  H  A  I  O  O  L  U  E
L  V  N  R  E  T  I  R  W  G  N  O  S  S  C
U  E  O  T  T  B  T  F  P  A  X  U  Z  A  A
A  G  S  U  H  H  L  A  U  E  I  J  N  A  T
H  A  E  N  E  E  A  I  G  D  H  A  Q  G  L
T  S  Y  M  M  T  M  T  Q  L  D  T  G  F  A
M  J  E  X  A  B  K  H  S  I  N  G  E  R  S
L  I  H  T  N  E  L  C  A  R  I  M  I  E  T
M  M  Y  L  O  V  E  N  V  O  C  R  T  D  H
```

ALONE	I'M ALIVE	SINGER
AT LAST	LAS VEGAS	SONGWRITER
BE THE MAN	MIRACLE	TELL HIM
CANADIAN	MISLED	THE PRAYER
EYES ON ME	MY LOVE	UNISON
FAITH	ONE HEART	YOU AND I

BEST-SELLING ALBUMS

```
K H E F T H E W A L L L X J S
E C R Z V D N I M R E V E N U
G H A B B E Y R O A D U L I P
N R E L L I R H T E G Y A A E
I T H E B O D Y G U A R D R R
C M U I N N E L L I M O A E N
N M X O B C I S U M N E N L A
A E E Z D Y S K K A S H G P T
D T U S F R B L C X T T E R U
Y A O L J T I B T A D D R U R
T L E U B S A H S B B I O P A
R L C O M E O N O V E R U E L
I I A L D P U N G A I B S B L
D C Q T T A W R V K R Y Z T T
V A D R Y T B L T F B H Y N R
```

ABBEY ROAD	HYBRID THEORY	SUPERNATURAL
BACK IN BLACK	METALLICA	TAPESTRY
BAD	MILLENNIUM	THE BODYGUARD
COME ON OVER	MUSIC BOX	THE WALL
DANGEROUS	NEVERMIND	THRILLER
DIRTY DANCING	PURPLE RAIN	TRUE BLUE

SAUSAGES

```
Q P O F L R Y F H X K L K I R
H J L X R T H J E O T K P R O
S A L U M I O C P A G L R A R
K E I U A A A I P I O W V B Y
Y R T B I R O L D O I U I M H
U M O R O N G A Z O D J C N R
T R B A N D O U I L L E M E T
V R W T E R R K R Q L G Y L H
S R O W E R E O B E H S U U K
E Z E U G R E M S O U C G K N
R E Y R R L U L T S A L A M I
M S Z S O W I D O N U L P X P
T N A T A L O P I H C W D M P
D V K B D G C C H O R I Z O R
S O T L R S A V E L O Y A S U
```

ANDOUILLE   CHORIZO   LUCANICA

BIROLDO   DIOT   MERGUEZ

BOEREWORS   HOT DOG   MORONGA

BOTILLO   KAZY   SALAMI

BRATWURST   KNIPP   SALUMI

CHIPOLATA   KULEN   SAVELOY

PARROTS

```
O S H B L A C K L O R Y D S N
T T J A C A I C A P A R R O T
G A L A H O J L F M E D I U O
B T E E K I R O L E U L B F O
U A N D E A N P A R A K E E T
D L N O R E B A I A U G V K A
G J O N Q U I L P A R R O T K
E A S T E R N R O S E L L A C
R F G R O A G A T W S R S E O
I Q C U B A N A M A Z O N P C
G G T E E K I R O L M L A P M
A R I K P A C O C K A T I E L
R N L I T T L E C O R E L L A
K J D O P A K A K R G W I W P
S L L V T E N N O B E U L B M
```

ANDEAN PARAKEET	COCKATIEL	KAKAPO
BLACK LORY	CUBAN AMAZON	KEA
BLUE LORIKEET	EASTERN ROSELLA	LILIAN'S LOVEBIRD
BLUEBONNET	GALAH	LITTLE CORELLA
BUDGERIGAR	GUAIABERO	PALM COCKATOO
CAICA PARROT	JONQUIL PARROT	PALM LORIKEET

WORD SEARCH 343

BOOK PUBLISHING

```
I R A C R E D I T L I N E U T
A M R T H G I R Y P O C T O Q
D A S E Z I S M I R T S O K G
V N B T T P R I N T R U N N F
A U L R F I E D I T O R I A O
N S E M O E R P R O H T U A O
C C E B T Y R W L Q T C A U T
E R D C L O A A T E F T T N N
Z I I N D E X L S S U S V D O
O P A G E N T E T P O A C J T
M T S K L J P M C I A H M Q E
P I T A T Y G Q C Z E S G A S
T S T T T J R E N G I S E D R
W M K E N D O R S E M E N T S
R O T U B I R T S I D R H T H
```

ADVANCE

AGENT

AUTHOR

BLEED

COPYRIGHT

CREDIT LINE

DESIGNER

DISTRIBUTOR

EDITOR

ENDORSEMENTS

FOOTNOTES

GHOSTWRITER

INDEX

MANUSCRIPT

PRINT RUN

ROYALTIES

TRIM SIZE

TYPESETTING

BRANCHES OF ENGINEERING

```
S H L A C I T S U O C A U Q L R
R D T A A J G P O W E R I L A
M O L E C U L A R A L R A A L
A A H A S I Z N V T A E E R T
T G N X T C N T X E M L R U K
E R C U S N O H P R R E O T S
R I O X F X E C C R E C S C E
I C R L S A S M I E H T P U I
A U R A P I C C N S T R A R A
L L O C O F I T X O A O C T B
S T S I R I X R U U R N E S M
A U I T T M B S M R K I I G N
T R O P S N A R T C I C V O E
G A N O V L J I C E S N C N P
R L G P R O C E S S S Q G L E
```

ACOUSTICAL	GEOTECHNICAL	PROCESS
AEROSPACE	MANUFACTURING	SPORTS
AGRICULTURAL	MATERIALS	STRUCTURAL
CORROSION	MOLECULAR	THERMAL
ELECTRONIC	OPTICAL	TRANSPORT
ENVIRONMENTAL	POWER	WATER RESOURCES

DISNEY CHARACTERS

```
E R P L N T H A H N A I M I S
T E O T O O O K X T G C X R J
R B L I T R O L L D N U K F S
B Q B L T E O S F S R I A I D
V N O T I R T G N I K S M F A
S R K M S U E B O K E B O L I
R O C O Q K O T A L A O L I S
L H U W K T U T U G G P Y L Y
S C D G F L A C A X H F S O D
I T D L P I R R A T O E L T U
O I L I K E G M Z O A E E I C
B T A J H H R A G A I R O R K
M S N R T E S Y R V N T P T A
U F O P P O C A H O N T A S P
D C D Y S I U E C E S P O T M
```

BAGHEERA — HERCULES — POCAHONTAS
DAISY DUCK — KING TRITON — RATATOUILLE
DONALD DUCK — LILO — SIMBA
DUMBO — MAX GOOF — SPOT
FIGARO — MOWGLI — STITCH
GOOFY — PLUTO — TARZAN

OLYMPIC ROWERS

```
G K Y X X L S R I D K D L T B
Y A N A K I E V V A L Y F C L
S R E T T E R E U G X N A W L
E S Y N E K I G S B F J Z B W
E T F U T T C A N Y T P E I S
E E N O T S H A E E O H L D I
S N T D K G S A M U V A E S T
M V W A D D E L L P N C L J L
B R E N N A N J L P B K R I A
A P O R T E R A T H E E T N A
T O F C Y V Z A A A V R L G U
W U A K L R Y N N A M U A L N
L Y O K H N S S R M A R T I N
A V T E F E Z O V Y U O T P X
A L R B N Q G N T P U J A A V
```

BRENNAN	JAANSON	PORTER
CAMPBELL	JINGLI	STONE
ERICHSEN	KARSTEN	SYNEK
GUERETTE	LAUMANN	TUFTE
HACKER	MARTIN	WADDELL
HANSEN	NEYKOVA	YANAKIEV

ISLANDS LARGER THAN SICILY

```
R  L  O  O  R  O  Y  P  X  G  T  U  Y  R  S
T  T  R  S  A  K  H  A  L  I  N  I  U  M  G
W  U  C  H  P  T  Q  U  D  R  T  N  M  S  F
J  A  S  E  H  I  R  J  Y  N  S  L  P  O  T
T  P  O  A  D  W  T  N  K  Y  U  S  H  U  R
J  J  V  N  T  N  L  S  L  U  M  M  X  T  H
G  D  S  P  E  O  A  X  B  Z  A  A  B  H  A
T  R  J  S  O  W  R  I  R  E  T  D  O  I  S
Q  X  E  A  R  T  G  N  N  R  R  A  R  S  K
K  N  I  E  H  U  E  U  F  A  A  G  N  L  C
J  A  V  A  N  V  H  A  I  P  M  A  E  A  P
L  N  O  Z  U  L  R  S  R  N  R  S  O  N  A
M  I  N  D  A  N  A  O  N  R  E  C  A  D  S
H  A  H  I  S  P  A  N  I  O  L  A  R  T  O
Q  H  H  O  K  K  A  I  D  O  H  R  T  E  P
```

BORNEO	JAVA	SAKHALIN
GREENLAND	KYUSHU	SOUTH ISLAND
HAINAN	LUZON	SPITSBERGEN
HISPANIOLA	MADAGASCAR	SUMATRA
HOKKAIDO	MINDANAO	TASMANIA
HONSHU	NEW GUINEA	TIMOR

MERCURIAL

```
M A F S S U O I C I R P A C S
V U X L R X S V A E L K C I F
M Q T U U U A E R R U U A B L
Y U A A O C K I W X N L L M I
K I E L B A T S N U P R J O G
E C S K J L J U A A R K R Y H
C K L A T N E M A R E P M E T
I S E R R A T I C T D T K O Y
V I C I S S I T U D I N O U S
A L V A R I A B L E C N D R R
I V O L A T I L E E T E G L P
N E X C I T A B L E A L Y S S
O R I C H A N G E A B L E R K
E V P O F S I M P U L S I V E
H I N C O N S I S T E N T H U
```

CAPRICIOUS	FLUCTUATING	TEMPERAMENTAL
CHANGEABLE	IMPULSIVE	UNPREDICTABLE
ERRATIC	INCONSISTENT	UNSTABLE
EXCITABLE	MUTABLE	VARIABLE
FICKLE	PROTEAN	VICISSITUDINOUS
FLIGHTY	QUICKSILVER	VOLATILE

"L" SONGS

```
K O C O Z U A T Z L R R G V Z
T I U N P P S F T O A H T X Z
C K R U A T E L C I C I B A L
S H S L A I S L A B O N I T A
N R L I F E F O R R E N T L D
A H E I P H E V Z Z D C U U Y
G T M T E H L E L A U R A C S
P A O I L S E A E U X S E I T
I E N E A L T N Y S C W M D A
F R A E Y E I D L I D K K D R
D B D R L A T A M H T F Y R D
S T E Y A V B N A I X O L E U
L S J K G E E G R S S R N A S
O A P C D O G E M T E L D M T
N L A S T C H R I S T M A S E
```

LA BICICLETA	LAURA	LET ME GO
LA ISLA BONITA	LAY IT ON ME	LIES
LADY STARDUST	LAYLA	LIFE FOR RENT
LAST BREATH	LEAVE	LOVE AND ANGER
LAST CHRISTMAS	LEMONADE	LUCID DREAMS
LATELY	LET IT BE	LUCKY

LAGOONS

```
Z T U G L N H U T L A R A D A
R O N A R A M P G U T T T R T
I I G T W K O M J E H R X K L
A O F X A S U L I S P I L A I
S S K O M M A S A S Y K Y B V
R J E R B D I L T C I M X A J
N D L I E S T A R V I L T U A
V J E E R W O N A A E T O G S
R Y M L A B L G N V T E T N O
U B Y T L N I E A E P I H A H
Q U E O U D K B X I U T X M B
F R B N C O O A S R F S I M U
V L E J Z G I A L O V A A S J
N E Y I I O G N I C E Z C Z S
F Y M G U F W J C X P D Y E A
```

AITOLIKO	JUBHO	NDOGO
AVEIRO	LAGOS	ORIELTON
BATTICALOA	LANGEBAAN	SALTWATER
BEYMELEK	MANGUABA	SASYK
BURLEY	MARANO	SZCZECIN
GIALOVA	NARTA	WAMBERAL

HARD TO SPELL WORDS

```
D I P H T H O N G Q O U G U G
O K O S Y H C R A R E I H I A
F I E R Y S C F M E M E N T O
V T E R E E S I A N N O Y A M
I A Y I Y C Y A F S C R I A A
W M R W L A O E R U U C A K L
U E E A E E U M L R O A E F I
S E E I T R G A M M A L H H E
E D Y T I I T E M E U B A R U
P I F V N E Z I L C N R M A T
A R Z P I A T T S I A D J E E
R O M I F T R U L S V S N A N
A U S B E F N A S C B I B T A
T L S D D I B E U A D I R S N
E F P Z M C A T E G O R Y P T
```

CATEGORY	FLUORIDE	MAYONNAISE
COMMITTED	GUARANTEE	MEMENTO
DEFINITELY	HARASS	MINUSCULE
DIPHTHONG	HIERARCHY	PRIVILEGE
EMBARRASS	INOCULATE	RECOMMEND
FIERY	LIEUTENANT	SEPARATE

PHILOSOPHY

```
N C E N T R I S M S Y V T I R
O X M T Y S O R R K I S V E D
Y B O N T O L O G Y O A P A K
S S T M A T E R I A L I S M A
U N I V E R S A L I S M R Z N
G N V J E S C I H T E O L P U
S A I A L L I W E E R F O T K
Z T S L T P Z M Z A H S O A L
M U M A B S O L U T I S M S M
A R R E A L I S M T I L E R Y
R A T I O N A L I S M R A D S
X L W G W S T V F B Q M M U L
I I Y F M S I T N E I C S O Q
S S U A B S U R D I S M H K L
M M T A M S I T A E F E D L C
```

ABSOLUTISM	ETHICS	POSITIVISM
ABSURDISM	FREE WILL	QUALIA
CENTRISM	MARXISM	RATIONALISM
DEFEATISM	MATERIALISM	REALISM
EMOTIVISM	NATURALISM	SCIENTISM
EPISTEMOLOGY	ONTOLOGY	UNIVERSALISM

DOG TOYS AND SUPPLIES

```
A U N O S A W Y S R F A U F Q
K V T D L S N Z E S R F H R J
I M R W H I S T L E J O D I T
Z E G L H C H E W Y T O Y S S
H I L L A B A H O S U D S B B
L P V T R I M M E R G B N E J
D U B O N B P U K I R O W E A
D S Z E E C O Z R E I W X Z X
P D G O S B O Z L N N L S O W
O Q M L S T Z L S O G N L O A
L E T X N P A E L B E D E Z U
S L O V L R G E T A G N A L Z
P S J L R U E U R B R U S H R
E C R H B X I S J T M B H E F
A S Q T E D W R P U U G S K S
```

BALL	FOOD BOWL	SHAMPOO
BED	FRISBEE	TAG
BONE	HARNESS	TREATS
BRUSH	KENNEL	TRIMMER
CHEWY TOYS	LEASH	TUG RING
COLLAR	MUZZLE	WHISTLE

BRITISH ACTRESSES

```
E K N U E F N B U O I E U W W
M C H L C J U T E I S S O I U
U U L S H N N O T N I W S N P
O K H N U W F W A L T E R S E
O E E M O A K O X I A R B L N
X N P B S T T N S A E D X E D
C Y B L M S W L A U I N T T V
Q A U U I O R E D G R A V E I
L R R N T N T F N P I K E Q O
S J N T H O M P S O N L Z M T
E Z G D E N C H W K E C L A U
P A C L A R K E H S J R G U W
Q T S N R O T H E Y N U R C M
W L W Y S Z F O Y A S O A O V
H S F V N G T K N E R R I M V
```

ANDREWS	HEPBURN	SMITH
ARTERTON	MIRREN	SWINTON
BLUNT	MULLIGAN	THOMPSON
CLARKE	NEWTON	WALTERS
DENCH	PIKE	WATSON
FOY	REDGRAVE	WINSLET

ANIMAL GROUPS

```
Q L C F R U E H L U P P R V T
L Y E Q S Q M A B D B V P R H
Y H Z B W U L K K A G G F A R
P L O R T P B T A T V E D G H
C A K E S I Y C M E E V Q T K
T O O I L F V H K N O R O N E
P H P X L T E Q C F Q N E S T
A S A O S R P E G M Z M A E T
R O C R D E H X A R G A A M L
T K K H R I C S N A V A Z I E
Y N O L O C T U G W F S T Q Q
A L K E V O U G A S K T I Q X
N E T V E F L U T T E R I S F
P I T L A E C I T R O O P D S
V E R N I C O S V R S T T C R
```

CLUTCH	GANG	PARTY
COLONY	HERD	SCHOOL
DROVE	KETTLE	SHOAL
FLOCK	LITTER	SWARM
FLUTTER	NEST	TEAM
GAGGLE	PACK	TROOP

TYPES OF PARTY

```
D M J O R Z R U F R E E E E X
T Q C A U L R W W G A R D E N
H U H R T M B J E O K E R Y Y
A I R S A A M I L D S N K G J
N O I T A U D A R G D N F M L
K H S R E C O C K T A I L Z U
S A T E U O E A R T H D N L T
G L M E M D S O L V P D V G Q
I L A T A H I R W T O G A R S
V O S N F A R E W E L L Q Y O
I W C C R C P T L R L L F H A
N E W Y E A R S E V E C A U O
G E T R X S U L T G A C O G T
K N A G Y T S U I L J P W M Q
P N S Z O R S V D L D J E I E
```

BIRTHDAY	FAREWELL	SURPRISE
CAST	GARDEN	TEA
CHRISTMAS	GRADUATION	THANKSGIVING
COCKTAIL	HALLOWEEN	TOGA
DANCE	NEW YEAR'S EVE	WEDDING
DINNER	STREET	WELCOME

DISC JOCKEYS

```
P F O L L E G N A E V E T S P
Q D M L S A N N I E M A C B T
V P A U L V A N D Y K Q A K E
J O H N D I G W E E D R L P E
H C S A N D R A C O L L I N S
F F E R R Y C O R S T E N L C
A C L J Z S T A M O P B M A O
T A U Q T K R E T K U P O R T
B R J I C R H J N P C O R R T
O L E N I N A K R A V I Z Y H
Y C G B C T W U H T G L R L S
S O D P J E F F M I L L S E P
L X U A A F R O J A C K I V I
I F J D A V I D G U E T T A A
M O N I K A K R U S E L M N A
```

AFROJACK	FATBOY SLIM	MONIKA KRUSE
ANNIE MAC	FERRY CORSTEN	NINA KRAVIZ
CARL COX	JEFF MILLS	PAUL VAN DYK
DANNY TENAGLIA	JOHN DIGWEED	SANDRA COLLINS
DAVID GUETTA	JUDGE JULES	STEVE ANGELLO
ERICK MORILLO	LARRY LEVAN	TEE SCOTT

SALVADOR DALI

```
R Y S X T E H S I N A P S L J
U S R E N A I S S A N C E G A
S Q T U T R O T M C U S A N S
C T E N Q D L E A R E E W I Y
U C A B A R E T S C E N E H N
L O E C O H A S A E S U P S I
P N F J I L P F I U A A A I T
T I I R A M N E R G R V L F R
U T L N E E O R L G N A M A E
R S L S D T E T O E G N G N B
E E L D Z A N T A E E I Z U A
K D I O L L O I D A L H K T L
N H T I Y H R O A L D T T F I
Z K S X P A R Z R P I E K W V
Z T E F I G U E R E S A L S Q
```

CABARET SCENE	LEDA ATOMICA	SPANISH
CATALAN	PAINTER	STILL LIFE
DESTINO	PHOTOGRAPHY	SURREALIST
FIGUERES	RENAISSANCE	THE ELEPHANTS
HIDDEN FACES	SCULPTURE	TUNA FISHING
L'AGE D'OR	SET DESIGN	VILABERTIN

JAZZ GENRES

```
A F B M U L A V K S D A P O L
K R O E P O L O S T R I D E L
S E T A N Y V P E P A C C G M
B E B O P I M Q P R G A O A R
P F U X R U T A I A T E O I A
E U U L E D N A L E I X I D K
Y N N A B T P V L T M T Z E O
T K U K M Z S O L O E T O A B
P L J K A A Z N D Z K O G S U
Y J S A H D J A Z Z R O C K O
D B V O C A L S J O T C E R Q
G N M D O F O S W I N G I P H
W E T H K N L O O A L F U K B
P K A P B A A B J U N P Z G E
J O J U U E I E T T L F Q I Z
```

ACID	FREE FUNK	RAGTIME
BEBOP	JAZZ BLUES	SKA
BOSSA NOVA	JAZZ ROCK	SOUL
CAPE	LATIN	STRIDE
CHAMBER	MODAL	SWING
DIXIELAND	PUNK	VOCAL

BRANCHES OF SOCIOLOGY

```
G D L A C I T A M E H T A M Y
H I S T O R I C A L W C R O P
I G F E M I N I S T P O C A P
O I V L P O R A L W O M H L L
V T X A A V N R B Q B P I H H
Q A B I R C V A O R H U T N L
A L Y R A T I L I M U T E R K
N L U T T R S D J R M A C A S
R S S S I O U E E W A T T Z A
R R C U V R A R P M N I U U T
U I T D E T L T A O I O R R T
E C O N O M I C S L S N A K N
E N V I R O N M E N T A L K K
C P F F R L A C I T I L O P E
A G P A N A L Y T I C A L V E
```

ANALYTICAL ENVIRONMENTAL MEDICAL

ARCHITECTURAL FEMINIST MILITARY

COMPARATIVE HISTORICAL POLITICAL

COMPUTATIONAL HUMANISTIC RURAL

DIGITAL INDUSTRIAL URBAN

ECONOMIC MATHEMATICAL VISUAL

US CITY SQUARES

```
L P O M Y E A T C O P L E Y A
N R P T M Q F H H C H Y S P U
Y T T E G L A F A Y E T T E Y
H T E K O T R R R A L F N R G
E R R R H C R A V S D L I S R
T O O A T V A N A V P P A H P
P R M M O B G K R L U M G I S
W T W S F S U L D K B Q A N W
X M T H W T T I E L L S R G X
M M Y A P U P N O S I D A M C
O H R N N Q M R R I C O U R T
S E R O O O I Q Z W O R V Y C
P Z Z V R T I M E S A S K V T
X E N E E L X N A G O L R F F
H S T R M E R A U F T R Q R Z
```

CHATHAM	HANOVER	MARKET
COPLEY	HARVARD	NIAGARA
COURT	KENMORE	PERSHING
FARRAGUT	LAFAYETTE	PUBLIC
FRANKLIN	LOGAN	TIMES
GETTY	MADISON	UNION

LANDLOCKED COUNTRIES

```
Q T R Y O T K C B P H S F J O
T L U S L Z B H R A G W Q H X
I U Z A M B I A S L B V U A J
U T S S O T G D X O B N Z K A
T N E W L V A R L A G O M A A
P U K T D Z J I F A D N A W R
E R Y W O E V U R E P G F C Y
N L R P V I E Y E T K Z B W I
E R G A A K S F G H S R E S U
P F Y I N R L G I I R U L G U
A E Z T A U A D N O M Y A A H
L E S O T H O G I P X N R R A
K G T A G I S R U I D V U T U
C K A Z A K H S T A N B S U R
M O N G O L I A L E Y P Y A L
```

AUSTRIA	KAZAKHSTAN	NEPAL
BELARUS	KYRGYZSTAN	NIGER
BOLIVIA	LAOS	PARAGUAY
CHAD	LESOTHO	RWANDA
ETHIOPIA	MOLDOVA	UGANDA
HUNGARY	MONGOLIA	ZAMBIA

HELEN MIRREN MOVIES

```
E H G E G A U S T H E D E B T
X S N S N S Q M K D P O T S H
C R I T I C A L C A R E T R E
A E R H H I A R T H U R T K P
L G A E T M R R O S W E L C L
I N E H H D A O B O X T A O E
B I L A C Z U Y M Q D S V C D
U F C W U A X A U Y G E A H G
R N E K S B N L R E R H H C E
A E H P O I T D T A E C E T N
Z E T B N T B E N A J N S I T
P R G G A T O C O P W I S H H
S G O R G V H E O S K W Q T P
Z L P S T H G I N E T I H W O
D C M F U N S T H E Q U E E N
```

ARTHUR	NO SUCH THING	THE PLEDGE
CRITICAL CARE	ROYAL DECEIT	THE QUEEN
EXCALIBUR	THE CLEARING	TRUMBO
GREENFINGERS	THE DEBT	WHITE NIGHTS
HITCHCOCK	THE DOOR	WINCHESTER
LOVE RANCH	THE HAWK	WOMAN IN GOLD

1960S MUSIC

```
I  W  T  I  E  N  I  F  O  S  S  E  H  O  Q
T  B  K  T  E  R  P  X  S  T  A  G  E  R  R
A  L  I  E  H  S  I  V  R  U  N  A  W  A  Y
Y  U  H  O  Y  S  F  F  E  C  A  Y  R  R  G
R  E  S  P  E  C  T  H  F  K  Y  P  R  K  M
G  V  W  P  S  P  A  C  E  O  D  D  I  T  Y
B  E  H  Q  X  O  O  O  B  N  G  R  T  Q  G
K  L  I  V  S  B  D  R  M  Y  L  N  S  Y  I
P  V  T  B  L  U  E  M  O  O  N  K  I  R  R
U  E  E  Q  K  I  M  M  S  U  R  U  W  R  L
Z  T  R  E  D  T  E  N  Y  A  N  S  T  E  D
U  K  O  L  D  T  V  P  G  B  R  U  E  H  N
N  W  O  T  N  W  O  D  U  S  A  N  H  S  K
Z  S  M  E  A  I  L  N  J  Y  A  B  T  L  R
T  O  R  P  Y  E  S  T  E  R  D  A  Y  I  F
```

BE MY BABY	MY GIRL	SOLDIER BOY
BLUE MOON	RESPECT	SPACE ODDITY
BLUE VELVET	RING OF FIRE	STUCK ON YOU
DOWNTOWN	RUNAWAY	THE TWIST
HE'S SO FINE	SHEILA	WHITE ROOM
LOVE ME DO	SHERRY	YESTERDAY

ON A SHIP

```
F V V Q T G H M A S T T O P N
Z E G D I R B U E A T M H F Y
H R X I P E Y R L I S S W S E
R B U L K H E A D L B V G N K
Y U E S C R H A W S E R G N T
O E G M O O B H K G E I O X B
T U L M C U I H S M N U G N Q
U S I L C R U D D E R A M A U
S E B C A B I N S I E R G Y E
U A A D R G O B E R T H O U S
J I A J G G E J T U S P N D M
F R S R O W A U S E K W R O L
D Z Z U E U I S A M L T C K A
S A W P Y T R U U G Z P L B P
U T P T A A A P D H L A X T W
```

BERTH	CARGO	HULL
BILGE	COCKPIT	MAST
BOOM	ENGINES	RADAR
BRIDGE	GALLEY	RUDDER
BULKHEAD	GANGWAY	SAILS
CABINS	HAWSER	STERN

PRAISE

```
Y C H S I R T C L T K P N R T
F E T A R E N E V B C D P E J
I F H U D V E L O M A I U I N
R S R A A E M E L R B O C T S
O P A Y T R I B U T E T O R K
L E V L I E L R I R H E N Q Y
G A E S E R P A L V T G G J E
N K A L J V M T Q H N A R P H
H W B J L L O E W A O M A R L
E E O D J I C R D A T O T B R
T L U F D U A L P P A H U A T
T L T D I P Q H M P P Y L P E
R O A O M I A L C C A A A X P
O F S X F R T T L M L P T O T
V Z R E E H C O C O M M E N D
```

ACCLAIM	COMPLIMENT	PAY HOMAGE TO
APPLAUD	CONGRATULATE	PAY TRIBUTE TO
APPROVE	EXALT	RAVE ABOUT
CELEBRATE	GLORIFY	REVERE
CHEER	HAIL	SPEAK WELL OF
COMMEND	PAT ON THE BACK	VENERATE

WORDSWORTH POEMS

```
L I B P L Y A N S G N W P S M
D Q E M A T T H E W S P Q I I
U F G E O H S I T X A T B L C
Y I G O D E T O D U T Y X I A
D D A F A C L R H T Y V A L D
A E R V M N R L D I T M A A M
F L S U I A E F E A I A H G O
F I I I A T H Q S N L F E K N
O T S N D N M X S J I A B V I
D Y S I C E A T U M B R D T T
I U O U M P R A G T A E W X I
L N F O R E S I G H T W V I O
S E R A L R N E A U U E I A N
P Y A S K E T C H A M L U A S
S I Q Z Y A R G Y C U L S E Y
```

A FAREWELL	DION	MATTHEW
A SKETCH	ELLEN IRWIN	MEMORY
ADMONITION	FIDELITY	MINSTRELS
BEGGARS	FORESIGHT	MUTABILITY
DAFFODILS	LAODAMIA	ODE TO DUTY
DESIDERIA	LUCY GRAY	REPENTANCE

JAPANESE ISLANDS

```
M W A K A S U R E L Y K R S B
W A U M Y S Z H R O K O S A E
U S O C I O U H S N O H W R B
M U S R A H S A Y T V A M U E
Y Q K K Y U S H U A J M U S S
R A W U N O T O J I M A K H L
R Q A R T K T D Q R A Z A I P
W T K M I F N A G A S H I M A
R R V L I H R V I J U M S A E
E E E O F H N S Q I K H H P Y
A E A O G A S H I M A I I L U
T Z M U O P A A T A M R M X O
R P E S H I K O K U A A A S Y
C H K K I H O K K A I D O N J
P S I A A E E A T U T O E H I
```

AMAKUSA	IKEMA	OSHIMA
AOGASHIMA	KOHAMA	SARUSHIMA
AWAJI	KYUSHU	SHIKOKU
HIRADO	MUKAISHIMA	TAIRAJIMA
HOKKAIDO	NAGASHIMA	TAKASHIMA
HONSHU	NOTOJIMA	WAKASU

CITIES WITH CHINATOWNS

```
N D B E Y J B T A K O Q N I J
E E D I A L E D A S L U Q I C
B P W T R E V U O C N A V E A
B Y E C T M L E O M Z T R T A
M O U S A H I V E A B R O N O
R K E M T S E N I N O T S O B
A O L E R P T A G C P E R T H
P H I L A D E L P H I A M S X
N A W B K I Y B E E A A R Y Z
O M A O A R F S T S Z M T I P
D A T U J A Y I O T T A W A S
N X E R B D L U B E R L I N O
O T Q N N I L P O R T L A N D
L I V E R P O O L I T H E K M
M L Y N C I A L R A Q A C N R
```

ADELAIDE	LONDON	PERTH
BERLIN	MANCHESTER	PHILADELPHIA
BIRMINGHAM	MELBOURNE	PORTLAND
BOSTON	NEWCASTLE	SYDNEY
JAKARTA	OTTAWA	VANCOUVER
LIVERPOOL	PARIS	YOKOHAMA

RAINY DAY ACTIVITIES

```
S N C M A K E O V E R U S I M
N A A N W C A Q E S A S T U B
U R K S G N I M M I W S S S O
Y T E T N A P N J U A E H S W
B G D L I Q I F E A U U O E L
O A E W P U Z S U M O L P W I
S L C U E A Z M K H A N P I N
F L O W E R A R R A N G I N G
S E R Y L I M R S W T X N G A
Q R A O S U A D I T O I G O R
U Y T O U M K R E A D I N G R
R Z I F G T I D Y I N G K G T
M O N P A I N T I N G U X W J
S U G S O N G W R I T I N G F
S N L P G C Z N U A K X S I L
```

AQUARIUM	MAKEOVER	SHOPPING
ART GALLERY	MUSEUM	SKATING
BOWLING	PAINTING	SLEEPING
CAKE DECORATING	PIZZA MAKING	SONGWRITING
CINEMA	READING	SWIMMING
FLOWER ARRANGING	SEWING	TIDYING

FARM EQUIPMENT

```
G O R E T N A L P N V E H S R
K T P E N I T E H A Y R A K E
G R A I N A U G E R B O R X P
U H A R R O W N N S E L V S A
R S U B S O I L E R O L E I E
N R O T A V I T L U C E S C R
Y O P R T T F C I T D R T K E
B T B A L E R A R D I X E L L
X A G C H O U T R H N R R E Y
J V E T A D S I A M U O Y U T
R A R O G T L W R C T A C F Q
N T G R R L B R E Y A R P S L
R O V S T N A T W G A A U P R
A R P I U U D Y O S O T L C Q
R C I T A H S T M U A M J U K
```

BALER	HARVESTER	ROTAVATOR
CONDITIONER	HAY RAKE	SEED DRILL
CULTIVATOR	MOWER	SICKLE
FARM TRUCK	PLANTER	SPRAYER
GRAIN AUGER	REAPER	SUBSOILER
HARROW	ROLLER	TRACTOR

POLISH NAMES

```
W  I  N  R  N  X  G  F  Z  C  O  K  D  E  B
A  T  D  W  O  D  Y  L  R  U  I  U  L  O  T
N  S  I  M  M  A  G  D  A  L  E  N  A  J  E
S  J  R  Q  Y  W  K  T  G  W  J  E  T  N  R
U  F  T  V  Z  I  T  A  N  S  A  G  R  S  S
A  M  U  O  S  D  L  L  I  M  U  U  A  E  R
U  O  J  I  Y  B  L  E  E  K  S  N  M  V  P
M  N  K  S  B  Y  Z  K  S  A  P  D  Y  V  B
S  I  H  I  L  U  R  S  Z  U  L  A  R  U  R
J  K  Q  G  U  A  R  Y  K  B  N  I  Y  T  U
K  A  T  A  R  Z  Y  N  A  P  C  N  C  Z  T
O  H  D  K  E  A  P  R  U  R  O  O  J  J  R
A  T  A  G  A  S  T  I  P  I  O  T  R  O  A
E  D  R  N  S  E  E  E  O  I  S  N  L  B  G
Y  B  T  L  K  H  J  R  H  V  J  A  O  R  Y
```

AGATA	ARTUR	MAGDALENA
AGNIESZKA	BARTEK	MARTA
ALEKSY	DAWID	MONIKA
ALICJA	IGA	PIOTR
ANTONI	KATARZYNA	SZYMON
ARKADY	KUNEGUNDA	URSZULA

DIRECTORS

```
P R S O D F P S U U B H E R I
W I C H J L V L X V O E I M I
U P Y N O L A N T M I J D L I
H K Y N O T R U B S J F R J G
Q X C Y O B D R Q R E L A Q S
E T M I I R A T A T N S M F S
X R C M R F H A L B K V S K P
A T H E Y B I P L E I E A R O
V Z A U B D U V E R N A Y G S
A S P L B I G K N G S S S S E P
X I L L O K G L P M P T V Q S
P N I B S P F E O A N W U I Y
M E N D E S P A L N B O N B P
R D C A M P I O N O M O S I L
E R W I S T E K C I W D R A H
```

ALLEN	COPPOLA	JENKINS
BERGMAN	DENIS	KUBRICK
BIGELOW	DUVERNAY	MENDES
BURTON	EASTWOOD	NOLAN
CAMPION	EPHRON	RAMSAY
CHAPLIN	HARDWICKE	VARDA

BODY PARTS

```
N R U E M R H T F D L D Z T S
O A S U R K P N R N B L K U S
C J V C D Q K J A C U X Z A H
A V P G Y T G H G Y P E U T O
S H K B S W X A D R S E K W B
B E V H Q E E I X T R A S K T
O V G L C Y W R I S T B O U G
T P O D V E X A R M F S R T X
U W P R D E L R I B A I S L T
O A D N I A R B U S H C V T O
P T O E O R E M O U T H G I F
X Y J C W B C H C W E E S O N
S N S K Q P A T K L U S O U O
P G N I K A F C I Q R T Y C S
T X Y K M U E E K F C N Y O C
```

ARM	EYE	NECK
BACK	FACE	NOSE
BRAIN	FOOT	RIB
CHEST	HAIR	TOE
EAR	HEAD	WAIST
ELBOW	MOUTH	WRIST

"DIS" WORDS

```
R P D I S T A S T E P R W A J
T N D I S P O S A L L B D S A
D D D I S T R I B U T E I D U
I I I R T E N I L P I C S I D
S S S D K A M G Q D H H G S I
T P M L A Y P B Y L U J R A S
I L I K O B F Q A O L E A S C
N E S E R C E I U R U W C T O
G A S K O I A L L T K H E R N
U S I I D I S T R A C T I O N
I E V L J W L R I Y U D L U E
S D E S S Y E L H O Q Q X S C
H N D I S A P P O I N T S P T
O W X D T Y N O M R A H S I D
R O S Y O Z Y R E V O C S I D
```

DISAPPOINT	DISGRACE	DISPOSAL
DISASTROUS	DISHARMONY	DISQUALIFY
DISCIPLINE	DISLIKE	DISTASTE
DISCONNECT	DISLOCATION	DISTINGUISH
DISCOVERY	DISMISSIVE	DISTRACTION
DISEMBARK	DISPLEASED	DISTRIBUTE

EXCELLENT

```
O S W V U N T U J R G V U U W
I U W C F G L O R I O U S C E
L B T R E M E N D O U S R R K
U L S C I F I R R E T O O U R
F I R S T R A T E H S S K T I
R M R V N A J R E C T X S E I
E E X C E P T I O N A L P Y Z
D S J D C M G F T B N N E X W
N U D K I Z E P P R D V R N V
O O E G F D L R E E I C F K C
W L I R I T N F P P N R E L R
A U E E N X P E P U G Y C W O
A B R A G X X L L S S D T A P
F A N T A S T I C P M X L T A
A F E Q M T A A W E S O M E E
```

ACE	GLORIOUS	SUBLIME
AWESOME	GREAT	SUPERB
EXCEPTIONAL	MAGNIFICENT	SUPREME
FABULOUS	OUTSTANDING	TERRIFIC
FANTASTIC	PERFECT	TREMENDOUS
FIRST-RATE	SPLENDID	WONDERFUL

SHINE

```
N K B Y Q R N L Q T F F G M Z
T S I D O N P D A Z Z L E T V
J Q D G P G P A C V I I A O W
D S G S I A Z H E M H C D R L
U F F X S H I M M E R K R X E
K C L U M I N E S C E E S C A
L N U E L A R A F E T R E S L
B X O O Q R A D I A T E R S E
A G R B H C S D A U I L G I P
A N E T S I L G F I L K R Y R
M O S T T H Q I L U G N I V E
A A C O R U S C A T E I Q S K
E S E L K R A P S G Z W J E P
B W O L G L M N H S O T L G O
U P B Q G L I N T Y P L A I U
```

BEAM	FLUORESCE	GLOW
CORUSCATE	GLEAM	LUMINESCE
DAZZLE	GLIMMER	RADIATE
FLARE	GLINT	SHIMMER
FLASH	GLISTEN	SPARKLE
FLICKER	GLITTER	TWINKLE

"N" NAMES

```
A P E H I E L M N G P P Y L A
O Z T D S T P D N A O M I N N
E A N V R E N I L A M A O S S
A A E N J L N O R B E R T N L
U N L A T I E A A M A L O E O
J J S T E E V I T H S E N N D
T U O H E N I D A N L H M I D
N P N A T A L I E R S G T C D
A N I N T U L P O S W U P K H
I N I C O L E K L K A E C O B
D I J S P R Q L L X X B S A K
A K A W P U R O A A T L W T A
N I G E L A P I T K J T X H V
Q T Y O U E S Q N G Q C N T K
V A A J R D S Z A D T W P H F
```

NADIA	NELSON	NINA
NADINE	NEVILLE	NOAH
NAOMI	NICK	NOEL
NATALIE	NICOLE	NORAH
NATHAN	NIGEL	NORBERT
NEIL	NIKITA	NORMAN

THE SCIENTIFIC METHOD

```
J S E C N E D I V E A P E Q N
P R E D I C T I O N Y E B P O
C H Y P O T H E S I S B I G I
H E V A L U A T E C X N R U T
N O T A Q Q B L C I O Y C Q A
R R E X A M P L E U L V S L G
L E X P E R I M E N T A E W I
T S Z T C A R T S B A O D R T
X E T M E T A A N A L Y S I S
E A V E R I F I C A T I O N E
T R O B S E R V A T I O N D V
N C G A L T D W C M W Q O D N
R H A S T L I H P G M G I F I
E M O D E L S N F T L E M P O
U G N T S A U T G V Z P L J T
```

ABSTRACT	EXAMPLE	MODELS
DESCRIBE	EXPERIMENT	OBSERVATION
DISCOVER	HYPOTHESIS	PREDICTION
DOUBLE-BLIND	INVESTIGATION	RESEARCH
EVALUATE	LEMMA	TESTING
EVIDENCE	META-ANALYSIS	VERIFICATION

VALLEYS OF UTAH

```
S O P E C R T L E Z D W J I A
W K T M U S U T V B L L Y S W
R T U Z E N I P Y E P G O P A
Q N I L M A H R D A B E S R E
Y E I Z L K P R R V A Y U R V
T H M A C E P O E E S S S W A
F S R M P H W D R R H I I I E
M O J O O A U D E V G C A T U
B G U N N I S O N H T B A S T
R W C U R L E W O A N N F C O
M A M M O T H P S T R A D E C
I H T E F Z T R L Z U G L L R
H W D N O M A I D T L S T A S
O A N T E L O P E D E A S E I
P H U S O S I U G V Q A V R E
```

ANTELOPE	GOSHEN	PAROWAN
BEAVER	GRAND	PINE
CACHE	GUNNISON	RUSH
CEDAR	HAMLIN	SKULL
CURLEW	MAMMOTH	SNAKE
DIAMOND	MONUMENT	WAH WAH

CREATURES FOUND UNDERGROUND

```
P  S  A  L  T  B  A  N  T  Z  T  E  E  R  E
S  C  S  H  L  O  O  L  P  R  R  A  S  C  Y
A  Y  O  I  I  Q  G  K  C  R  U  F  O  X  I
D  P  R  U  O  K  C  U  H  C  D  O  O  W  Z
L  V  C  T  I  R  U  S  H  K  L  L  G  O  A
Z  G  T  R  A  B  B  I  T  A  N  L  N  S  R
K  O  C  W  A  E  P  Z  Q  A  P  I  O  G  T
A  P  Q  D  B  M  O  T  T  E  R  D  M  W  U
T  H  G  I  U  O  A  A  R  D  V  A  R  K  L
E  E  T  N  U  V  S  K  O  S  I  M  M  V  O
R  R  K  S  C  J  E  R  B  O  A  R  S  H  I
R  I  L  W  E  A  S  E  L  A  D  A  C  I  C
E  S  A  L  P  M  G  E  R  B  I  L  N  L  D
F  C  R  R  R  R  H  M  O  L  E  G  F  T  H
F  O  F  T  S  O  E  S  Q  E  E  Q  X  T  S
```

AARDVARK	FERRET	MOLE
ANTS	FOX	MONGOOSE
ARMADILLO	GERBIL	OTTER
BADGER	GOPHER	RABBIT
CHIPMUNK	JERBOA	WEASEL
CICADA	MEERKAT	WOODCHUCK

TYPES OF CHAIR

```
S S E K S Z T E E C P A Y W Y
Y H H E S I I D O T O S O V V
T J S T R C R L T P A T I O R
P A L S K U O R I R R B R F R
W L E A R U P P O G M U O F S
X I E T R A I V U M H L C I E
G N N P S L E R A A D C K C R
L B J G E D J S L I F T I E A
L R S N U R S I N G L T N Z S
F E A I U A U G E R H I G H P
C W D L G N V L X N T A T R M
F S D E N T I S T P C R I A O
M T L E V I W S O R W P L A C
R E E N W A L R I N K X X P T
L R I K R A M N E R S I G A H
```

ARM	KNEELING	OFFICE
BREWSTER	LAWN	PATIO
CLUB	LIFT	ROCKING
DENTIST	MASSAGE	SADDLE
FOLDING	MORRIS	SWIVEL
HIGH	NURSING	WING

WORDS CONTAINING "OUT"

```
K C T V D R S B S I Y Y K S R
P R O H U Q H Q U H V A R N V
C O U T N U M B E R O B F O C
V U T U N F A S M U U O L U Y
L T R O U T L D T K T U O T S
A O A C E Z Y L T U G T U I V
Z N G N E U A U S H O U T E D
T F E U Z N F F L O I R S T Q
E G O R D A I H U M N Z P E I
T S U I J S C T B S G U E S A
T E S T U O P U U Y U K S O C
S H R U Y U M O T O Y O U L U
R E I T T T F Y Z W R Y T G S
Y T R I C H R O Q S E V B E Z
J N K I R N W T M L Z T U A C
```

ABOUT	OUTPUT	SOUTH
CROUTON	OUTRAGEOUS	SPROUTS
FLOUT	OUTSET	STOUT
OUTGOING	ROUTINE	TROUT
OUTLANDISH	SHOUTED	UNCOUTH
OUTNUMBER	SNOUT	YOUTHFUL

SCOTTISH CLANS

```
E A G H U O A M T P S A L Q P
E N R M P K G C R T P R I P P
A T A I R V I N E P I B E Y D
Q T M X U S U W K D G B U T I
L M S L E C A L L A W E S L A
P S A U H R E H A L D A N E C
L T Y R T R A H U Q R U P N N
U J P O S H C O R R A D R N I
Y H T E N R E B A I M B C O K
V N B A N N E R M A N A Y X L
L B C A M P B E L L A A O H M
I Q I W G A L B R A I T H T F
G P R J O H N S T O N E Y U S
O K S M A C D O N A L D R A R
D P A U O Y D T D S R S K O R
```

ABERNETHY	IRVINE	OGILVY
BANNERMAN	JOHNSTONE	RAMSAY
CAMPBELL	KINCAID	STEWART
DARROCH	LENNOX	SUTHERLAND
GALBRAITH	MACDONALD	URQUHART
HALDANE	NESBITT	WALLACE

ARCHAIC

```
T P D B I A E S Q O L L I A Y
S U P E R A N N U A T E D T F
S T C H N J N S O S S O D S I
T R O I Y O E T R G R G E T A
F R E N T W I Z I R Y I F C B
P G R D N S U H Q Q A B U N O
F F L T E O I A S T U O N I U
D O X H I L A N I A J A C T T
M R O E C D E R O Y F O T X M
M M U T N H P D J R E D J E O
C E R I A A R K E P H B L I D
P R I M I T I V E G N C R O E
A N T E D I L U V I A N A W D
X T W S O B S O L E S C E N T
R F C I R O T S I H E R P X A
```

AGED	BYGONE	OLD HAT
ANACHRONISTIC	DEFUNCT	OLD-FASHIONED
ANCIENT	EXTINCT	OUTMODED
ANTEDILUVIAN	FORMER	PREHISTORIC
ANTIQUATED	OBSOLESCENT	PRIMITIVE
BEHIND THE TIMES	OF YORE	SUPERANNUATED

COLD REMEDIES

```
F R P A B D L R Z S D R R P P
A C U P R E S S U R E D V E U
Z E R V H T A B R O C G I P O
C C Y K I Q L Y E N O H T N S
L H S Z V I T A M I N C A S N
C I A G E R W Z S P G G M N E
N N O S T E A M E E E A I X K
U A F T K S T U T R S R N M C
R C R L U T E S O E T L D V I
W E Y Q G N R F U G A I E K H
I A S L E M O N Z N N C K R C
H I R G R L F C R I T I U V R
B J B B I U N E O G N I W A T
A J T O Q O D Z R C O C U E E
F T C O K A G Q A G R E A X S
```

ACUPRESSURE	GARLIC	SALT WATER
BATH	GINGER	STEAM
CHICKEN SOUP	HONEY	SYRUP
COCONUT OIL	LEMON	VITAMIN C
DECONGESTANT	OIL OF OREGANO	VITAMIN D
ECHINACEA	REST	ZINC

THANKSGIVING

```
T S A E F P H M C P R U I H V
L F I Q A S M T H U R S D A Y
M E Q Y M A E U U M A T E R H
F S A D I L H R R P U R Y V E
P T E L L C S K C K Z O J E T
I I S O Y R Z E H I S P L S U
H V L C T P O Y K N E S N T O
S A V G E A L W Y P N R L V L
R L T A R G T R W I L A S C A
O E S I G I N O V E M B E R A
W R N J Y R M M P R N O D B R
E A H N W S H S N S P S A K T
L U A W I A T A L E V A R T L
L P T C O D O T O R E Y A R P
S U C F S W M L A H U D P R P
```

CHURCH	NEW WORLD	PUMPKIN PIE
DINNER	NOVEMBER	SPORTS
FAMILY	PARADES	THURSDAY
FEAST	PILGRIMS	TRAVEL
FESTIVAL	POTATOES	TURKEY
HARVEST	PRAYER	WORSHIP

PHILOSOPHERS

```
A P I A T B R D A I D K X X A
A H M V O A N A U C O W J S G
J J U L O C K E N O A G D R S
N M R M F L R R S S E B B O H
E O D A E A T N A K C T S T N
X H O R S R E A D B V O T C I
W X C I L H B F I E C T M F X
B S H S L J E T B R B A Y B H
J M A T Z Y R U A L E L J W E
T P L O O T K T S I S P A P G
R E B T R L E I B N I Z S N E
P A S L E S L I U X X A N V L
T D N E R A E P N U P P A K K
P L Y D O O Y B A M S I I T R
M T O Y O G L X X Q A Z Q R F
```

ANSCOMBE	HEGEL	MURDOCH
ARENDT	HOBBES	NIETZSCHE
ARISTOTLE	HUME	PLATO
BERKELEY	KANT	RAND
BERLIN	LEIBNIZ	SOCRATES
FOOT	LOCKE	VOLTAIRE

WORD SEARCH 389

BENJAMIN FRANKLIN

```
A L I G H T N I N G R O D O E
Q A T P G W T G O P E T E Q U
F P S A E U D L T R H L R R F
R R T C T L U V S I T B O O B
E Q A E I J E V O N A X T Q I
E P T N K V U C B T F R N T F
M H E D K V T Z T E G R E K O
A Y S I F L P S Z R N S V S C
S S M P O L I T I C I A N I A
O I A L O T C N S T D C I F L
N C N O I E E E S O N L I B S
I S V M L T C T R T U E F T O
L G T A H T A M Y L O P I L Y
X A U T H O R E O L F V I C B
I P S T N E M I R E P X E Q S
```

AUTHOR	FOUNDING FATHER	PHYSICS
BIFOCALS	FRANKLIN STOVE	POLITICIAN
BOSTON	FREEMASON	POLYMATH
DIPLOMAT	INVENTOR	PRINTER
ELECTRICITY	KITE	SCIENTIST
EXPERIMENTS	LIGHTNING ROD	STATESMAN

MAKE A FUSS

```
A N W O S Q K X R O O L Q M Z
S P V U I G J N X P C O R T B
Z G R I P E R A P U B P S J E
R Y M O A N P O R U R J P Q Q
U L Q Q T P S R U I O P P E L
V O G C E E C G R C Q T I M U
E L O B C R S S R Y H A C G A
A E I D O E O T I U G E K R A
A H N O M R U Z S O M L H O C
E C A R P O N N S P S B O U I
W P P T L L D B E W A I L S S
U G P E A P O B J E C T E E O
Y T R R I E F R H O V A S O A
V T F I N D F A U L T W I T H
V S A W H G H V N W H I N E S
```

BEWAIL	GRIPE	OBJECT
BLEAT	GROAN	OPPOSE
CARP	GROUCH	PICK HOLES IN
COMPLAIN	GROUSE	PROTEST
DEPLORE	GRUMBLE	SOUND OFF
FIND FAULT WITH	MOAN	WHINE

THOUGHTLESS

```
B S L U B W T N E D U R P M I
O P L K G Y A R J T Z M T M R
N F B B P R D M K L F O S Y R
K O I M P R A C T I C A B L E
E O N U T T Y H F I Q T D Q S
R L N S U O R E T S O P E R P
S I S S E L E S N E S I Y I O
E S U Q W N I V A L D N L D N
T H O F L O S I S Z Y L L I S
D X R S A U S I M A A E P C I
C G C M S O N G C S M R A U B
K D I P U T S W W A C K Y L L
R P D R S R K T I O L A E O E
B C U C K O O E Z S Y Y B U C
T U L L O U T R A G E O U S S
```

BONKERS	IRRESPONSIBLE	RIDICULOUS
CUCKOO	LUDICROUS	SENSELESS
DAFT	NONSENSICAL	SILLY
FOOLISH	NUTTY	STUPID
IMPRACTICABLE	OUTRAGEOUS	UNWISE
IMPRUDENT	PREPOSTEROUS	WACKY

MUSEUM VISIT

```
H I F S A E S E U Q I T N A U
T L Y M R S B R P U A S P L B
P V A A T T O J O I S L A A H
L U S N W I U S C T C I I B E
R A F X O B N S O T I S N I T
S E C U R I T Y L O E S T S K
P R S P K H T R L U N O I H C
I U E T P X Y A E R C F N V P
E T E Q A E R L C G E O G S B
K L M S C U L P T U R E S O P
C U R A T O R N I I D J N R V
O C N B Q N B A O D U E L S O
Y D O N A T I O N E S F P P M
D I N O S A U R S T S K C R P
T Z S E Y B I R O S Z E T G S
```

ANTIQUES	DINOSAURS	RESTAURANT
ARTWORK	DONATION	SCIENCE
BONES	EDUCATIONAL	SCULPTURES
COLLECTIONS	EXHIBITS	SECURITY
CULTURE	FOSSILS	TOUR GUIDE
CURATOR	PAINTINGS	VISITORS

WORD SEARCH 393

US STATE SONGS

```
A M O H A L K O V S U R H A L
H U B E A U T I F U L O H I O
A I N A V L Y S N N E P V S U
I F M A S S A C H U S E T T S
L R O C K Y T O P O F J O R T
M W K E R O G C A R O L I N A
I Y I L O V E N E W Y O R K K
N O O I E I R E M O N T A N A
N M Y H A T O K A D H T R O N
E I O O U R D E L A W A R E C
S N T H D N A L S I E D O H R
O G M I S S O U R I W A L T Z
T T E N N E S S E E W A L T Z
A L L P M Y M I C H I G A N T
O I S I O N I L L I Q C Y O C
```

BEAUTIFUL OHIO	MASSACHUSETTS	OUR DELAWARE
CAROLINA	MISSOURI WALTZ	PENNSYLVANIA
HAIL! MINNESOTA	MONTANA	RHODE ISLAND
I LOVE NEW YORK	MY MICHIGAN	ROCKY TOP
ILLINOIS	NORTH DAKOTA HYMN	TENNESSEE WALTZ
LIVE FREE OR DIE	OKLAHOMA	WYOMING

ON A CONSTRUCTION SITE

```
I  T  W  S  T  U  Z  Q  T  A  U  X  L  N  L
L  A  D  D  E  R  J  P  S  H  I  N  G  L  E
S  P  R  I  L  E  V  E  L  T  I  R  I  P  S
L  E  P  I  P  R  G  I  R  D  E  R  F  S  C
D  M  T  W  O  W  A  Y  R  A  D  I  O  P  A
I  E  A  R  P  R  O  T  E  C  T  O  R  S  F
H  A  R  D  H  A  T  L  I  C  R  X  O  P  F
R  S  I  N  Q  H  W  T  T  E  A  I  G  W  O
K  U  U  L  X  D  A  Y  F  D  I  E  Q  Y  L
D  R  U  W  L  M  Q  B  U  I  L  D  E  R  D
A  E  T  B  U  L  L  D  O  Z  E  R  L  T  I
C  E  M  E  N  T  M  I  X  E  R  Y  R  G  N
C  S  N  A  I  K  F  R  S  S  K  Z  Q  O  G
T  P  G  D  S  K  R  S  A  A  T  E  S  T  U
V  S  Y  S  Y  A  Z  P  A  T  S  I  S  O  S
```

BUILDER	HARD HAT	SHINGLE
BULLDOZER	LADDER	SPIRIT LEVEL
CCTV	PIPE	TAPE MEASURE
CEMENT MIXER	PNEUMATIC DRILL	TRAILER
EAR PROTECTORS	SAW	TWO-WAY RADIO
GIRDER	SCAFFOLDING	WOOD

DAVID BOWIE

```
E  I  A  Y  A  A  C  K  S  S  E  U  V  O  C
S  C  E  W  R  P  L  H  E  R  O  E  S  G  V
Q  T  N  P  S  U  R  V  I  V  E  T  T  N  N
P  O  D  A  R  P  C  H  A  N  G  E  S  I  A
H  N  M  S  D  K  A  L  L  Y  A  R  K  L  E
O  I  E  T  P  S  Y  C  Q  E  S  G  Z  H  J
K  G  Q  F  X  L  T  E  E  V  T  N  I  T  E
E  H  L  I  T  T  L  E  W  O  N  D  E  R  U
H  T  N  I  R  Y  B  A  L  L  D  C  U  A  L
U  N  D  E  R  G  R  O  U  N  D  D  L  E  B
Z  B  L  A  C  K  S  T  A  R  F  I  I  L  W
T  I  N  M  A  C  H  I  N  E  V  H  R  T  Z
E  S  F  S  O  R  R  O  W  D  T  G  R  I  Y
L  D  B  T  F  A  S  H  I  O  N  E  T  J  S
I  P  O  E  T  T  G  L  A  M  R  O  C  K  V
```

BLACKSTAR	GLAM ROCK	SORROW
BLUE JEAN	HEROES	SPACE ODDITY
CHANGES	LABYRINTH	SURVIVE
CHINA GIRL	LET'S DANCE	TIN MACHINE
EARTHLING	LITTLE WONDER	TONIGHT
FASHION	MODERN LOVE	UNDERGROUND

DANCES

```
U T G T Y P T N A Z Y A D S I
P U S J T E P O G N A T Q E R
V R I U U S B C G S W I A M O
I V R O I E O N X N M A M B O
E T T N W I L E A T A H C A B
N F O P L O E M Q Y J D O Z P
N O T S E L R A H C I Z N B Q
E X A A L T O L W S T I L A S
S T T M U E S F M T T T R L F
E R B B V T I K I S E D I B U
W O S A L V F C C Y R T E O E
A T F L Q E E O Z I B U O A A
L O N Q F G N R G J U R M H A
T O I A Q G I K I K G Q M B Z
Z S X S A L S A G F A V E V A
```

BACHATA	FLAMENCO	RUMBA
BALBOA	FOXTROT	SALSA
BOLERO	JITTERBUG	SAMBA
CHARLESTON	JIVE	SEMBA
CONGA	MAMBO	TANGO
FANDANGO	QUICKSTEP	VIENNESE WALTZ

SLOPE LANDFORMS

```
A P B B Y G P A V V E L A V T
T E S Q A U R A V I N E V A I
H Q D E L L L O X H N C R O O
S A J B Q L P L A T E A U C O
Z D A L E Y C S I Z L R S U S
X A Z Y B L U F F F G R L E G
A I J P L Q E G D I R E S U M
L P I J A U S U M M I T F Z P
L E Y K J C T H S M A A S M C
T W O L P L A I N M K R U S S
K E O I P I P L Y S J R O V T
N T K R D F D L M R E O H C G
V W T W L F C O U P T S U R P
U J I U L T I A T V Z C H H S
O U D L G A M R O Y A E R H W
```

BLUFF	GULLY	RIDGE
CLIFF	HILL	SCREE
CUESTA	MESA	SUMMIT
DALE	PLAIN	TERRACE
DELL	PLATEAU	VALE
GLEN	RAVINE	VALLEY

SCIENTIFIC OCCUPATIONS

```
N R T S I G O L O E G Q Q O S
U A A S T R O N O M E R A C R
C B I O T S I G O L O O Z F R
H T N C K S Z R T O G T B P A
E P U E I I I R K N R N Y S G
M O Z A O T S C F B A E E Y E
I S O N N X S K I Q P V N C C
S B I O L O G I S T H N G H O
T F U G U D R L T C E I I O L
S L O R G D R T H A R N N L O
B O T A N I S T S W T L E O G
T R A P R F X M Y A A S E G I
M B P H Y S I C I S T L R I S
U T F E P A T H O L O G I S T
P H E R P E T O L O G I S T R
```

ASTRONAUT	ENGINEER	OCEANOGRAPHER
ASTRONOMER	GENETICIST	PATHOLOGIST
BIOLOGIST	GEOGRAPHER	PHYSICIST
BOTANIST	GEOLOGIST	PSYCHOLOGIST
CHEMIST	HERPETOLOGIST	STATISTICIAN
ECOLOGIST	INVENTOR	ZOOLOGIST

KATY PERRY

```
R P X S B G T O O B L B X S C
T E E N A G E D R E A M V A J
T A G O S I S A P Y S F L N G
O C U N H K O L O S T I D T F
N O I T I I N A D H F R R A A
E C T E E S G E A O R E H B I
O K A T R S W T R T I W U A N
F K R T E E R N K N D O T R V
T R H E W D I O H C A R K B T
H E T F S A T S O O Y K P A T
E U R R G G E D R L N Y T R U
B U O U C I R U S D I R S A Q
O R R M S R N H E R G M E F Z
Y L R S Z L T M B L H U I U Y
S X T S R N E M F O T R A P S
```

CALIFORNIA GURLS	I KISSED A GIRL	RISE
DARK HORSE	LAST FRIDAY NIGHT	SANTA BARBARA
FIREWORK	LOST	SINGER
GUITAR	ONE OF THE BOYS	SMURFETTE
HOT N COLD	PART OF ME	SONGWRITER
HUDSON	PEACOCK	TEENAGE DREAM

FINANCE

```
I S M P T I A O R W B C E B O
W U S T T N P L B U D G E T N
R S Y O E G Y H Y W T S X J E
E R I F C Y T I U N N A C G A
P A E J I B N G T B E D H A G
O A L X R G S S L P M T A C L
S H D I P R E M I T T A N C E
I T H O G E U S S R S X G O P
T I W U N P N I A Q E A E U I
O E U L I A L S U A V T C N E
R V B P S Y R T E K N I C T R
Y A T C O M M I S S I O N J R
U U A E L E O I T P M N I U E
R L M R C N C T U E T X A S B
R T U B S T O C K S R A U S G
```

ACCOUNT	DEBT	REMITTANCE
ANNUITY	EXCHANGE	REPOSITORY
BUDGET	EXPENSES	STOCKS
BUYING POWER	INCOME	TAXATION
CLOSING PRICE	INVESTMENT	VAULT
COMMISSION	PAYMENT	YIELD

THE BIG BANG

```
S P A R T I C L E S V A I K M
N I A B K H T J Q D T O C N O
O T N E B L S I U Q K I O O D
T R T G A T F T I U U J S I E
O K I I U R X H L A J L M T L
H F M N H L A E I R A E O A X
P O A N P J A O B K N X L I T
G R T I A L P R R S E P O D N
F C T N A U T Y I U P A G A S
B E E G O T R O U T T N Y R S
E S R E V I N U M Z Y S R E T
G L U O N S A E H O R I Z O N
E S L Q Y P S H V J E O E A M
U O P V G U L I V E A N G L Y
V U V Y N S C N H B S S T S F
```

ANTIMATTER	EXPANSION	PHOTONS
BEGINNING	FORCES	QUARKS
COSMOLOGY	GLUONS	RADIATION
DIMENSIONS	HORIZON	SINGULARITY
EQUILIBRIUM	MODEL	THEORY
EVENT	PARTICLES	UNIVERSE

FURIOUS

```
T U O I L T M R V T O L I F G
P L I Z A U F U M I N G R S U
Z I J R D I F Z G N I V A R F
S C B D I B D H S F A A T A L
E I D L I V I D T L X J E G N
A T N E C S E D N A C N I I I
A S O L T R P Z A M R M T N E
P I E B K A F L L E V W N G S
R N N I P N I R E D A O A I X
G O R C C T V R S A O N N B L
R G A S E I S R U A S T G X S
P A G A T N E X O F R E I R N
E T E R E G S E R S N R D M Y
K N D I K C S E E T H I N G O
Y A I F P P O V D U L B I M R
```

ANGRY	INCENSED	LIVID
ANTAGONISTIC	INDIGNANT	RAGING
DISPLEASED	INFLAMED	RANTING
ENRAGED	INFURIATED	RAVING
FUMING	IRASCIBLE	SEETHING
INCANDESCENT	IRATE	WRATHFUL

SCOTTISH ISLANDS

```
X  T  D  U  O  V  M  H  I  O  N  A  P  U  E
W  M  F  D  A  N  N  A  L  L  O  N  G  A  Y
I  S  T  M  W  Z  L  R  D  L  S  R  O  U  O
A  J  T  G  W  R  Q  Z  J  N  S  L  P  S  A
E  Z  Z  P  F  A  F  I  I  B  U  T  E  K  O
U  W  M  A  U  J  P  W  O  R  P  H  L  E  U
X  Z  O  A  L  L  U  M  X  J  G  L  L  R  I
O  U  A  S  G  R  F  R  N  I  A  F  S  R  U
T  L  S  J  A  A  G  R  A  E  M  S  A  Y  T
W  N  K  I  B  R  C  D  L  X  I  N  B  O  P
X  U  Y  B  S  C  O  L  O  N  S  A  Y  S  O
W  P  E  G  I  L  S  A  Y  P  U  R  S  I  I
L  W  S  J  F  B  A  R  R  A  R  R  F  Q  C
A  W  S  X  J  B  B  Y  N  X  N  A  S  R  E
S  T  Y  R  L  O  U  K  R  B  C  H  L  P  I
```

ARRAN	EGILSAY	JURA
AUSKERRY	FLODAIGH	LONGAY
BARRA	GRAEMSAY	MULL
BUTE	HUNDA	NOSS
COLONSAY	IONA	OXNA
DANNA	ISLAY	SKYE

COMMON FRENCH SURNAMES

```
P R K J T Q P R S V O S E A I
N B R O A X T R E I C R E M S
I M O R E A U Q S N D A V I D
P N B Y U D G O T C M T O C M
G E E Q D R A N R E B S O H R
U B R W K A E T U N W A B E M
N J T P P H M A R T I N P L M
U U A N D C O D A P E T I T Y
M Q E F E I P E U F H T O O I
I H A N S R B K P O X C S P R
W M S I O B U D M T L H A I F
B N O M I S N A J P T N U S S
L S N Y C K S T L E R O Y Q R
T U B M L D N A R U D M L I D
J A H T E T A B M A D M Y D M
```

BERNARD	MARTIN	RICHARD
DAVID	MASSON	ROBERT
DUBOIS	MERCIER	ROUX
DURAND	MICHEL	SIMON
LAURENT	MOREAU	THOMAS
LEROY	PETIT	VINCENT

ATLANTIC SEAS

```
P R L L N A I N O I C S U B A R
R S Q A U A U K G S S R W L T
H A B B A L E A R I C H B A T
P L I R M I N G E R A O N C A
O S D A G B B U E M R P O K W
F D F D T Y A N E A I T U D L
Z E I O E A L V N S B T A C I
Q H P R T N T E F Y B O D Q G
X T O P E R I C V U E B R S U
A J S A N U C H U A A K I I R
S C E B O T H N I A N D A T I
A H S I R I G H S S F T T C A
P K Q T T R N O R W E G I A N
L G P R H X U C E L T I C N T
O C L R Z U U F T S P X C O E
```

ADRIATIC	BOTHNIAN	LABRADOR
AEGEAN	CARIBBEAN	LEVANTINE
ALBORAN	CELTIC	LIBYAN
BALEARIC	IONIAN	LIGURIAN
BALTIC	IRISH	NORTH
BLACK	IRMINGER	NORWEGIAN

GALAXIES

```
F M B S P I N W H E E L A R C
T R I A N G U L U M Y A R E I
R E A U B P W B H A E X T O R
Q W T W D Y R H S N K S E A C
Z O L N D T B G I D C C D Q I
A L S R O O N O T R A U N T N
P F S L L U C T O O L L O A U
E N U I T E E A T M B P E D S
T U M C O M E T R E B T O P A
R S Y C B V O H H D V O I O M
H S A M I L K Y W A Y R D L L
A L U H S I F R A T S K R E L
M W H H U S S O M B R E R O S
B P S P S A O U C I G A R A I
G E T P T O B R D J Q Y C E R
```

ANDROMEDA	CIRCINUS	SOMBRERO
BABY BOOM	COMET	STARFISH
BLACK EYE	DRACO DWARF	SUNFLOWER
BODE'S	MILKY WAY	TADPOLE
CARTWHEEL	PINWHEEL	TRIANGULUM
CIGAR	SCULPTOR	WHIRLPOOL

FRENCH DESSERTS AND PASTRIES

```
D F R P T Q R Q E A R Z P U C
O L E L N S A A C E L R X R H
E A I P A N S P L H O A O Z A
L U M B I I U I A F X Q R R R
U G L S D S G Y I Y U R S U L
O N A U N I V T R E K O L C O
G A P D E A E V M A T T H N T
R R L U M R O B E I G N E T T
U D S V O X O P E R A C A K E
E E L L I U E F E L L I M Q B
T G E A C A S D M A C A R O N
B I C H O N A U C I T R O N R
C U E Y N I T A T E T R A T U
Z P A I N A U C H O C O L A T
T C L G E P E T I T F O U R A
```

BEIGNET	MACARON	PALMIER
BICHON AU CITRON	MENDIANT	PETIT FOUR
CHARLOTTE	MILLE-FEUILLE	PROFITEROLE
CROQUEMBOUCHE	OPERA CAKE	RELIGIEUSE
ECLAIR	PAIN AU CHOCOLAT	TARTE TATIN
FLAUGNARDE	PAIN AUX RAISINS	TEURGOULE

ONOMATOPOEIC WORDS

```
O E W J A I R Q Y N R N R S W
B H O N K U X U X Z R S T A N
A L E S N M L A H S Z S S J I
C W M R O A R C O L I I U H N
T R M L C U C K O O L H F Z S
O H A E K H S X T S W X F U U
S A J Y I G P M U H T P K I A
A Y S R A U U O H T R T X S M
Y A P T E O R O L L O T V R R
A Y I S E C R O F P E E B T Z
P Q N C N U R W H L I I F X A
W Q G U V S E I A M L E A M E
X T A A D R O J A M B P Q D G
B G T T R O L Y R A P A H L M
K D A Y Q X V M K S I C Y U N
```

BEEP	HONK	PLOP
CHIRP	HOOT	PURR
COUGH	KNOCK	QUACK
CUCKOO	MEOW	ROAR
FIZZ	MOO	SLOSH
HISS	PING	THUMP

A MIDSUMMER NIGHT'S DREAM

```
H X V S E F S T O M S N O U T
E A R U M R A T Y L O P P I H
X I O E B L A I S E I R I A F
I O N S D P R E R N S J I P S
Y O U E Z N P M P Y K I T U B
Q J C H W D A U R S L C E C E
B A A T G E E S S F E A J K P
R L J Z N M L T Y C O K N H P
E P I L I E G A A L O R A D C
N T C B D T O R I I I M E H Z
O S I E D R I D U R N O E S S
R U S A E I R S I T N A I D T
E E N E W U H E L E N A T T Y
B G U A P S B E W T R B F I E
O E G R R S Y D I P L O P E T
```

COMEDY	HELENA	SHAKESPEARE
DEMETRIUS	HIPPOLYTA	SNUG
EGEUS	LYSANDER	THESEUS
FAIRIES	MUSTARDSEED	TITANIA
FAIRYLAND	OBERON	TOM SNOUT
FOREST	PUCK	WEDDING

3D PRINTING

```
V C C A R R I A G E N A P A Z
L D E B D E T A E H Q W A T D
L A L R E S M O N O M E R D U
A H O F N X S Y U S V P A E F
P A V L I J T V L K S H M L P
S R I T C L S R Z O S O E R T
S D S Q H M A K U U P T T U E
T E C M R I G M R S P O R P Z
Z N O B O E C K E S I P I V T
T I S E M D Q K Z N P O C B L
G N I R E T N I S T T L N R S
I G T F I L L E R H N Y L O N
L A Y E R S J R T S E M E C C
C O M P U T E R M O D E L R F
R P H M U O I L W K H R T U H
```

BIOPOLYMER	HARDENING	NYLON
CARRIAGE	HEATED BED	PARAMETRIC
COMPUTER MODEL	HOT END	PHOTOPOLYMER
EXTRUSION	LAYERS	SINTERING
FILAMENT	MONOMER	THICK SHEET
FILLER	NICHROME	VISCOSITY

AUSTRALIAN OPEN TENNIS CHAMPIONS

```
Y Z F A A R U B I V R X Q R A
F S K T P F H Z O T M F H S R
C O U R T U O U P E T E O F B
N O O L T T I L H S I N P T S
R Q N E A V I L A S N S W X R
L T T N R L F M I V R A A T F
U L N T O T P F U L E N D L G
B E C O U R I E R D D R E A Z
R G H I A H S D S B B A L B L
L F I S A I B E C K E R O Z H
Z H O P A N G R A F R F K O R
G R P A B G S E D R G U X L F
P M X W P I E R C E T P O K T
R W H M O S A K A Y M L E G A
N O K H U Q H S T T P T N S D
```

ASHE	FEDERER	OSAKA
BECKER	GRAF	PIERCE
CONNORS	HINGIS	SAMPRAS
COURIER	LAVER	TANNER
COURT	LENDL	VILAS
EDBERG	NADAL	WADE

ITALY

S	N	C	I	A	Z	D	R	U	P	D	H	T	I	H
E	N	I	A	T	N	U	O	F	I	V	E	R	T	S
H	M	L	I	L	I	T	Y	A	Y	X	R	R	V	V
T	Q	O	S	D	P	K	E	E	A	R	B	B	L	E
T	P	H	P	F	Z	N	L	T	H	A	N	L	K	U
B	R	T	E	R	E	M	O	R	N	T	U	D	P	U
P	V	A	T	P	B	T	S	I	Z	U	M	U	U	E
P	E	C	S	A	X	B	X	A	H	T	O	O	L	B
S	N	N	H	P	N	Y	Y	O	A	S	N	M	T	S
M	I	A	S	I	E	P	O	P	E	R	A	O	U	E
I	C	M	I	S	A	D	T	Y	H	N	L	F	S	K
L	E	O	N	A	R	D	O	D	A	V	I	N	C	I
A	W	R	A	I	O	N	A	P	L	E	S	W	A	S
N	O	P	P	O	P	Q	A	E	X	S	A	P	N	P
M	U	E	S	S	O	L	O	C	E	I	T	P	Y	H

ART	MONA LISA	ROME
COLOSSEUM	MOUNT ETNA	SPANISH STEPS
DUOMO	NAPLES	TREVI FOUNTAIN
FASHION	OPERA	TUSCANY
LEONARDO DA VINCI	PISA	VENICE
MILAN	ROMAN CATHOLIC	WINE

EASTER

```
T Y U A J D P U K I O W R T H
Z R F T R Y N N U B S E T F V
N V B A S K E T Z P T R D F I
C O I S F W D O C H I C K S O
V L I P S F A C H A E T I P T
B T D T E T R E O I A D A R T
A R A R I C A L C A R Q G P I
R R F U K D P E O S S R R Y E
T U F A C O A B L R U A T L R
U I O U K W Q R A E X N L I R
L J D R O S G A T W S N D M A
I D I L L E N T E O U B T A R
P T L S J H X I U L Q S M F Y
S E S S T G O O D F R I D A Y
Y P Z K S I M N E L C A K E L
```

BASKET	FAMILY	PARADE
BUNNY	FLOWERS	SIMNEL CAKE
CELEBRATION	GOOD FRIDAY	SUNDAY
CHICKS	LAMBS	TRADITION
CHOCOLATE	LENT	TULIPS
DAFFODILS	NEW START	YELLOW

FRANK SINATRA

```
R A N W A O P S G X S G R H R
R K T W M H G R R Y U S I E U
R C L O S E T O Y O U Y D G I
S T P N I G H T A N D D A Y I
U H H K N N T C R V U B Y A C
M A O R G I D A A A G S B F R
M T T E E W Q P Q Q T U Y R P
E S S V R S K B P K W P D A M
R L L E P F A M E R I C A N X
W I D N E W J E R S E Y Y C Q
I F I L O V E D Y O U T D I K
N E E L P M U J V S F R R S C
D I P U T S N I H T E M O S U
O N W O T S I H T A R N C V C
R E I Y P Y X R M O U O E R O
```

ACTOR	IF I LOVED YOU	SOMETHIN' STUPID
AMERICAN	NEW JERSEY	SUMMER WIND
CLOSE TO YOU	NIGHT AND DAY	SWING
DAY BY DAY	POP	THAT'S LIFE
DREAM	RAT PACK	THIS TOWN
FRANCIS	SINGER	YOU'LL NEVER KNOW

THE SOUND OF MUSIC

```
P U T E E T X A S A H U L I K
P A A O R P S A Q Q A V P U U
O B T T L O U I S A S J R X E
I S Y R M X B R I G I T T A E
Y Q Q M A E H T X A S H C I S
T S M P X M C S G Y T B L R S
A L U G A W I U O Q E Q I O E
A A S R R Z R A V O R R E L N
C T I E S B D N E Y B I S F O
E A C T M H E R R Z E L L E R
B E A L J N I A N H R A L M A
S A L Z B U R G E U T S D O B
A A A I G N F B S U H R M I O
T F A V T S T T S J E T Y T K
L Y B S Y Y X S R L O M P D C
```

AUSTRIA	HERR ZELLER	MAX
BARONESS	KURT	MUSICAL
BRIGITTA	LIESL	NUNS
FRIEDRICH	LOUISA	ROLFE
GOVERNESS	MARIA	SALZBURG
GRETL	MARTA	SISTER BERTHE

WEATHER WORDS

```
T L L L U T R R O R U U E W L
G S P S L H L T G L R Q K A J
I I S T N C R P I O X K S N A
F H H S H O W E R R S X B R Z
R M F V T C W Z D O U T U S N
L N L O R U P E R N T P P T P
V I Q E G M E E I H U M I D V
I D P W N U T R Z C L H K O L
D O R O I L U B Z T I I T X S
R W E B N U V Z L O T C W E O
O N S N T S A C E R O F L Q N
U P S I H U A O Z N N R Y E I
G O U A G H J G U A R O R L T
H U R R I C A N E D U S S H T
T R E P L C I R Y O I T T S L
```

BREEZE	FORECAST	PRESSURE
CUMULUS	FROST	RAINBOW
DOWNPOUR	HUMID	SHOWER
DRIZZLE	HURRICANE	SNOW
DROUGHT	ICICLE	THUNDER
FOG	LIGHTNING	TORNADO

SMARTPHONE FEATURES

```
G T U M N A P A S N O I D A R
A S C R E E N C A P T U R E T
M T S J G N I G A S S E M V E
E O L P Y S H P C F J O E R T
S U P T G M Q T G T T C A Y H
R C R I H A G A O E L S T M E
E H G N I L L A C O E D I V R
S S Y L Z L J H C P T K K S I
W C I F E D A K Z R J E T M N
O R A R N R C R A A H R U P G
R E Y E G A R O T S D U O L C
B E Z I M O S W S J G F I P B
B N N E Q E V P I P O C T A A
E G R W F R W K P F A S P A H
W A U S N T T K A A I M Q D J
```

APPS	GAMES	SCREEN CAPTURE
BLUETOOTH	GPS	TETHERING
CAMERA	MAPS	TOUCHSCREEN
CLOCK	MESSAGING	VIDEO CALLING
CLOUD STORAGE	RADIO	WEB BROWSER
GALLERY	REMOTE CHARGING	WI-FI

SEWING AND STITCHING

```
J I H J V P M A I U S G B E H
I M Y C H O U E O C R O S S O
Z T E N H B S L M R D D A R T
L C T U O A L X O K E E R T T
A F F B K L I N I N G T L J A
L P F S W R N N R A N G S T C
T R S R U D O U X C I Q T Y Q
D P R M T T A W N R N G D T U
V U M O T H I Q E Y R A O H I
P R M U I E G L U L A T H E L
Z R A I N Y L B O I D H D M T
X F R X K S U E K C T E G M I
Z T L A G T O N Y H K R E I N
V R J O S T R P L E A T I N G
N K L T A V A B I N D I N G L
```

ACRYLIC	DART	LINING
BINDING	EYELET	LOCK
BODKIN	GATHER	MUSLIN
CHAIN	GODET	NEEDLEWORK
CROSS	HEMMING	PLEATING
DARNING	KNIT	QUILTING

WINE

```
E Y E P I N O T G R I G I O T
E D E S S E R T Z Z W X T S A
T R Y A N N O D R A H C Y P C
Y C S U X W H M E R L O T A S
T C L V H A D Y Z I C J B R U
T G N I L S E I R H K E F K M
P F T G J I N K E S R D H L T
R E I N A F Y N E N U R L I R
Y R O O A R I L E C R E D N Q
T T U N S N Y T B R S V P G A
A V D B B R F O R T I F I E D
B E W L H R I O N T O N I P O
L T A A A U U X N U X A U B D
E N R N K R Y L R M S D Q M A
C E C C T Q M R V P W R T L U
```

CABERNET FRANC	MUSCAT	SHIRAZ
CHARDONNAY	PINOT GRIGIO	SPARKLING
CHENIN BLANC	PINOT NOIR	TABLE
DESSERT	RED	VERDEJO
FORTIFIED	RIESLING	WHITE
MERLOT	SAUVIGNON BLANC	ZINFANDEL

FAMOUS PHOTOGRAPHERS

```
K  G  L  I  S  L  G  U  R  S  K  Y  E  R  T
O  S  T  P  S  J  C  V  S  L  M  X  K  A  T
C  P  H  M  Y  W  U  L  X  N  C  O  E  T  W
K  I  R  A  K  S  A  L  G  A  D  O  E  I  H
A  S  X  N  R  L  T  N  T  Y  A  R  I  S  T
R  W  H  N  A  M  R  E  H  S  U  M  S  I  K
S  P  H  I  L  V  R  A  I  I  D  S  W  Q  O
H  U  K  A  W  E  K  N  K  C  Y  T  Q  T  M
W  Q  B  W  T  E  I  L  B  U  H  I  T  E  C
A  P  A  R  R  A  W  B  A  I  L  E  Y  G  C
L  U  I  R  A  V  E  D  O  N  L  G  N  E  U
T  A  R  R  D  J  S  R  K  V  U  L  W  D  R
A  Z  N  U  X  P  T  A  R  I  I  I  S  D  R
S  R  X  G  E  Z  O  N  A  C  H  T  W  E  Y
M  R  A  K  E  N  N  A  H  L  I  Z  Z  S  L
```

ARBUS	KENNA	PARR
AVEDON	LANGE	SALGADO
BAILEY	LEIBOVITZ	SHERMAN
GEDDES	MANN	STEICHEN
GURSKY	MCCURRY	STIEGLITZ
KARSH	NACHTWEY	WESTON

WIND INSTRUMENTS

```
Z I N E F P S Q D N U B G R E
N G R A L G O C L D A R N T Y
O B O E U C A L L I O P E S L
Y E H T T P S P G A T Z T T E
E O P O E P R E C O R D E R W
O N L H C N O C D N N I O W H
D D A C I N O M R A H S N I I
E X R N C R L B A G P I P E S
A U C P D T R U M P E T V T T
V K I I B A S S O O N L O A L
U P O C A R I N A B R R J H E
S N B O A B P N I V A T C O U
T F U T Z U U S T C U C U S S
P S O O R A F T M U E A R L G
U T E S T S K T G A Q B L L B
```

ACCORDION	CONCH	OCTAVIN
ALPHORN	FLUTE	RECORDER
BAGPIPE	HARMONICA	TROMBONE
BASSOON	KAZOO	TRUMPET
CALLIOPE	OBOE	TUBA
CLARINET	OCARINA	WHISTLE

"E" WORDS

```
E F U E P N F E V O L V E L U
A S W R S G T R H O E T V E Z
W D S E C O N O M Y H S A R E
Z E A E Y E W I T N E S S E T
A X H O L T E T H A N E I H A
R P O C T D J A R T L T O W R
R O I E S I N T E N Y B N Y E
F R D E W E F E T A E R U R N
P T T N A G A V A R T X E E O
V E X O L N E E U E H S Q V X
J Y H R P A L T Q B I J W E E
S U N M O H K F E U C E R S M
T G R O E C V S W X S W S G U
A V R U R X H S R E L A U U T
G S U S L E E T S P Y J S R B
```

ECONOMY	ETHANE	EXCHANGE
ENDLESS	ETHICS	EXONERATE
ENORMOUS	EVASION	EXPORT
EQUATE	EVERYTHING	EXTRAVAGANT
ESCHEW	EVERYWHERE	EXUBERANT
ESSAY	EVOLVE	EYEWITNESS

MATT DAMON MOVIES

```
N N P W P P E T Z C T H O C S
I N V I C T U S A D T F W G D
F K V E N O C I B R U B U S S
A S W P P T H E M A R T I A N
K W A G R E E N Z O N E J B J
L B N W O S Y R I A N A S T A
K A N S U E L Y S I U M C U S
R U O Y N O K C U T S E H K O
T T H E D E P A R T E D O J N
I F R O E A G U Y Y U L O R B
M S G I R A E I E C O K L V O
S M B W S G E R R Y S B T A U
A R P I R T O R U E S S I R R
U G G I S R E T F A E R E H N
V E T E R A G R A M Z L S F E
```

DOGMA	INTERSTELLAR	STUCK ON YOU
ELYSIUM	INVICTUS	SUBURBICON
EUROTRIP	JASON BOURNE	SYRIANA
GERRY	MARGARET	THE DEPARTED
GREEN ZONE	ROUNDERS	THE MARTIAN
HEREAFTER	SCHOOL TIES	TRUE GRIT

SAN DIEGO

```
S P H C U S S M I D W A Y Z W
O Y S D S O T U L Q H P C H C
R P M I S S I O N B A Y A Z A
R I A A B H I A E C L L L N R
T B D K D R T A I O E U I O L
Y A L L N O N F A Y W M F L S
O L R R A E I I H L A U O P B
L B O E L C A O P L T I R V A
D O W S O G U D P A C R N P D
T A A C G S U A X J H A I K V
O P E N E R R N L O I U A U M
W A S R L K T O Q L N Q K T M
N R R L E R H R G L G A A I G
S K Y L I N E O T A K V S U G
O L L I R B A C M U S E U M S
```

ANIMAL PARK	CORONADO	PACIFIC OCEAN
AQUARIUM	LA JOLLA	SEAWORLD
BALBOA PARK	LEGOLAND	SKYLINE
CABRILLO	MISSION BAY	USS MIDWAY
CALIFORNIA	MUSEUMS	WHALE WATCHING
CARLSBAD	OLD TOWN	WHALEY HOUSE

LOVE SONGS

```
Z J E O E Q K E U C R A H U S
T L U Q K A L L I W A N T P R
W D X R O G W R I A I G H A Q
P X H Y L B O S J F L E I O G
Y Z E R A B A A A X A L N Y W
J U R O H L J B T A L S K G U
U T F T H L W Y Y T I X T C R
O R L S W G L A G L S Z W A Y
S P G E O S I A Y A O T I O Y
T L L V R N I R I S N V C F O
T Q Z O D B G E L T X R E S W
T A J L S L U B O A V V M P Q
T B N M V A R S I H E R O T J
H P O L C T L V C R A Z Y A J
S N P W E A M A Z E D U D R F
```

ALISON	BABY LOVE	LOVE STORY
ALL I WANT	CRAZY	OH GIRL
ALWAYS	FEVER	SONGBIRD
AMAZED	HALO	STAY
ANGELS	HERO	THINK TWICE
AT LAST	IRIS	WORDS

WORDS WITH TWO "Y"S

```
G R T T A N Y B O D Y L L E M
H T Y K T W S T S Y D N E Y L
R I D D Y P D R S E O T N E I
Y L Y U C U R O Y A L T Y M F
S Y N S N X W X J R N O T T B
T R A T A L A O E L B Y W A Y
Q I M T Y M Y O V Y O R D T U
B C I Y O F L G E R R T K X P
R A C S U U A Z R A X E O R L
T L A L B P Y A Y E T M D O A
E L L J R T T O B V N M Y I O
N Y L L A C I L O B M Y S U D
P M Y E S T E R D A Y S S G U
R B U S Y B O D Y R K A E P Q
R R P X S T P W T S Q R Y V D
```

ANYBODY	DYNASTY	SYDNEY
ASYMMETRY	EVERYBODY	SYMBOLICALLY
BUOYANCY	JOYFULLY	SYNERGY
BUSYBODY	LYRICALLY	WAYLAY
BYWAY	ODYSSEY	YEARLY
DYNAMICALLY	ROYALTY	YESTERDAY

MUSICALS

```
R Y L X J E R S E Y B O Y S X
M O M E O A Q A N N I E S Y A
S A C R G V V R J M T L R A L
C T C K I A U E Y A L S X R S
H I A C O I L F N O A B X P R
I V T T R F A L D U S W T S E
C E S T V I A D Y D E W T R C
A E L T R G N R B Y Q S I U
G O X L K A R U E D L Q G A D
O A A G S T N E R S U O V H O
Y D T Y M A M M A M I A N V R
Y S U R K A S T I S R U C D P
S G F P E G W I C K E D I E E
L S N I P P O P Y R A M K E H
B L O O D B R O T H E R S M T
```

ANNIE	GREASE	MARY POPPINS
AVENUE Q	GUYS AND DOLLS	MY FAIR LADY
BLOOD BROTHERS	HAIRSPRAY	RENT
CATS	JERSEY BOYS	ROCK OF AGES
CHICAGO	LEGALLY BLONDE	THE PRODUCERS
EVITA	MAMMA MIA!	WICKED

PULITZER PRIZE-WINNING NOVELS

```
A R R O W S M I T H A B I U U
N W G T H E H O U R S T I L H
D T H E G O L D F I N C H A E
E I T U O R C B B D T N R W M
R N H C M A I O O O O U A O P
S K E I X B R B O W M S N H I
O E O T T B O E D A R A F C R
N R V P H I N L R A F O L R E
V S E J E T W O D P E F O A F
I M R I F I E V U T B L H M A
L E S S I S E E A R S S I Q L
L H T Y X R D D U I L G H G L
E F O R E I G N A F F A I R S
I I R Z R C Z Y S U D O T F K
R T Y F T H E R O A D C L S T
```

ANDERSONVILLE	GILEAD	THE FIXER
ARROWSMITH	HUMBOLDT'S GIFT	THE GOLDFINCH
BELOVED	IRONWEED	THE HOURS
ELBOW ROOM	LESS	THE OVERSTORY
EMPIRE FALLS	MARCH	THE ROAD
FOREIGN AFFAIRS	RABBIT IS RICH	TINKERS

LEGENDARY CREATURES

```
L R L F A I R Y Q H I J J O A
T N R O C I N U L E T U R V H
J U O L O N K R A K E N R O Z
R A N X R T M N K T Y R Y X S
O H C Y C L O P S T N K G I U
T C A K S W G M A I I E R O M
K E X B F T Z R R L H L C A E
V R W N T R O L L Z R P R Z S
M P T R I T O N X U G I L W K
J E E N T H R S U N T E R Y C
E L D G A H P H T R O V R R S
E I A U N I Q S T L A N T J T
S N L O S I G X Z B S H K E S
L X S W J A Z T S M T A P F E
E X H A O J F T O O K Z T Q U
```

CENTAUR	KRAKEN	SYLPH
CYCLOPS	LEPRECHAUN	TITAN
FAIRY	MEDUSA	TRITON
GIANT	OGRE	TROLL
JACK FROST	ORC	UNICORN
KELPIE	SPHINX	YETI

IN JEOPARDY

```
U J T C H T Q R M W U I O H R
S P R E C A R I O U S R J K A
G A I X L O V S U O I N J D U
E R C P P B Z K N A R T D D B
I L K O T T A Y P L H X R A R
X O Y S N O L R R R P B Z N M
I U W E E R U C E S N I A G R
I S R D R W K A D N T A J E K
U U N C E R T A I N L M V R S
U N S A F E A P C T Z U V O T
S C H A N C Y Z T S D T V U A
E Y L I U H A Z A R D O U S Z
M E N A C I N G B S O G D O A
P G L R P S U O L I R E P G F
S U O R E H C A E R T U P D Y
```

CHANCY	MENACING	TREACHEROUS
DANGEROUS	PARLOUS	TRICKY
DODGY	PERILOUS	UNCERTAIN
EXPOSED	PRECARIOUS	UNPREDICTABLE
HAZARDOUS	RISKY	UNSAFE
INSECURE	THREATENING	VULNERABLE

BLINK 182 SONGS

```
Y I E M I T F T P K Q P L U R
U X D U M P W E E D L S I C P
W A S O I P N A F M D I C X L
C Y L N S T O C I T E H T A P
N E E A S Y T A R G E T O N J
S X M J Y Z N R S C S G B T O
P E M L O A O O T Y L N V H I
S V I S U S W U D Z U I I E Z
R A N U T R I S A U O L O M I
V E G M V R Y E T L O E U U T
J D S Q R S I L E T C E S O I
A A M T D O W N R T T F P S X
O B U Y I T C L G O I R X A J
N A T I V E S O R S I I S S U
O K T R A L U H I K R O D F T
```

ANTHEM	FIRST DATE	NOT NOW
CAROUSEL	I MISS YOU	OBVIOUS
DOWN	JOSIE	PATHETIC
DUMPWEED	LEMMINGS	STRINGS
EASY TARGET	MUTT	TIME
FEELING THIS	NATIVES	VIOLENCE

COUNTRIES BIGGER THAN SPAIN

```
A D X O A X T T O S Z R L R S
F M A L I K W U N I O O R S E
R O A I B I F R A N C E T U T
S H I N M Y C K E D H H K A O
O U K R A I N E D I I L I Z R
F R E A Z W O Y R A N O A L T
P P S M B Q S S B T A S P O E
K A R O R W A T S A T I C T G
M K U N A C H T O S T P Q N Y
T I S G Z A Q T C B H U R E P
S S S O I N T B I E O I T O T
F T I L L A G A X L T N M V G
E A A I O D U N E V N R V E Y
T N U A T A T V M B P L Y O P
D Z R A D M T N H K O G S Z R
```

BOTSWANA	FRANCE	PERU
BRAZIL	INDIA	RUSSIA
CANADA	MALI	THAILAND
CHILE	MEXICO	TURKEY
CHINA	MONGOLIA	UKRAINE
EGYPT	PAKISTAN	ZAMBIA

STRANGE

```
G U Y A A T C U T Y A D N F T
O P V Y M U I N B X T Q W E N
H V A A R X T E Q L Y L O I E
T G J I T X A X L R P C U X R
A T O S D O R P U I I I T Z E
U U P O D D C E D R C R L S F
S I T P W O N C I R A T A O F
R Q U E E H Y T C O L N N H I
W I I C T T S E R F T E D H D
V R A U O R O D O F T C I O J
D P T L Y O I B U B O C S F M
H Y I I A N D R S E P E H U R
I P I A A U I Q L A U S U N U
L E R R A Z I B R T G G T N S
H R Y T K N T R S K O Y T Y U
```

ATYPICAL	FUNNY	PECULIAR
BIZARRE	IDIOSYNCRATIC	RANDOM
CURIOUS	LUDICROUS	UNEXPECTED
DIFFERENT	ODD	UNORTHODOX
ECCENTRIC	OFFBEAT	UNUSUAL
EXTRAORDINARY	OUTLANDISH	WEIRD

EYEBALL

```
K T U D M X D P W T S K L T E
J O G O G G L E A S E T W Z E
U H R L T E O E I K R J U D M
E P T U S Q H R S O R A S A V
W R C O Y V E Z A G O O O V E
K F P T S P B X T G A A U B T
T T L Q X O S Y A S L R P S G
D K W Y M A F E T M W A E S N
S V H L D O U V H X I V R T S
H T O E Q U R R S C A N C E Z
O W A T C H T E Y R C S E D A
U S Y R S I P S S E N T I W R
Z L O U E J T B L T T R V E A
U U B A O L Z O S U R V E Y S
A S L J A E A A N S G G T Y Y
```

BEHOLD	GOGGLE	SEE
DESCRY	NOTICE	STARE
ESPY	OBSERVE	STUDY
EXAMINE	PEER	SURVEY
GAZE	PERCEIVE	WATCH
GLARE	SCAN	WITNESS

OLYMPIC SWIMMERS

```
T R A U P W T R C J U K D T U
Y N U F R E T R E D N E U D A
H R U M A T T H E S G E S U S
A S P L E H P L T M A I E A R
I A S O P C V E E U L K R H T
G I C D S O T F N D R L R K T
E R S X P L T G R O E O O Z H
Z R T O S P H J G A M C T V O
S R P T S G O N K O N H K O M
R L L T N V R R B V V K I Y P
E Z U O P F P E I R S O L U S
G I U X R Y E S O E P V Y I O
E M D H Y R O A N R I A J S N
Q A T A J J T R D S T F N F E
I W R F G J W F I L Z O M E K
```

BIONDI	LEDECKY	POPOV
EGERSZEGI	LOCHTE	SPITZ
ENDER	MATTHES	THOMPSON
FRANKLIN	OTTO	THORPE
FRASER	PEIRSOL	TORRES
KLOCHKOVA	PHELPS	VOLLMER

NATIONAL ANTHEMS

```
N O K O R R E A C H F U A A S
Z O H A V K I T A H K D D N T
A I R T A P Z P U I A I A O H
K L N X L S K K N B E K N N C
H A T F U Z A E E S A E E I E
B D S N H R R L U E Y R R A M
A A M S A Y P M G S F U G R E
B I C G A U C U U O R A L H E
H P E H S M K R O H E L I A H
R N R I U K A Z U R A E A B S
A E V R A L A N E U W B H E N
M A A S E U G U T R O P A L O
T N M B A C I J L V A R D Z P
T V Y G Q T U K I M I G A Y O
W M U M O N I D O R A L I M R
```

A PORTUGUESA	HIMNUSZ	NEGARAKU
AEGUKKA	KASSAMAN	NOKOR REACH
BAHRAINONA	KIMIGAYO	ONS HEEMECHT
BELAU REKID	MER HAYRENIK	PATRIA
HAIL GRENADA	MILA RODINO	TAVISUPLEBA
HATIKVAH	MY BELARUSY	ZDRAVLJICA

BEACHES IN QUEENSLAND

```
U M V G Y T J M R L B U Q P G
M E G D U N H H P S E P N R V
U J H C W E T B H S S L A A C
U L M O R W T A N I T I J L S
T I Y O L E B Y L R N O D S M
U Y E L H L V U Z B S L R R S
N P L U S L O W O N G A C I L
J P W M U K E W A R R A Q V D
O G O I N I A M A K N I K P W
G B C A S T A W A Y S R I S R
R U Q E H L I Y J A S L N Y Q
A S G D I A M R E M S I G I E
T T R I N I T Y C O E E S P E
T W E T E E W A H A P Z N E M
Q Z Q F A S U U R S O R O J F
```

AIRLIE	KINGS	PALM
CASTAWAYS	KINKA	RAINBOW
COOLUM	MAIN	SUNSHINE
COWLEY	MERMAID	TEEWAH
HOLLOWAYS	NEWELL	TRINITY
KEWARRA	NUDGE	WONGA

WORDS CONTAINING "OO"

```
C R U F R N V S F T S F K C R
I U F I P E F R D O D P I A C
X A L A Z T L S O O L I O T R
D N O O M O O W U L V E B O E
P P O B R S O T S L C O O L N
X N D O O R A M O O R B T R
S V Z O W O L P E T E O R C U
F P M K D E O J O V Q Q G S T
S Q B B O S O M A A O U U O I
S L L T O O S B A L L O O N B
P B L S W O E P L Z P R R U O
R R L G J H A W K F P S G G O
I K O R T C U X B U I J X L S
Z K O O H H V S S L T L R R T
V C E W F B S C A F K W O O L
```

BALLOON	FLOOD	SNOOZE
BOOK	FLOOR	SPOON
BOOST	GROOVE	TOOL
BROOM	HOOK	UPROOT
CHOOSE	LOOSE	WOODWORM
COOL	PROOF	WOOL

AFRICAN CAPITALS

```
O A G R M A P U T O P A W U A
N R U S O K M A I T M V A B U
E B K I N S H A S A A N U I W
K P B U R O S A P M L J E G O
I A I O O K E H R C A I R O A
T E S L V K T I A T B R E A C
H V S T I L A G I K O L A D R
D T A R A L A M A H R U E H S
I T U O B I J D A U Q A M R Y
T R I P O L I R O B L N I R B
P X E R A B A P A S O D O S P
G V J L H R E H Y K C A Q R E
L P L I E J V L R R A T A U I
T Y R Q S T O C V L E D S T S
F X I R G L R A T U U E R Y S
```

ABUJA	DJIBOUTI	MALABO
ASMARA	HARARE	MAPUTO
BAMAKO	KHARTOUM	MONROVIA
BISSAU	KIGALI	PORT LOUIS
CAIRO	KINSHASA	PRAIA
DAKAR	LUANDA	TRIPOLI

CLIFFS OF THE UNITED STATES

```
V L L O S E S Y T T W P Z L P
E F I F T Y F O O T T F R P S
R F P F S N A P R P W R Y O H
M U L E Y P O I N T E B T A S
I L O W H I T E B L U F F H A
L B V P X N H O D R O A N U N
I N E T S K O M N A V A O R D
O O R T O K A B O E T R J R R
N T H E P A L I S A D E S I O
R S A M S U R Q Q U J D L C C
S U N C F A N O T C H P E A K
T A G F F U L B E U L B R N T
U C I E I Z O A T N N K E E S
Q N N T N I O P C O D O M E F
J T G G O H R O B S I D I A N
```

BEE	MODOC POINT	PYBURN BLUFF
BLUE BLUFF	MULEY POINT	ROAN
BOOK	NOTCH PEAK	SANDROCK
CAUSTON BLUFF	OBSIDIAN	THE PALISADES
FIFTY FOOT	OVERHANGING	VERMILION
HURRICANE	PINK	WHITE BLUFF

"G" SONGS

```
Q G A R A G E L A N D N S R G
O R C M H E N D W K N R S O E
E E V S G R A C E K E L L Y T
R V G S X A Y S L T I D N L A
I O O M T A R P A U R Q Q P W
F E R L P G I W C U F I N B A
N M I S F H F Q S E L S A G Y
O A L P E O S H U S R D I I T
L G L V S S S I V X I U R M V
R H A S O T L U A S G K O M M
I G A L W A Y G I R L P L E R
G L R R E D N U G N I O G M X
G K Y A D T S E T A E R G O P
T L R A E E Y B D O O G E R O
L Y I G O P G R M S G O N E U
```

GALWAY GIRL	GIMME MORE	GOLD RUSH
GAME OVER	GIRL ON FIRE	GONE
GARAGELAND	GIRLFRIEND	GOODBYE EARL
GENIUS OF LOVE	GLASS OF WATER	GORILLA
GET AWAY	GLORIA	GRACE KELLY
GHOST	GOING UNDER	GREATEST DAY

GOLF

```
U O I U U X A U T P X H A O W
A T O T E X H J B A L S P B N
C A T G A P S N O R I W U O A
T O T R S I Z T G Q K N M P S
J A U E M Y F S E N K S E V T
B Y P E N A L T Y E C H I P U
P S U N I X S C R A T C H P O
E K K R T L T T M X E F V E R
U Y W B T I B A E W J G K S A
O A R J S L I C E R D D Q D T
Y P E M O S R U O F S Q K J P
K E A W O O D S M A R P I P S
S T G I D R I V E R P F B T K
L P L E E U E S I P V S P L F
N D E D E T A Q P P F S E G S
```

BIRDIE	FAIRWAY	PAR
BOGEY	FOURSOME	PENALTY
BUNKER	GREEN	PUTT
CHIP	IRONS	SCRATCH
DRIVER	MASTERS	SLICE
EAGLE	OPEN	WOOD

CLOCKS

```
C F Z S A L A R M D R L M Y B
D X T A T G A P V U T T Q C I
X K O O K C U C F S S S M C
P S W O U L X R X S J I D E A
W K E L S E L E C T R I C D N
T W R A U T O M A T O N E A D
F A R N P Z Z T R A U Q R N L
W E R T O F L O R A L B A X E
S Q L E T N A M I Q A O D M T
Q L T R Q M L L A T I G I D J
P S E N E I R Y G B A X O R R
D L N L B T R P E N D U L U M
B P O G I A A S Z L U I I C A
J K G D P I K W T R O I P R S
U O E H M J E Z R F R I E E D
```

ALARM	ELECTRIC	PULSAR
AUTOMATON	FLORAL	QUARTZ
CANDLE	LANTERN	RADIO
CARRIAGE	MANTEL	TIDE
CUCKOO	MUSICAL	TOWER
DIGITAL	PENDULUM	WATER

NINETIES HITS

```
I  B  A  R  B  I  E  G  I  R  L  O  M  P  S
N  L  E  G  N  A  R  U  O  Y  M  I  D  B  M
M  A  L  O  D  F  R  O  Z  E  N  I  L  E  N
R  C  O  B  R  A  O  N  S  U  S  A  D  L  O
L  K  C  X  E  N  N  E  P  T  C  L  O  I  S
I  O  D  W  A  T  U  S  J  K  R  L  N  E  C
S  R  T  W  M  A  H  W  V  A  E  M  T  V  R
X  W  E  S  L  S  W  E  U  O  B  Y  S  E  U
Y  H  P  N  O  Y  L  E  R  A  A  L  P  X  B
K  I  X  O  V  V  D  T  R  E  N  I  E  Y  S
Q  T  O  I  E  J  A  D  C  S  N  F  A  K  Y
Q  E  A  T  R  U  R  A  E  T  A  E  K  U  U
S  X  E  O  M  M  G  Y  E  H  W  G  F  Y  A
Z  U  R  M  T  P  A  O  T  M  K  G  H  B  P
P  T  H  E  S  I  G  N  V  P  W  A  U  V  S
```

ALL MY LIFE	DREAMLOVER	JUMP
BARBIE GIRL	EMOTIONS	NO SCRUBS
BELIEVE	FANTASY	ONE SWEET DAY
BLACK OR WHITE	FROZEN	THE SIGN
BLACK VELVET	I'LL BE THERE	VOGUE
DON'T SPEAK	I'M YOUR ANGEL	WANNABE

HARRY POTTER CHARACTERS

```
D I R G A H V O L D E M O R T
O N L L L E B E I T A K I I T
O I A B P C K S J S T S O S L
G P E Y O F L A M O C A R D O
E U G R E G O R Y G O Y L E E
V L U A S L U D O B A G M A N
O S I R I U S B L A C K T G O
L U C I U S M A L F O Y A X I
A M R I T A S K E E T E R U M
N E D A U M T Z T W Q U P W R
U R O N W E A S L E Y P A W E
L M B T T C H O C H A N G M H
R A B P A M E L I A B O N E S
H G Y P C M U R K R O T K I V
S E A U T I Y T I U I Z E A G
```

AMELIA BONES	HAGRID	REMUS LUPIN
CHO CHANG	HERMIONE	RITA SKEETER
DOBBY	KATIE BELL	RON WEASLEY
DRACO MALFOY	LUCIUS MALFOY	SIRIUS BLACK
GINNY WEASLEY	LUDO BAGMAN	VIKTOR KRUM
GREGORY GOYLE	LUNA LOVEGOOD	VOLDEMORT

WHALES

```
B W N G H A B A L E E N H V A
K D S O U T H E R N R I G H T
I E D V R R Q K L V A E O A I
H K S E Q T R B L U E S K R S
D A A S K O H A L R G L I H P
A E Z S T A T E T A C A L U B
E B K W L O E A R T H C L M Q
H Y O A T W R B I N K W E P L
W M A H E U H R S E M F R B P
O G T T S B P Y J R E I E A C
B Y T J E A S D U B E N N C N
B P S O U T H E R N M I N K E
L I S O L S L S U S R S V Q E
A C P Z P I P S A R U M O U R
U E U U G B P R B A T R S M C
```

BALEEN	FIN	PILOT
BELUGA	HUMPBACK	PYGMY BEAKED
BLUE	KILLER	SEI
BOWHEAD	NARWHAL	SOUTHERN MINKE
BRYDE'S	NORTHERN MINKE	SOUTHERN RIGHT
CUVIER'S BEAKED	OMURA'S	TRUE'S BEAKED

BEDTIME

```
I M V W Y E K U T X R U R H S
T K K Y T R S S R I L S C A B
F E K W S H E E T S R S O X T
F L H N N R T S H U T E Y E R
U N O D O F F S O L A R D U U
A R Z H O A O E T H S T E G L
E B N L Z E R N U G L T R O E
M Q P S E D T K M R A A B S V
G N I N W A Y R T H D M O T O
R R L I T S W A R M B A T H X
T A L G Z M I D K B C S P R W
S Z O H L A N D O F N O D U Q
A J W T K E K T V J N U C A U
E Y A E J R S L E E P Y A O D
I S E Z O D N P E A T V T H A
```

COCOA	MATTRESS	SLEEPY
DARKNESS	NIGHT	SNOOZE
DOZE	NOD OFF	SNORE
DREAMS	PILLOW	TIRED
FORTY WINKS	SHEETS	WARM BATH
LAND OF NOD	SHUT-EYE	YAWNING

WORD SEARCH 448

OUTRAGEOUS

```
B R I D L A T R O C I O U S C
S G N I K C O H S O E I J O R
R S E S S U O T I U Q I N I U
E C X R R S A K U T L T I N N
P A C E I M P R O P E R P E S
R N U P N B O U G M N R E F E
E D S U E P C B P S I J R A E
H A A T P R S T P N G U K R M
E L B A N O I T C E J B O I L
N O L B Q B G I O X W G E O Y
S U E L L Y P S H A M E F U L
I S D E P L O R A B L E L S N
B E T N E R R O H B A D I A R
L P R D I S G R A C E F U L R
E L B A K A E P S N U P P X I
```

ABHORRENT	IMPROPER	SCANDALOUS
ATROCIOUS	INEXCUSABLE	SHAMEFUL
CONTEMPTIBLE	INIQUITOUS	SHOCKING
DEPLORABLE	NEFARIOUS	UNPRINCIPLED
DISGRACEFUL	OBJECTIONABLE	UNSEEMLY
DISREPUTABLE	REPREHENSIBLE	UNSPEAKABLE

TEAM SPORTS

```
T V E I H J P K L U L R L N U
U O K T E F H U R L I N G L B
L L A B T N I A P L A T H W O
A L L A B F R O K A V B D U W
C E G N J A U L X B L I T B L
R Y C R P S G O L T L G L E I
O B F X Q N B P H F A C M I N
S A L Y G U Y F Q O B U A F G
S L F T G N I L T S E R W U B
E L Z F F V H D Z B S L A X H
L T N E E R O T D V A I S S S
X T Y S L V C L R I B N O W L
X L A X S R K R W X T G D F S
V P X A A T E K C I R C L Y A
D D I L F N Y F R P D Q H Q B
```

BANDY	HOCKEY	POLO
BASEBALL	HURLING	QUIDDITCH
BOWLING	KORFBALL	RUGBY
CRICKET	LACROSSE	SOFTBALL
CURLING	NETBALL	VOLLEYBALL
FIVES	PAINTBALL	WRESTLING

PROVINCES OF CHILE

```
T P S W M U B T A I A P M T G
F N R A B N U P L I N A R E S
X N I I N I E P C A E L L O A
H P A R A T Q A T O L L I U Q
O H R M O U I S T E L I Q G I
W U I R M A G A L L A N E S R
L N C A A C L P G L N U V A Y
O A A B U A O A X O Q P R O V
S F A Z G T A M A R U G A L J
A M X A A M S A I V I D L A V
N S N R H E D X W O H X Z P Y
D T L A C H A C A B U C O E U
E H C U L N A X R E E A I U X
S S T C O T R Z I R S I N Y L
S F M O C O T E W T K L H D T
```

ARAUCO	LINARES	PUNILLA
ARICA	LLANQUIHUE	QUILLOTA
CAUTIN	LOS ANDES	SANTIAGO
CHACABUCO	MAGALLANES	TALAGANTE
COLCHAGUA	MAIPO	TAMARUGAL
EL LOA	PETORCA	VALDIVIA

ASIAN DESERTS

```
P N Z N E S Z L O E T B E K P
S W X E P B G C R J K Z T P B
I S N G M E V W D I T X A W Y
U L O E B Z R G O B I D U J H
X R E V F Y M R S W Z C I A S
P A R F O U E R T Y T B S M N
U O B T K T D T U J R A F P R
S A T A B F Q K L U D I T L K
K S R T L T M J U D A E A N P
L A U V D K Y Z Y L K U M N D
K C T B R E H S D N O L O P R
S R T P M A R A N J A B P O T
B A H I A L H S T P E F C G J
K H A R A N Q N A I B A R A R
R T L L A T A K L A M A K A N
```

AL KHATIM	KATPANA	ORDOS
AL-DAHNA	KHARAN	POLOND
ARABIAN	KYZYLKUM	SYRIAN
GOBI	MARANJAB	TAKLAMAKAN
JUDAEAN	NEFUD	THAL
KARAKUM	NEGEV	THAR

SOLUTIONS

Solution 1

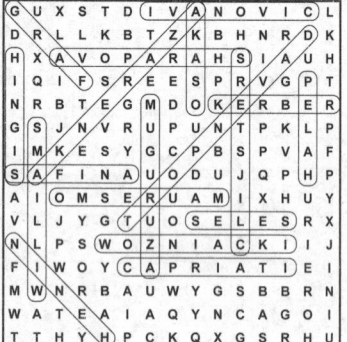

Solution 2

Solution 3

Solution 4

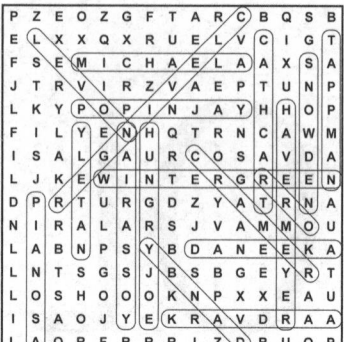

Solution 5

Solution 6

Solution 7

Solution 8

Solution 9

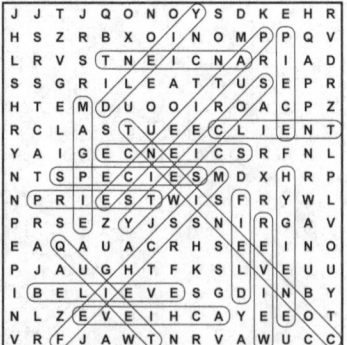

Solution 10

Solution 11

Solution 12

Solution 13

Solution 14

Solution 15

Solution 16

SOLUTIONS

Solution 17

Solution 18

Solution 19

Solution 20

Solution 21

Solution 22

Solution 23

Solution 24

Solution 25

Solution 26

Solution 27

Solution 28

Solution 29

Solution 30

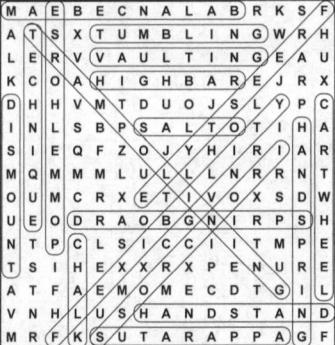

Solution 31

Solution 32

SOLUTIONS

Solution 33

Solution 34

Solution 35

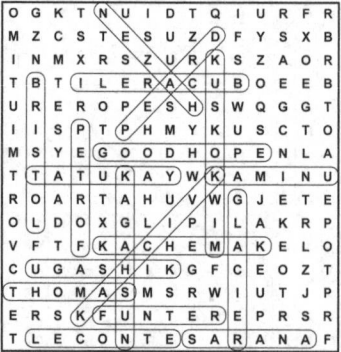

Solution 36

Solution 37

Solution 38

Solution 39

Solution 40

Solution 41

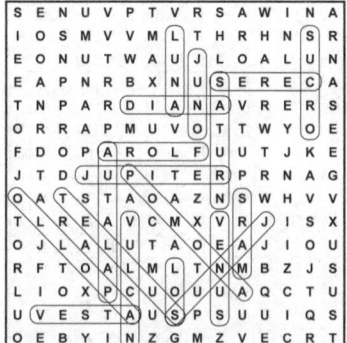

Solution 42

Solution 43

Solution 44

Solution 45

Solution 46

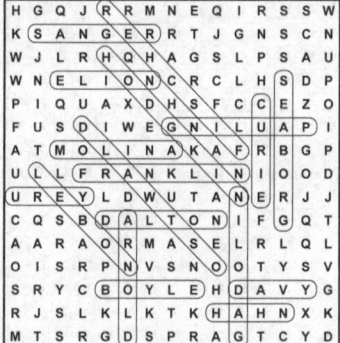

Solution 47

Solution 48

SOLUTIONS

Solution 49

Solution 50

Solution 51

Solution 52

Solution 53

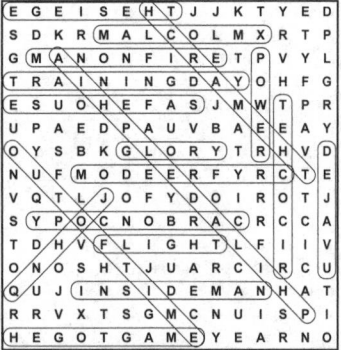

Solution 54

Solution 55

Solution 56

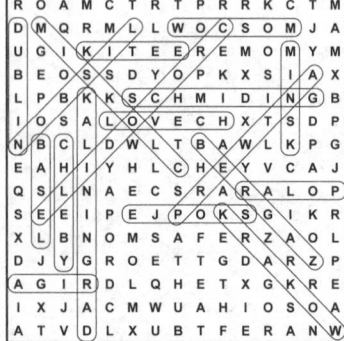

Solution 57

Solution 58

Solution 59

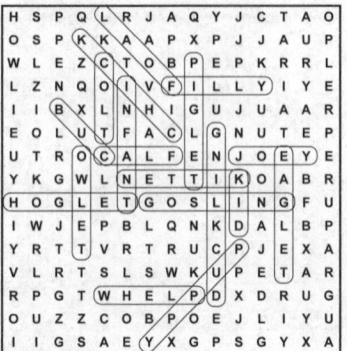

Solution 60

Solution 61

Solution 62

Solution 63

Solution 64

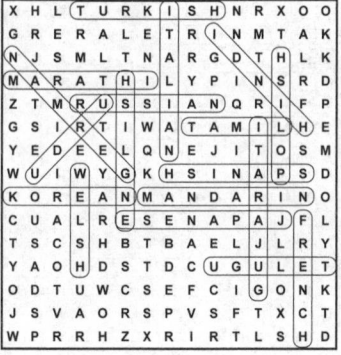

Solution 65

Solution 66

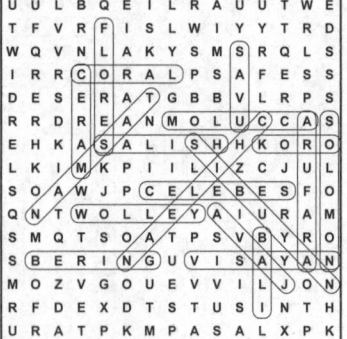

Solution 67

Solution 68

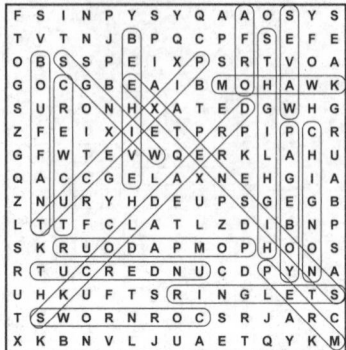

Solution 69

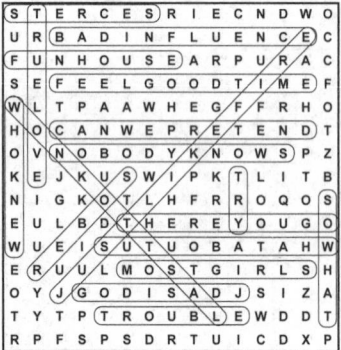

Solution 70

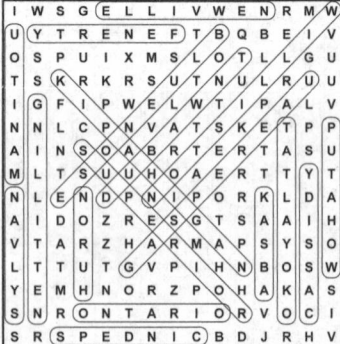

Solution 71

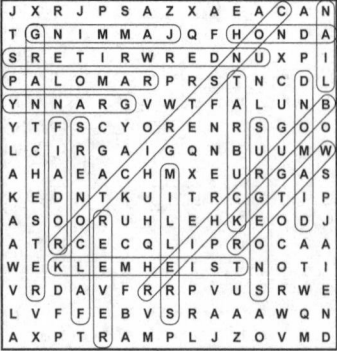

Solution 72

Solution 73

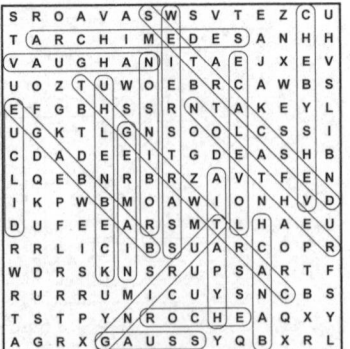

Solution 74

Solution 75

Solution 76

Solution 77

Solution 78

Solution 79

Solution 80

SOLUTIONS

Solution 81

Solution 82

Solution 83

Solution 84

Solution 85

Solution 86

Solution 87

Solution 88

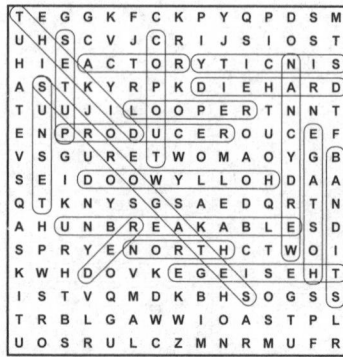

Solution 89

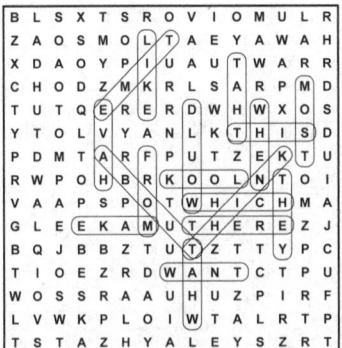

Solution 90

Solution 91

Solution 92

Solution 93

Solution 94

Solution 95

Solution 96

SOLUTIONS

Solution 97

Solution 98

Solution 99

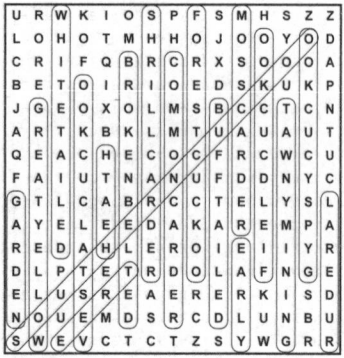

Solution 100

Solution 101

Solution 102

Solution 103

Solution 104

Solution 105

Solution 106

Solution 107

Solution 108

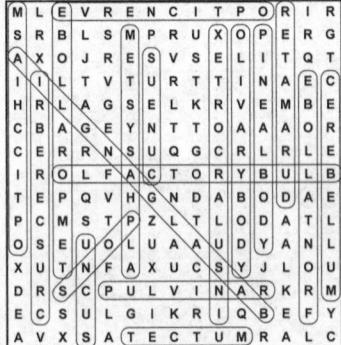

Solution 109

Solution 110

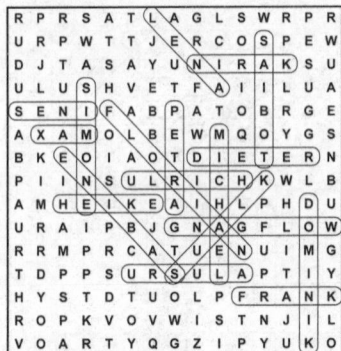

Solution 111

Solution 112

SOLUTIONS

Solution 113

Solution 114

Solution 115

Solution 116

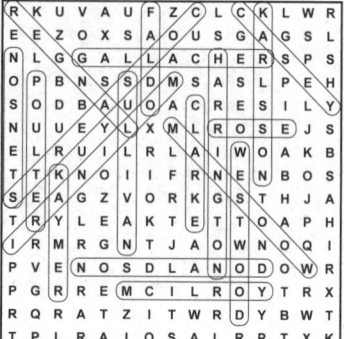

Solution 117

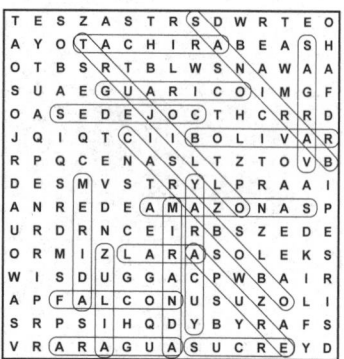

Solution 118

Solution 119

Solution 120

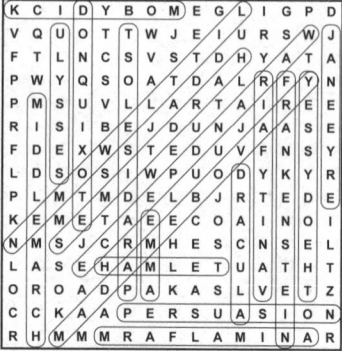

Solution 121

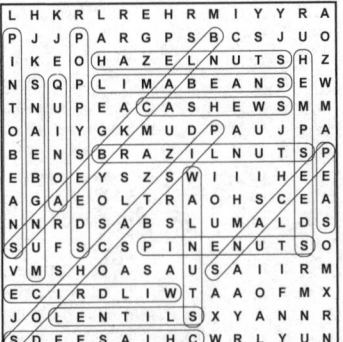

Solution 122

Solution 123

Solution 124

Solution 125

Solution 126

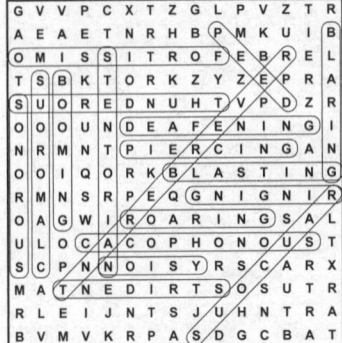

Solution 127

Solution 128

Solution 129

Solution 130

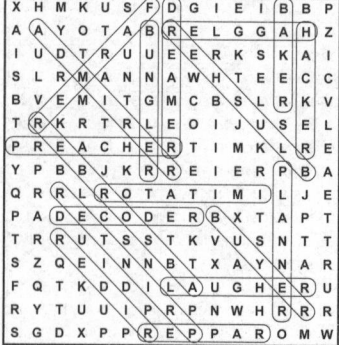

Solution 131

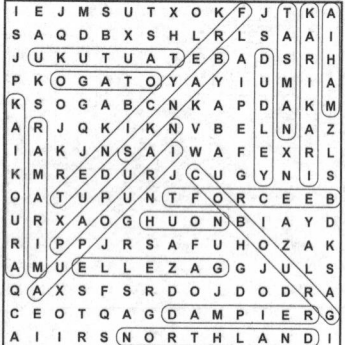

Solution 132

Solution 133

Solution 134

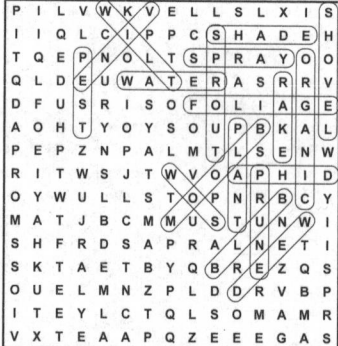

Solution 135

Solution 136

Solution 137

Solution 138

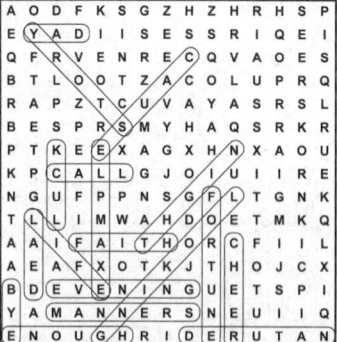

Solution 139

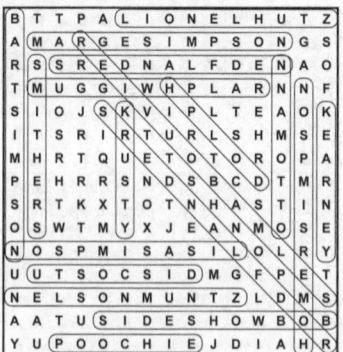

Solution 140

Solution 141

Solution 142

Solution 143

Solution 144

SOLUTIONS

Solution 145

Solution 146

Solution 147

Solution 148

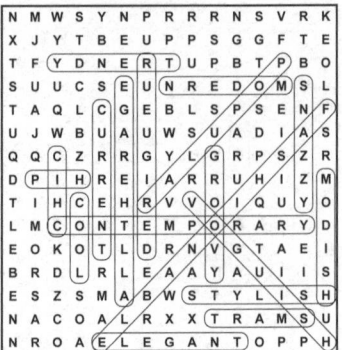

Solution 149

Solution 150

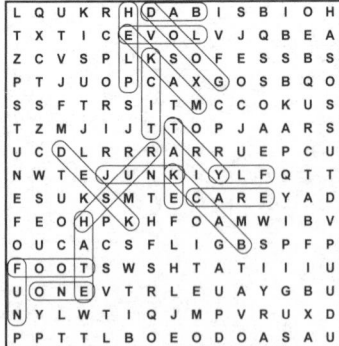

Solution 151

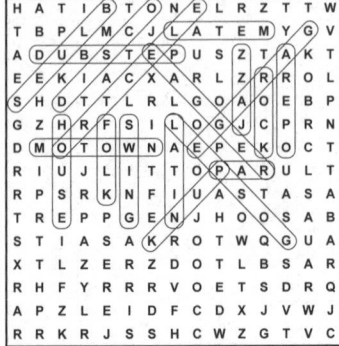

Solution 152

Solution 153

Solution 154

Solution 155

Solution 156

Solution 157

Solution 158

Solution 159

Solution 160

SOLUTIONS

Solution 161

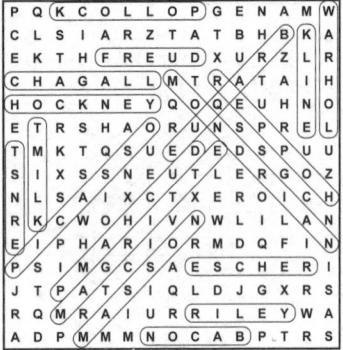

Solution 162

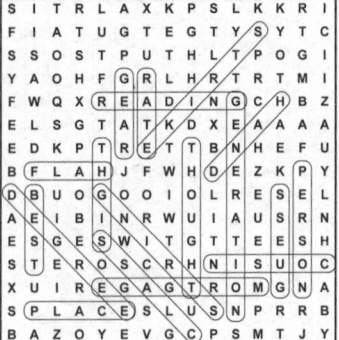

Solution 163

Solution 164

Solution 165

Solution 166

Solution 167

Solution 168

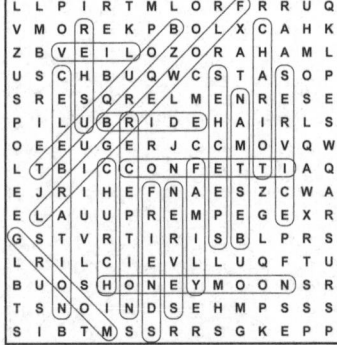

Solution 169

Solution 170

Solution 171

Solution 172

Solution 173

Solution 174

Solution 175

Solution 176

SOLUTIONS

Solution 177

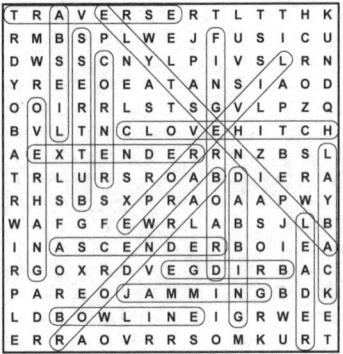

Solution 178

Solution 179

Solution 180

Solution 181

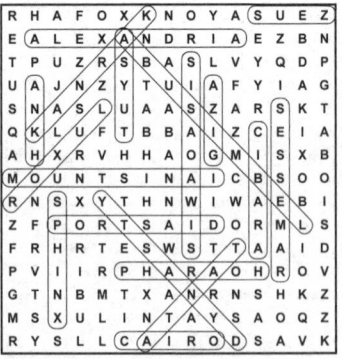

Solution 182

Solution 183

Solution 184

Solution 185

Solution 186

Solution 187

Solution 188

Solution 189

Solution 190

Solution 191

Solution 192

SOLUTIONS

Solution 193

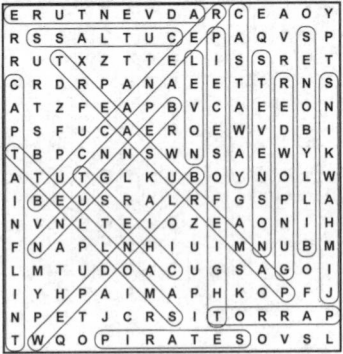

Solution 194

Solution 195

Solution 196

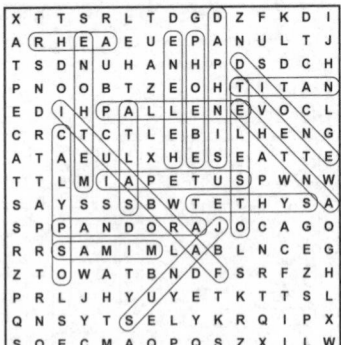

Solution 197

Solution 198

Solution 199

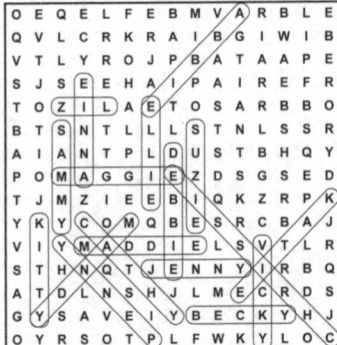

Solution 200

Solution 201

Solution 202

Solution 203

Solution 204

Solution 205

Solution 206

Solution 207

Solution 208

SOLUTIONS

Solution 209

Solution 210

Solution 211

Solution 212

Solution 213

Solution 214

Solution 215

Solution 216

Solution 217

Solution 218

Solution 219

Solution 220

Solution 221

Solution 222

Solution 223

Solution 224

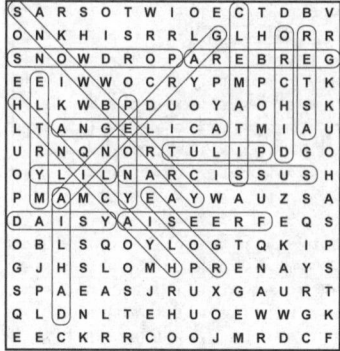

Solution 225

Solution 226

Solution 227

Solution 228

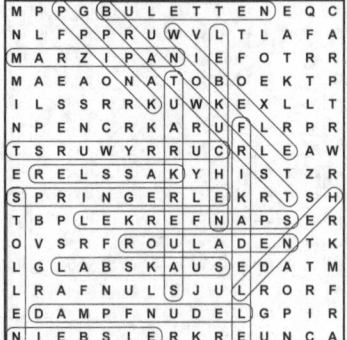

Solution 229

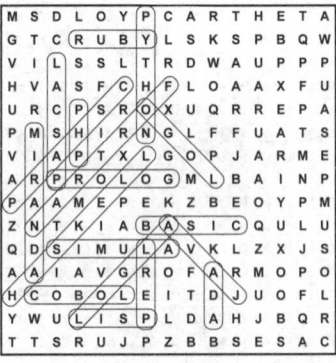

Solution 230

Solution 231

Solution 232

Solution 233

Solution 234

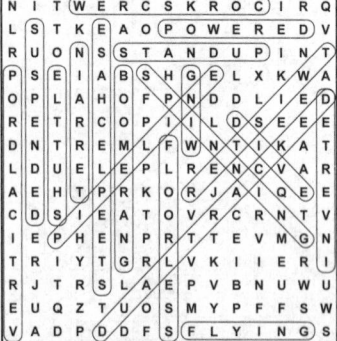

Solution 235

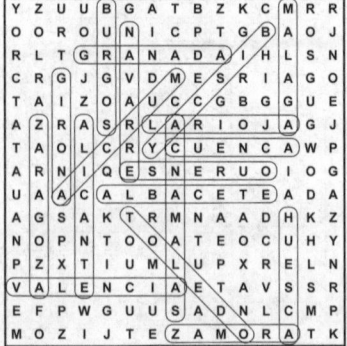

Solution 236

Solution 237

Solution 238

Solution 239

Solution 240

SOLUTIONS

Solution 241

Solution 242

Solution 243

Solution 244

Solution 245

Solution 246

Solution 247

Solution 248

Solution 249

Solution 250

Solution 251

Solution 252

Solution 253

Solution 254

Solution 255

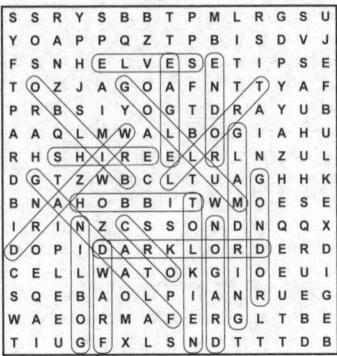

Solution 256

SOLUTIONS

Solution 257

Solution 258

Solution 259

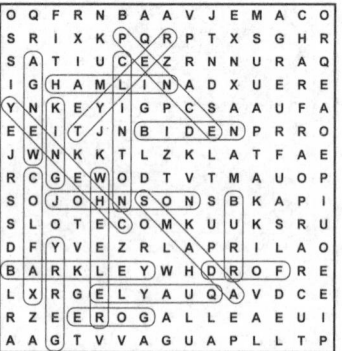

Solution 260

Solution 261

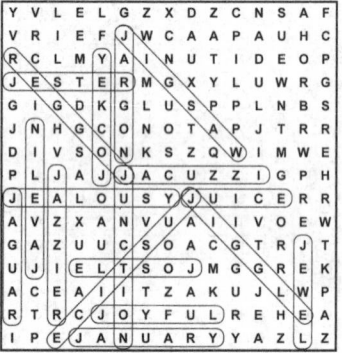

Solution 262

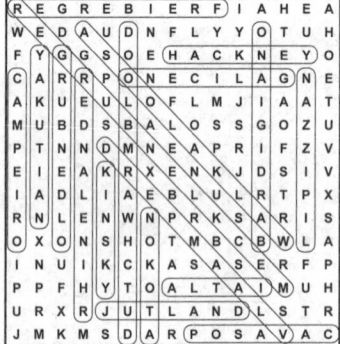

Solution 263

Solution 264

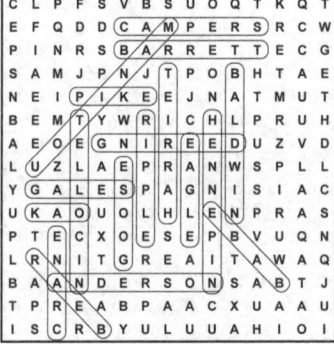

Solution 265

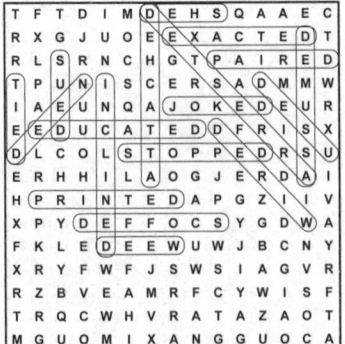

Solution 266

Solution 267

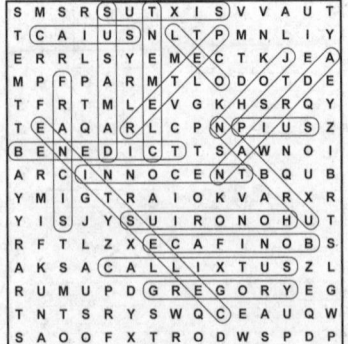

Solution 268

Solution 269

Solution 270

Solution 271

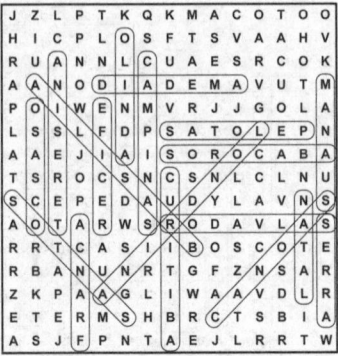

Solution 272

SOLUTIONS

Solution 273

Solution 274

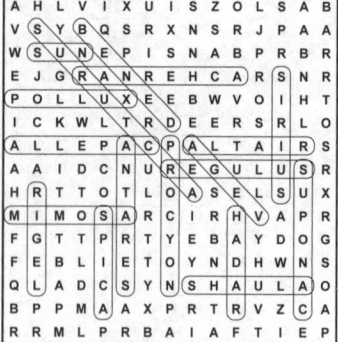

Solution 275

Solution 276

Solution 277

Solution 278

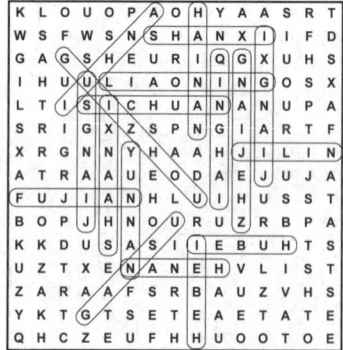

Solution 279

Solution 280

Solution 281

Solution 282

Solution 283

Solution 284

Solution 285

Solution 286

Solution 287

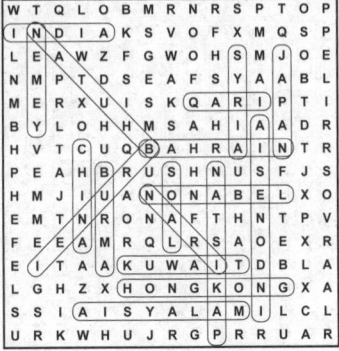

Solution 288

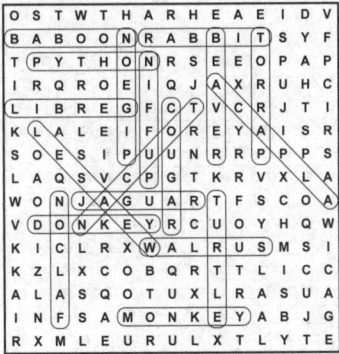

SOLUTIONS

Solution 289

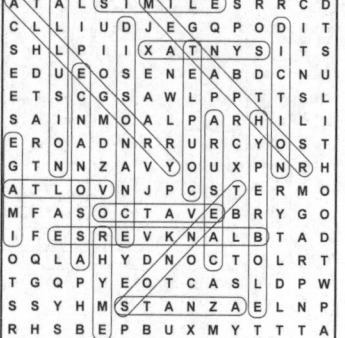

Solution 290

Solution 291

Solution 292

Solution 293

Solution 294

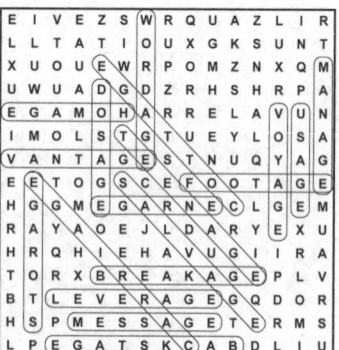

Solution 295

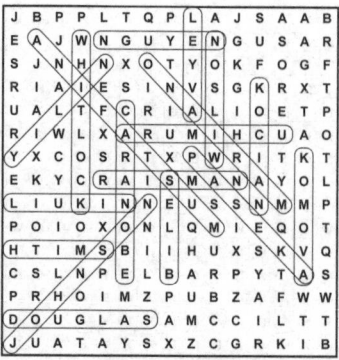

Solution 296

Solution 297

Solution 298

Solution 299

Solution 300

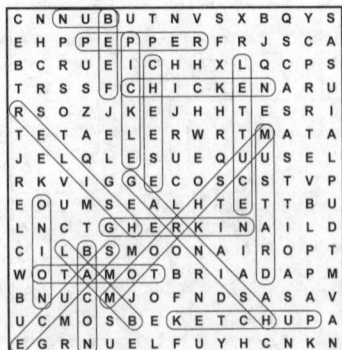

Solution 301

Solution 302

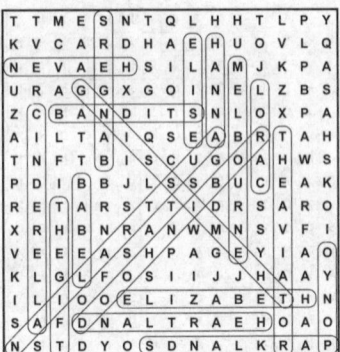

Solution 303

Solution 304

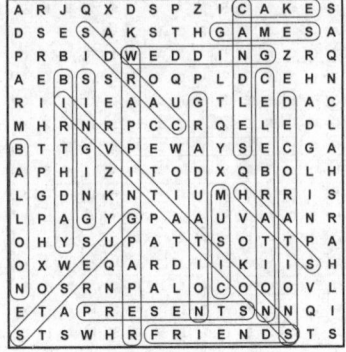

Solution 305

Solution 306

Solution 307

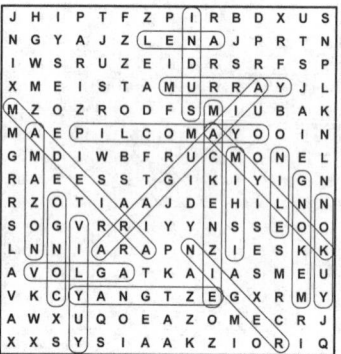

Solution 308

Solution 309

Solution 310

Solution 311

Solution 312

Solution 313

Solution 314

Solution 315

Solution 316

Solution 317

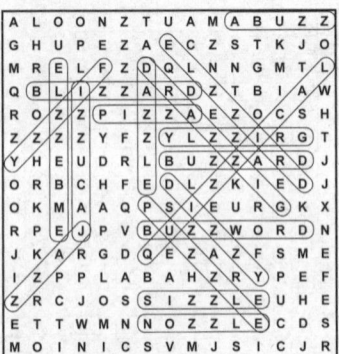

Solution 318

Solution 319

Solution 320

Solution 321

Solution 322

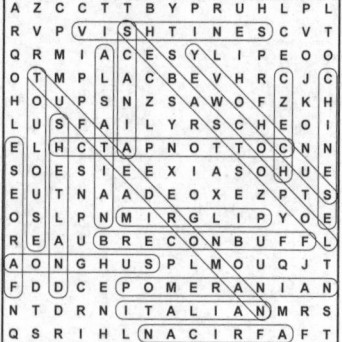

Solution 323

Solution 324

Solution 325

Solution 326

Solution 327

Solution 328

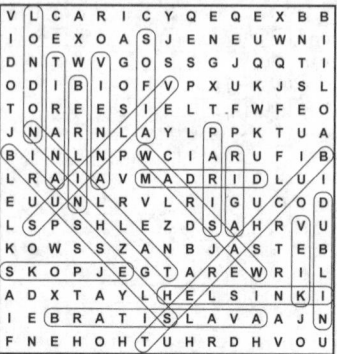

Solution 329

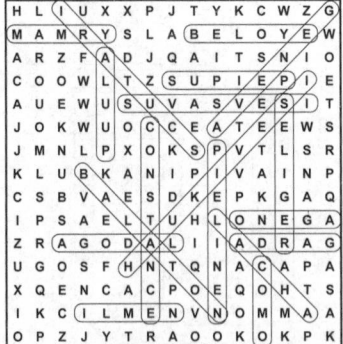

Solution 330

Solution 331

Solution 332

Solution 333

Solution 334

Solution 335

Solution 336

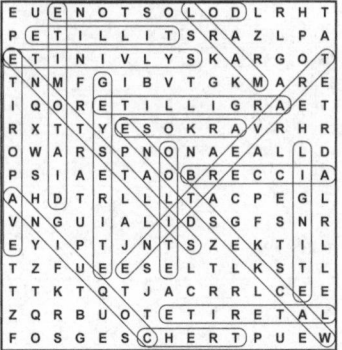

SOLUTIONS

Solution 337

Solution 338

Solution 339

Solution 340

Solution 341

Solution 342

Solution 343

Solution 344

Solution 345

Solution 346

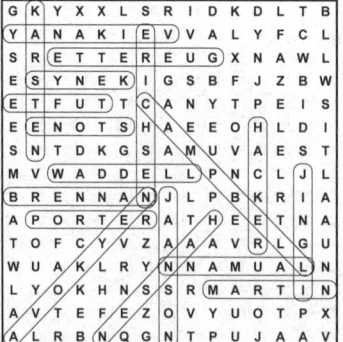

Solution 347

Solution 348

Solution 349

Solution 350

Solution 351

Solution 352

SOLUTIONS

Solution 353

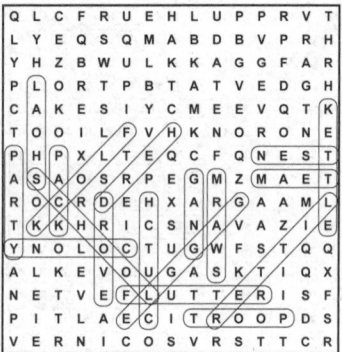

Solution 354

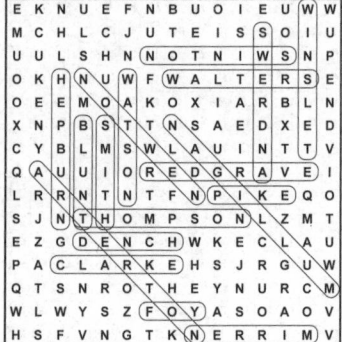

Solution 355

Solution 356

Solution 357

Solution 358

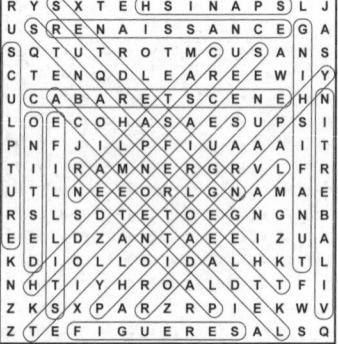

Solution 359

Solution 360

Solution 361

Solution 362

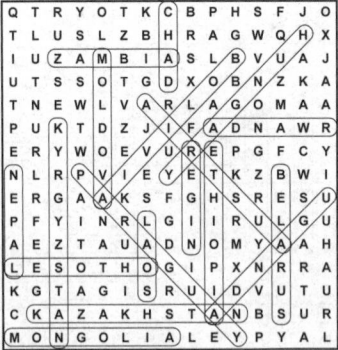

Solution 363

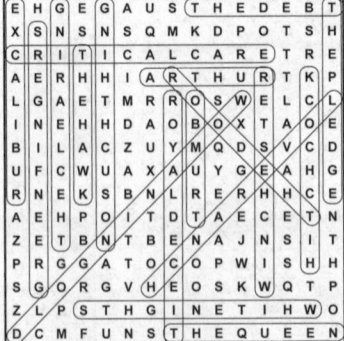

Solution 364

Solution 365

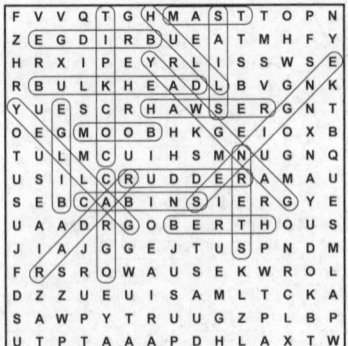

Solution 366

Solution 367

Solution 368

SOLUTIONS

Solution 369

Solution 370

Solution 371

Solution 372

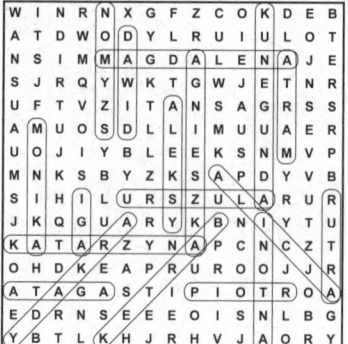

Solution 373

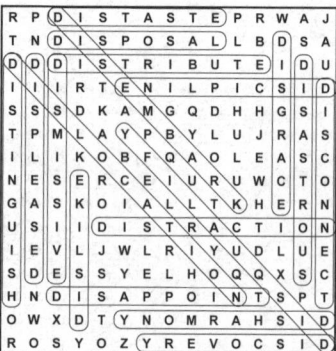

Solution 374

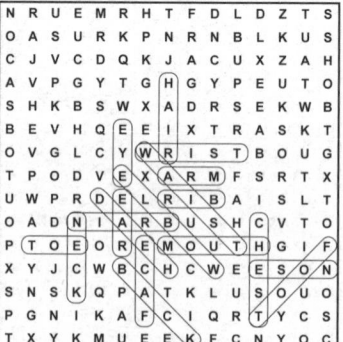

Solution 375

Solution 376

Solution 377

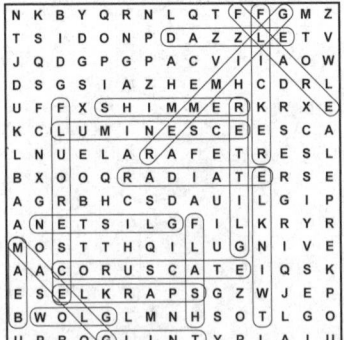

Solution 378

Solution 379

Solution 380

Solution 381

Solution 382

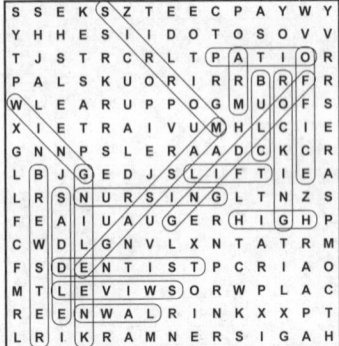

Solution 383

Solution 384

SOLUTIONS

Solution 385

Solution 386

Solution 387

Solution 388

Solution 389

Solution 390

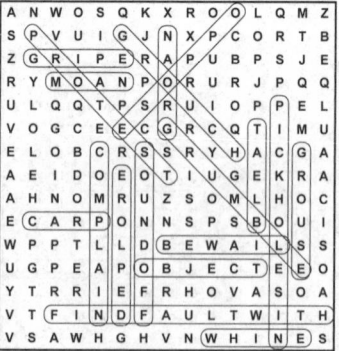

Solution 391

Solution 392

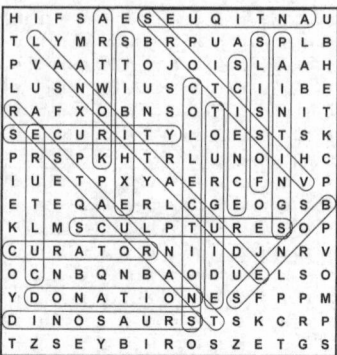

Solution 393

Solution 394

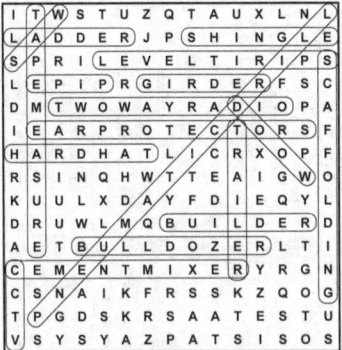

Solution 395

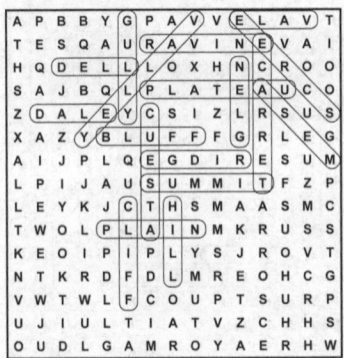

Solution 396

Solution 397

Solution 398

Solution 399

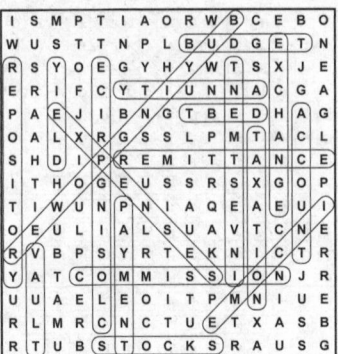

Solution 400

SOLUTIONS

Solution 401

Solution 402

Solution 403

Solution 404

Solution 405

Solution 406

Solution 407

Solution 408

Solution 409

Solution 410

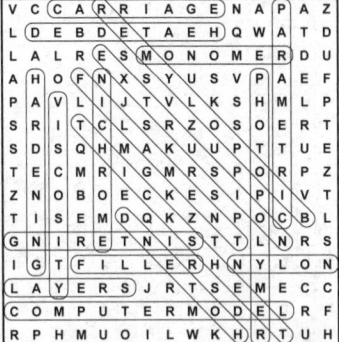

Solution 411

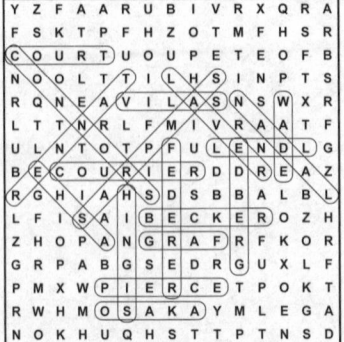

Solution 412

Solution 413

Solution 414

Solution 415

Solution 416

SOLUTIONS

Solution 417

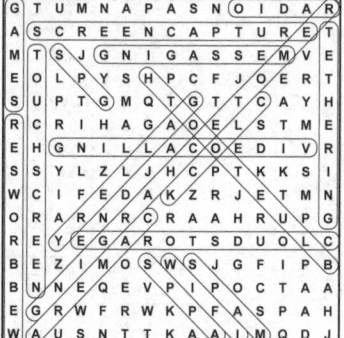

Solution 418

Solution 419

Solution 420

Solution 421

Solution 422

Solution 423

Solution 424

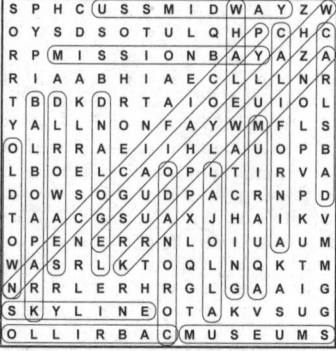

Solution 425
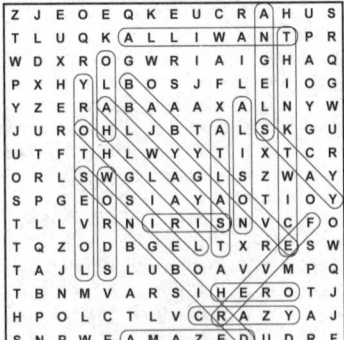

Solution 426

Solution 427

Solution 428

Solution 429

Solution 430

Solution 431
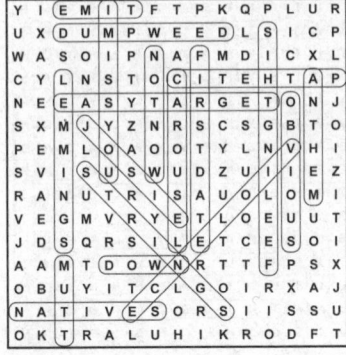

Solution 432

SOLUTIONS

Solution 433

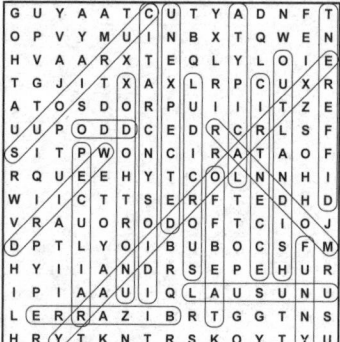

Solution 434

Solution 435

Solution 436

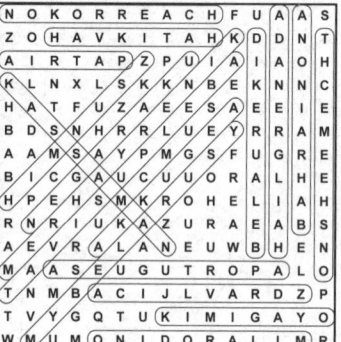

Solution 437

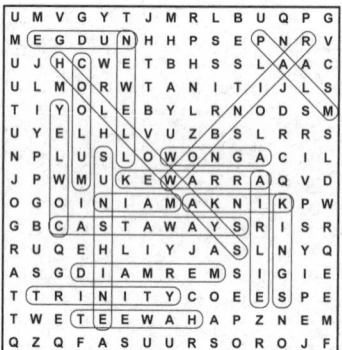

Solution 438

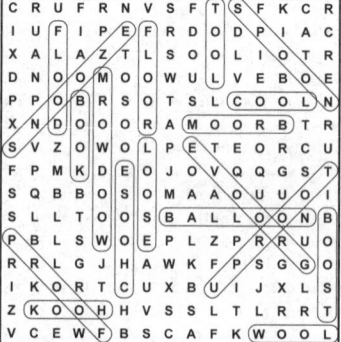

Solution 439

Solution 440

Solution 441

Solution 442

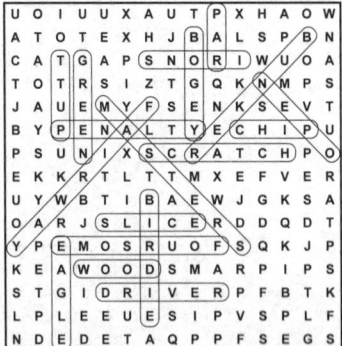

Solution 443

Solution 444

Solution 445

Solution 446

Solution 447

Solution 448

SOLUTIONS

Solution 449

Solution 450

Solution 451